Татьяна Полякова

| Судьба—волшебница |

УДК 821.161.1-312.4
ББК 84(2Рос=Рус)6-44
   П54

Оформление серии *С. Груздева*

Полякова, Татьяна Викторовна.

П54   Судьба-волшебница : роман / Татьяна Полякова. — Москва : Издательство «Э», 2016. — 320 с. — (Авантюрный детектив Т.Поляковой).

ISBN 978-5-699-87385-2

Старая любовь не ржавеет... Так говорят... Я вернулась в родной город, откуда убежала сто лет назад в надежде забыть любовную драму. Друзья детства Ирка и Егор просили помочь в одном важном деле. Оказывается, подружка сперла деньги у шефа, а теперь решила их вернуть. Не каждому ведь доверишь миллионы и не каждому признаешься, что их украла. Сама Ирка не горела желанием встречаться с бывшим шефом. Поэтому с миллионами к Кудрявцеву отправляют меня. Вскоре после того, как я отдала сумку с деньгами, его убили. Выходит, подруга меня подставила?! И что мне теперь делать? Идти в полицию и поведать Иркину сказочку? Да меня первую заподозрят в преступлении! В такой истории без адвоката не обойтись. И он не преминул появиться! Марк Левандовский оказался воплощением женских грез о благородном и сильном. А во мне борются две страсти: моя первая любовь и новое чувство...

УДК 821.161.1-312.4
ББК 84(2Рос=Рус)6-44

ISBN 978-5-699-87385-2

На перроне меня никто не ждал. Еще минуту назад я весьма красочно представляла встречу старых друзей, объятья, радостные вопли, похлопывание по плечу и прочее в том же духе, а теперь стояла сиротливо, оглядываясь и пытаясь увидеть в толпе знакомые лица. Народ, вдоволь наобнимавшись, тянулся к зданию вокзала, а я продолжала стоять. «Опаздывают, — подумала с некоторой обидой. — Или вовсе перепутали, когда и каким поездом приезжаю. Чего взять с безголовиков?»

Перрон быстро опустел, ждать дальше не было никакого смысла. Подхватив чемодан, я побрела к зданию вокзала, на ходу набирая Иркин номер. Телефон выключен, сообщил женский голос. Очень мило. Забыть, когда я приезжаю, да еще и мобильный отключить... С телефоном Егора та же история. Черт бы побрал моих дорогих друзей. Отличное начало отпуска. Впрочем, сама виновата. Надо было послать их подальше и лететь на Кубу, как и планировала.

Между тем я вышла на привокзальную площадь, все еще продолжая оглядываться в тщетной надежде, что Ирка с Егором появятся или вдруг раздастся звонок и кто-то из них сообщит, куда их унесли черти, а главное, что теперь делать мне? Это, кстати, самый насущный вопрос. Если честно, меня так и подмывало вернуться на вокзал и купить билет в обратном направлении. Спасу свой отпуск. Но, по неведомой причине, я все еще брела по площади к стоянке такси. «Надо выяснить, почему они меня не встретили», — решила я. А кто мешает узнать это по телефону, находясь на той же Кубе? Когда-нибудь безголовики объявятся и все объяснят. Вполне разумно. Может, действительно сразу уехать?

От этого города я не ждала ничего хорошего. Само собой, город здесь ни при чем, просто с ним связаны весьма неприятные воспоминания, которые я намеревалась забыть. И поспешила сюда на всех парах... Где логика?

Окажись на стоянке толпа жаждущих уехать граждан, здравый смысл, возможно, победил бы. Но к тому моменту, когда я и мой чемодан туда добрели, в данной части вокзальной площади не было ни души, зато стоял ярко-желтый автомобиль с шашечками, передняя дверь гостеприимно распахнута.

— Свободны? — спросила я упитанного дядю за рулем, все еще играя с судьбой.

— Конечно, красавица, — улыбнулся он, вышел, запихнул мой чемодан в багажник, отрезая пути к отступлению. — Куда едем?

Я села на заднее сиденье, вздохнула и назвала адрес.

— Из отпуска вернулись? — спросил словоохотливый водитель.

— В отпуск.

— К родным?

— Вроде того. Как у вас тут жизнь? Не жалуетесь?

— Хоть жалуйся, хоть нет... идет жизнь. У всех по-разному. Давно у нас не были?

— Давно.

Я уставилась в окно, разглядывая проплывающие мимо дома.

— Пробки замучили, — продолжил мужчина. — Просто беда.

— Понятно.

Я попыталась вспомнить, куда сунула ключи от квартиры. В сумку? В карман чемодана? Остановиться я планировала у Ирки, наболтаться вволю... У себя светиться не хотелось. Но придется. Ладно. Скорее всего, на мой приезд попросту не обратят внимания. Я тут же задалась вопросом: хорошо это или плохо? То есть нравится мне это или нет?

Несколько лет назад я спешно покидала этот город как раз для того, чтобы избавить себя от подобных вопросов. И жила вполне счастливо. Но стоило здесь оказаться... Из-за поворота возник мой дом, пятиэтажная «сталинка» с лепниной в виде колосьев пшеницы и пятиконечной звездой под крышей. Сколько себя помню, дом красили в блекло-желтый цвет, теперь он был ядовито-розовым, ограждение балконов тоже поменяли. Вместо гипсовых балясин черная ковка с золотом. Жизнь не стоит на месте.

— Какой подъезд? — спросил водитель, въезжая во двор.

— Второй.

Я расплатилась, он достал мой чемодан, и я направилась к подъезду, гадая, как в него войти. Ключи от квартиры у меня есть, а вот домофон успели сменить, о чем тетушка меня предупредила. Ее комплект ключей сейчас у риелтора, но я даже толком не знаю, где находится эта чертова контора. В любом случае тащиться туда с чемоданом я не намерена. Кому из соседей лучше позвонить? Стасе? Или Маринке с четвертого этажа?

Пока я гадала над этим, дверь распахнулась, и Стася предстала передо мной в неизменной шляпке с розами и перчатках в сеточку. Выглядела она в точности так, как в последнюю нашу встречу. Все то же сморщенное личико с ярко-синими тенями на верхнем веке и красной помадой на губах.

«Сколько же ей лет?» — некстати подумала я, по-дурацки улыбаясь. Нам всегда казалось — лет сто. Спрашивать из нас никто не рискнул: как истинная женщина, Стася подобное любопытство не приветствовала.

Она окинула меня хмурым взглядом, а я продолжала улыбаться и, заподозрив, что ответной улыбки не дождусь, сказала весело:

— Здравствуйте.

То ли старушке изменяет память, то ли это я так изменилась, что меня не узнать? Стася нахмурилась еще больше, после чего схватилась за сердце:

— Зоська? Матка боска, ченстоховска, ты?

Вообще-то, я Софья, но с легкой руки Стаси, обладательницы диковинного имени Станислава-Августа и польских кровей, меня в родном дворе иначе никто не звал. Чтоб вы знали, Зося — это Софья по-польски, если верить Стасе, конечно. Сама я информацию проверить так и не удосужилась. Та же Стася утверждала, что польской крови и во мне с избытком. Ничего не имею против, но папа к утверждению соседки всегда относился с сомнением.

— Откуда тебя леший принес? — задала вопрос Стася и, притянув мою голову, запечатлела на лбу поцелуй. Я едва удержалась от искушения проверить, не остался ли след от помады, раскрыла объятия и прижала к груди тщедушное тельце соседки.

На вопрос я так и не ответила, зато задала свой.

— Как здоровье Юджина Казимировича? — Это, кстати, бабкин кот, жутко вредное существо породы британский голубой. Он успешно заменял и мужа, и детей, каковых у Станиславы никогда не было.

— Слава богу, — ответила бабка. — У нас с ним уговор: сдохнем в один день. Куда он без меня, а я без него?

— Надеюсь, до этого еще очень далеко.

— И я надеюсь. Да что толку. Коты в среднем живут лет десять, мой-то гораздо старше. Да и я, знаешь ли, не молодею. Ты из-за квартиры приехала или как? Ладно, мне в аптеку надо. Заходи, все расскажешь, я шарлотку испеку.

И, гордо вскинув голову, она пошла дальше, открыв мне дверь и пообещав дать запасной магнитный ключ.

Я поднялась на третий этаж, радуясь, что вещей захватила не так много. Постояв перед дверью в квартиру, точно собираясь с силами, я наконец вошла. Тетка, на которую спихнули заботы о жилище, предупреждала, что сделала ремонт. Последние несколько лет здесь обретались чужие люди (квартиру сдавали), может, поэтому возникло ощущение, что я в номере отеля. Часть мебели после ремонта отправили на свалку, появилось такое новшество, как гардеробная, кухню расширили, комнаты казались светлее, просторнее. В общем, мало что напоминало тут о моей прежней жизни. Может, и хорошо.

Прогулявшись по комнатам и открыв окна (в квартире было душновато), я вновь позвонила своим друзьям. Телефоны по-прежнему отключены. Это даже интригует. Прячутся они от меня, что ли? А зачем было в гости звать?

Ирка позвонила неделю назад. В отличие от прочих друзей и знакомых в этом городе, она прекрасно знала, что я отправилась отсюда не к маме в Америку, как надлежало думать всем остальным, а к отцу в Петербург. Родители у меня в разводе уж лет двадцать. Десять лет назад у мамы случилась командировка в США, почти на полгода. За это время она успела встретить мужчину своей мечты и выйти за него замуж. В общем, сюда больше не вернулась, оставив меня на попечение тетки, своей родной сестры. К счастью для меня, попечение было совсем не обременительным, мы уживались вполне мирно, стараясь как можно реже попадаться друг другу на глаза. С отцом в то время связи я почти не поддерживала, не считая редких звонков и подарков ко дню рождения. Но, спешно покидая этот город, отправилась к нему, а не к маме. Америка вовсе не казалась мне привлекательной, да и мама не особо звала: отчим, по ее словам, любил меня как родную, но, надо думать, предпочитал делать это на расстоянии. А вот папа настоял, чтобы я жила с ним. Под его неусыпным контролем я закончила институт и теперь являюсь одним из ведущих специалистов в его фирме.

В общем, все у меня отлично. Квартиру здесь так и не продали, потому что руки не доходили или потому что я не хотела сюда приезжать. А может, наоборот, надеялась, что однажды вернусь? Ну, вот я вернулась, и пока в этом нет ничего хорошего. Тетка, кстати, год назад отбыла к мамуле, вероятно, в поисках своего женского счастья. Недавно квартиранты съехали, и заниматься квартирой теперь предстояло мне. То ли сдать, то ли продать. Данное обстоятельство тоже сыграло свою роль в моем решении приехать.

Распаковав чемоданы и определив на место зубную щетку и косметичку, я налила воды в ванну и погрузилась в сладкую дрему, нежась в душистой пене и держа мобильный под рукой.

Итак, неделю назад позвонила Ирка. В последнее время мы перезванивались все реже. Как-то так складывалось. Летом она собиралась меня навестить, я дважды по этому случаю переносила отпуск, но подругу не дождалась. Звонок раздался в половине первого ночи, но это нисколько не удивило: Ирка и в четыре утра могла позвонить. Голос ее звучал весело, я даже решила, что она слегка не рассчитала с выпивкой.

— Зоська, дело есть. Большое-пребольшое. Приезжай, а?

— Ага. Уже мчусь.

— Не, я серьезно. Поговорить надо. Обсудить важное. Не по телефону.

— Ну и что мешает? Ты еще в июне хотела приехать. У меня отпуск. На Кубу хочу.

— Супер. Куба-либра, Че Гевара и мохито. А может, все-таки к нам? Если честно, ты мне позарез нужна. Мне и Горе.

— Случилось что-нибудь? — насторожилась я.

— Пока нет. Просто помощь нужна. Позарез. Приезжай, а?

— Какого хрена ты меня пугаешь? — разозлилась я. — Говори, в чем дело? Куда ты вляпалась?

— Нет, нет, нет, — зачастила Ирка. — Ничего подобного. Нужен толковый совет и все такое... разобраться здесь на месте. Не могу я об этом по телефону. Мне надо, чтобы ты напротив сидела, чтоб я твои глаза видела.

— С глазами явный перебор. Ты, дубина стоеросовая, так меня запугала, что хоть сейчас к тебе срывайся.

— Сейчас не нужно. Давай через недельку. У меня как раз тут все прояснится. И ты не спеша соберешься. Ладушки? А, Зоська?

— Ладушки, — буркнула я, и на этом разговор, собственно, и закончился.

Чуть ли не мурлыча от удовольствия в теплой воде, я беззлобно подумала: это какой же дурой надо быть, чтобы после подобного разговора загубить свой отпуск, сорвавшись сюда. В Иркином голосе особой тревоги не было. Два дня назад она вновь позвонила, и я сообщила, что билет куплен, и назвала время, в которое меня следует встретить. Ирка заверила, что встретят. Имея в виду себя и Горе. Горе — это Егор Стычкин, поначалу его звали Гора, ну а потом одну букву сменила другая, так как с ним вечно что-то случалось. Ирка была Чумой, так как носила фамилию Чумакова. Я, как вам уже известно, Зоська. Соседка тетя Маша прозвала нас безголовиками: с ее точки зрения, мы отличались от нормальных детей. Наверное, она права. Росли мы в одном дворе, ходили в один детский сад и дружили с пеленок, а наши приключения вызывали у взрослых недоумение, плавно переходящее в убежденность, что тетя Маша — провидица и с нами что-то не так.

Мое первое отчетливое воспоминание. Мы гуляем в парке, нам по три года, счастливые мамаши сидят на скамейке и трещат, точно сороки, а мы бегаем за мячиком. Мячик приглянулся не только нам, но и собаке, совершавшей здесь свой обычный моцион. Хоть я и была очевидцем, но объяснить, как все произошло, не берусь. Помню истошный крик Егора и общую суету. Пес в борьбе за мяч откусил у Горы мизинец. Хозяйка пса и мамаша пострадавшего наперегонки хлопаются в обморок. Кто-то бегает за собакой, предусмотрительно покинувшей место происшествия, кто-то звонит в «Скорую», и все дружно кричат: «Ищите палец, его пришьют!» Палец в конце концов нашли, но так и не пришили. Что-то не задалось. Остался наш Горе без мизинца. Собственно, после этого случая прозвище за ним и закрепилось. В парк мы больше не ходили, он вызывал неприятные ассоциации, хотя этот случай взрослые вспоминали довольно часто; мамаша Горы в сердцах не раз говорила: «Где вас носит? Дошляешься, придурок, опять что-нибудь откусят». Гора покаянно вздыхал, но при случае хвастал отсутствием мизинца перед ребятней из соседнего двора и красочно рассказывал историю его потери. Никто толком не помнит, что за собака лишила его конечности, то ли французский бульдог, то ли мопс, то ли просто дворняга. Думаю, челюстями он клацнул не подумав, без намерения нанести увечья. Но в рассказе Горы неизменно присутствовал доберман, с которым была жуткая битва. Само собой, доберман сдох от разрыва сердца, поняв, что битву проиграл. Боюсь, что реальную собачку усыпили, хотя, может, и обошлось. Вряд ли мамаше Егора пришло в голову подавать на хозяйку собаки в суд. У нее была чересчур насыщенная личная жизнь. Впрочем, может, кто-то и надоумил, но я последствий этой драмы совершенно не помню, если не считать смены одной буквы в привычном имени Горы. Потом было множество всяких происшествий, но, к счастью, обошлось без членовредительства. Прозвище, данное нам соседкой, мгновенно прижилось, и собственные родители, выходя во двор, спрашивали соседей:

— Безголовиков не видели?

Долгое время мы, по наивности, считали, это нечто ласковое, вроде «заек» и «рыбок», и стали сами так себя называть. А к тому моменту, когда правда выплыла наружу, настолько привыкли к коллективному прозвищу, что не пожелали с ним расстаться, даже если б могли.

В школе наша дружба лишь укрепилась, мы оказались в разных классах, но на переменках сбивались в стайку, держась особняком от остальной детворы. Не знаю, что нас объединяло с самого начала. Просто случайность и последующая привычка? Общая тяга к раздолбайству, ловко маскирующаяся под любовь к приключениям? Или тот факт, что все мы безотцовщина? У других были отцы, у нас не было. Мой отбыл последним, и я смутно помнила те времена, когда он жил с нами. Опять же, отец иногда появлялся, вызывая острую зависть у остальной компании. Родительницы Горы и Ирки были матерями-одиночками. Если Ирка кое-что знала о своем отце («козел твой папа Витя, чтоб ему пусто было»), то на отцовство Горы, по мнению соседей, могли претендовать десятка два мужиков в нашем районе. Правда, претендовать никто не торопился. Во втором классе возле школы нас встретила местная шпана, взяли в кольцо и принялись задирать Гору, называя его мать шлюхой. Детьми мы были развитыми и прекрасно понимали, что значит это слово. В тот день мы впервые дрались по-настоящему, до крови, чем повергли задир в настоящий шок, никто из них не ожидал, что мы не только дадим отпор, но станем драться с таким остервенением. Особенно отличилась Чума, умудрившись сломать нос одному из задир. Он был на целых два года старше и считался грозой среди малышни. Кличка Чума после этого случая намертво закрепилась за Иркой, а то, что мы форменные шизики, теперь ни у кого не вызывало сомнений.

До окончания девятилетки нам пришлось драться еще с десяток раз, по поводам самым разным, и мы неизменно подтверждали, что так нас прозвали не зря. После окончания девятого класса Чума отправилась в колледж, а Гора пошел работать; ко всему прочему, мои друзья перебрались на новое место жительства. Иркина мать наконец-то вышла замуж, у избранника была своя жилплощадь, две квартиры обменяли на трешку в новом районе. Мать Горы к тому моменту, успев стать многодетной матерью, наконец-то выбралась из коммуналки. Но дружба наша не расстроилась, наоборот, крепчала день ото дня...

Тут зазвонил мобильный, и я поспешила ответить в надежде, что друзья детства наконец-то объявились. Звонил папа с вопросом, как я добралась и устроилась. За первым звонком последовал второй, на сей раз от риелтора. Ольга Владимировна интересовалась, прибыла ли я в город, и предложила встретиться.

Быстро приняв душ, я прошла в кухню, проверила шкафы в надежде, что где-то завалялся пакетик чая, а лучше бы кофе. Шкафы были пусты и тщательно вымыты. Деньги за генеральную уборку я платила не зря.

Я решила заглянуть к Стасе, ее квартира напротив. Но соседка, судя по всему, еще не вернулась, дверь мне не открыли. За то время, что я была в ванной, пошел дождь. Пейзаж за окном теперь вызывал уныние. Сентябрь — не лучшее время для отдыха в России: зарядят дожди, и поездка обернется вынужденным лежанием на диване. Впрочем, кто сказал, что это плохо? Продам квартиру и как следует высплюсь. Просто интересно, куда это Ирка подевалась?

Решив не обращать внимания на дождь, я отправилась на поиски подруги по единственно известному мне адресу, тому самому, где проживала Ирка с матерью на момент моего отъезда. Зонт я предусмотрительно привезла с собой, будучи уже несколько лет питерским жителем, готовым к любым капризам погоды. Он не особо спасал, к этому моменту дождь перешел в настоящий ливень. Но возвращаться в квартиру мне не захотелось, добегу до ближайшего кафе и хотя бы выпью кофе.

С кафе все оказалось непросто, в обозримом пространстве их не было. Точно так же, как и такси.

Быстрым шагом я достигла троллейбусной остановки и, не особо рассчитывая на свою память, уточнила у водителя, как добраться до улицы Кржижановского. На этот раз мне повезло. Добраться можно без пересадок, если я готова немного пройти пешком от проспекта Ленина. Я была готова на все, успев промокнуть насквозь.

На восьмой остановке я вышла, дождь к тому моменту поутих. Переулком выбралась к дому, где когда-то жила подруга, очень сомневаясь, что застану ее здесь. Из разговоров с Иркой я поняла: с матерью она не только давно не живет, но и практически не общается. О том, где теперь обитает, подружка ни разу не упомянула, хотя у меня сложилось впечатление, что у нее есть своя квартира. Говорю: сложилось впечатление — потому что Ирка избегала этой темы. И на прямой вопрос «Ты квартиру купила?», ответила: «Типа того» — и поспешила закончить разговор.

Я вновь вздохнула, вспомнив о Кубе, где меня вряд ли увидят в ближайшие дни. Хотя... встречусь с риелтором и сбегу отсюда. Если, конечно, Ирка не появится сегодня. Даже если появится...

С Иркиной матерью я столкнулась во дворе. Оказалось, она работает дворником. Тетка в оранжевой жилетке стояла под козырьком подъезда, вопя во все горло. Объектом ее возмущения были мальчишки, катавшиеся на велосипеде, несмотря на дождь. Чем они тетке не угодили, я не поняла и ненадолго застыла с приоткрытым ртом, сообразив, кто передо мной. Никогда не думала, что люди способны так измениться за несколько лет. Я помнила ее разбитной бабенкой, с насмешливым взглядом и роскошными формами. Теперь она относилась к категории женщин, которую один мой приятель определял как 50 на 50, то есть возраст за пятьдесят и лишних пятьдесят килограммов веса. В оранжевом жилете с белой полоской, Полина Андреевна больше всего напоминала мячик.

— Что уставилась? — хмуро спросила она, без удовольствия меня разглядывая. — Не узнала, что ли?

— Здравствуйте, — ответила я и попыталась улыбнуться.

— Явилась не запылилась, значит? Что, в Америке скучно стало?

Я пожала плечами.

— Приехала квартиру продать.

— Хорошо, когда есть что продать. А здесь чего нарисовалась? По мне, что ль, соскучилась?

— Иру ищу.

— А-а... — она зло хмыкнула. — Ну, ищи, ищи.

— Она с вами живет?

— Еще чего. Я эту шалаву года два уж не видела. Как бабки появились, так она к матери ни ногой.

— Да? А откуда бабки? Работа высокооплачиваемая?

— Вот уж не знаю, каким она местом работает.

— А где живет, тоже не знаете?

— Не знаю. И не интересно. Найдешь, привет передай.

— Хорошо, передам. Как ваши дела? — зачем-то спросила я.

— Что, не видно? Хреновые мои дела. Мужики — сволочи, детки — настоящие ублюдки. Никому не нужна.

— Извините, — не зная, что на это ответить, пожала я плечами, кивнула на прощанье и поспешила покинуть двор.

На счастье, дождь кончился. Сложив ненужный теперь зонт, я вернулась на проспект, прикидывая, чем занять себя в ближайшие три часа до встречи с риелтором. Взгляд мой натолкнулся на вывеску нового торгового центра, занимавшего здание бывшего кинотеатра «Октябрьский», и я поспешила туда. Торговый центр порадовал размахом, магазинами с брендовой одеждой и кафе, которых было несколько. Я зашла в ближайшее, выпила кофе, а потом пообедала, лениво наблюдая за снующими за стеклом гражданами. Покупателей в этот день было немного.

Расплатившись, я покинула кафе, решив спуститься на нулевой этаж, где был супермаркет, купить кое-что из продуктов и на такси вернуться домой. Успела сделать пару шагов и тут услышала:

— Зоська!

Повернулась без всякой радости, уже узнав голос, и в нескольких метрах от себя увидела мужчину под ручку с блондинкой. Почему-то сначала я посмотрела на блондинку и лишь потом на парня, окликнувшего меня. Вот уж кому время пошло на пользу! Рост, само собой, остался прежним, и блондинка на каблуках была выше его на полголовы, а в остальном он выглядел весьма неплохо. Как говорится, деньги в кармане — еще не крылья, но походку меняют. Я некстати подумала, что теперь он очень похож на своего брата, по крайней мере, именно таким я того и помнила все эти годы: насмешливо улыбающимся, уверенным и красивым.

— Зоська! — он раскинул руки и засмеялся. — С ума сойти! Вот так встреча. Ты давно приехала?

Мы обнялись, я — без всякой охоты, при этом прекрасно сознавая, как глупо винить во всем Арни. Он-то всегда относился ко мне с большой симпатией... Я забыла сказать: на самом деле безголовиков было четверо. Еще одна безотцовщина в нашем дворе — Арнольдик Купченко. Правда, кое-что делало его особенным: у него был старший брат. Не то чтобы тот вмешивался в нашу жизнь, но он был, и мальчишки из соседнего двора держались от Арни на расстоянии. Редким именем он был обязан своей матери, плаксивой и нервной особе, обожавшей американские фильмы. Она тяготела ко всему необычному, красила волосы в синий цвет, а ногти, опережая время, разноцветным лаком. Старшему сыну повезло — она назвала его Германом, а вот рождение Арни пришлось как раз на ту пору, когда ее кумиром стал Арнольд Шварценеггер. Я помнила плакаты, которыми были оклеены их прихожая и туалет в придачу: Шварценеггер-Конан, Шварценеггер-Терминатор. В общем, тетя Люба, должно быть, мечтала, что сын вырастет здоровяком, под стать Арни. И не угадала. В детстве младший Купченко был до того тощим, что назвать его именем Шварценеггера можно было разве что в насмешку. Он тут же получил прозвище Арни Дохлый, потом имя совсем потерялось, и иначе как Дохлым его никто не звал. Слава богу, до размеров Шварценеггера ему и сейчас было далеко, но качалкой Арни точно не пренебрегал. В общем, кличка Дохлый теперь была так же неуместна, как в далеком детстве имя, данное мамой.

— Классно выглядишь, — сказал он, оглядывая меня.

— Ты тоже.

— Надолго к нам?

— На пару дней. Решу вопрос с квартирой...

— Да, я слышал, что тетка тоже в Америку подалась. Как там?

— Нормально.

— Замуж не вышла? Впрочем, Ирка бы знала. Да?

— Непременно приглашу на свадьбу, — усмехнулась я. И кивнула на блондинку: — А ты?

— А у меня как раз скоро свадьба. Скажи, куда приглашение прислать?

— На прежний адрес. Только не затягивай. Ты нас познакомишь? — спросила я. Вполне могла обойтись и без знакомства, но решила, что этого требует элементарная вежливость.

— Да, конечно, — засуетился Арни и, ухватив блондинку за руку, потащил ко мне. — Это Наташа. Моя невеста. А это Зоська, мы дружили с горшков.

— Софья, — буркнула я, как-то разом охладев к своему прозвищу или все-таки имени, сразу и не поймешь. Наверное, к прозвищу — у всех безголовиков они были: Горе, Дохлый, Чума и Зоська. — Что ж, рада была увидеться, — произнесла я, отступая на шаг. — Кстати, ты не знаешь, где Ирка обретается? И Егор?

— Егор все больше по знакомым. У него дела не блестящие... едва не посадили. Ты слышала?

— Нет. Мы практически не общались.

— По-моему, он настолько слился со своим прозвищем, что дурные приключения к нему так и липнут. Давай встретимся, поболтаем, я тебе все расскажу.

— Хорошая идея, — без восторга отозвалась я. — А что Ирка?

— Чума, она и есть Чума. Вроде нашла богатого папика. Последний раз видел ее на «Лексусе» и в сногсшибательном прикиде. Похоже, с Горой они до сих пор водят дружбу.

— Где она живет, ты знаешь?

— Где-то на Чайковского, точнее не скажу. Но могу узнать, если хочешь. Оставь свой мобильный, я позвоню... — Предложение сопровождалось широкой улыбкой, я тоже улыбнулась.

— Как раз собираюсь обзавестись симкой, — соврала я.

— Ах, ну да, — закивал он, достал из кармана визитку и протянул мне. — Обязательно позвони, как только решишь с телефоном. Надо встретиться... всем четверым... как прежде... полный комплект безголовиков. — Он засмеялся, блондинка взирала с недоумением, а я поспешила проститься и выбросила визитку в ближайшую урну.

Меньше всего на свете я желала этой встречи, и надо же ей было случиться. В первый же день настроение безнадежно испорчено. Само собой, дело вовсе не в Дохлом. Дело в его брате. Теперь он тоже узнает о моем приезде. И что? Скорее всего, данное обстоятельство оставит его совершенно равнодушным. А если все-таки решит позвонить? Или, не дай бог, объявится? Первый вариант весьма болезненный для моей гордости, второй и третий... второй и третий могут быть еще болезненней. Мне казалось, от любви к Герману я давно избавилась, но теперь не была уж так в себе уверена. Черт, не стоило сюда приезжать.

Я вышла из торгового центра и, только удалившись на значительное расстояние, вспомнила, что собиралась зайти в супермаркет. Вновь чертыхнулась досадливо, но возвращаться не стала. Кофе можно купить где-нибудь по дороге.

Я подходила к троллейбусной остановке, когда зазвонил мобильный. На дисплее высветилось имя, и я вздохнула с облегчением. Ирка наконец-то объявилась.

— Привет, — сказала я. И услышала:

— Зоська, ты где?

— Болтаюсь по городу. Была у твоей матери.

— Да? Как мамуля? Обложила меня трехэтажным и тебя в придачу?

— Типа того.

— У нее сейчас тяжелые времена. Мужики смотрят в другую сторону. Видела, как мамуля раздобрела? Это от нервов. По крайней мере, она так считает. На работу устроилась. Для матушки любой труд — страшное наказание... В общем, зря ты к ней сунулась.

— Это я поняла. Надеялась узнать, где ты теперь живешь.

— Понятно, — вздохнула Ирка. — Извини, что не встретили. Обстоятельства.

— Какие?

— Скоро все узнаешь. Живу я на Чайковского, дом семь, квартира 13. Дуй ко мне. Ладушки?

— Ладушки, — буркнула я и махнула рукой, останавливая такси.

Седьмой дом оказался симпатичной новостройкой, раскрашенной в веселенькие цвета: желтый, красный и ярко-зеленый, что по замыслу должно компенсировать убогость архитектуры. Дом торчал, точно свечка, в компании себе подобных. Подъездная дверь открыта настежь. По дороге я зашла в магазин и купила торт безе, в детстве мы с Иркой его обожали. Собственно, торту я была обязана тем, что обратила внимание на машину, стоявшую рядом с подъездом. Черный «Ленд Крузер» с тонированными стеклами. Поначалу никакого интереса машина не вызвала, стоит себе и стоит. Я как раз с ней поравнялась, когда почувствовала, что веревка на торте вдруг ослабла. Узел отчего-то развязался, я перехватила торт другой рукой, держа коробку за донце, подняла голову и увидела, что сквозь стекло на меня смотрит мужчина. Нас разделяли каких-нибудь сантиметров тридцать. Отчего-то это напугало. Может, взгляд чересчур пристальный, а может, дело в том, что до того мгновения я была уверена: в машине никого нет.

Мужчина продолжал сверлить меня взглядом. Должно быть, моя возня с тортом вблизи его драгоценной машины ему пришлась не по вкусу. За спиной водителя сидел еще один мужчина и тоже смотрел на меня. Внимательно. Прижав торт к груди, я лучезарно улыбнулась и даже кивнула, но ответной улыбки не дождалась. Странные типы. Ждут кого-то?

Я поспешила войти в подъезд, выругалась сквозь зубы, прочитав табличку на лифте «Не работает», и направилась по лестнице, пытаясь сообразить, на каком этаже тринадцатая квартира. Оказалось, на четвертом. Можно сказать, повезло. Железная дверь была заклеена прозрачной пленкой, только вокруг глазка чуть надорванной. Похоже, Ирка сюда заселилась недавно. Может, даже еще ремонт не закончила.

Я надавила кнопку звонка, держа торт перед грудью, прикидывая, что сделаю сначала: обниму подругу или назову свиньей, могла бы раньше позвонить, если уж не встретила...

За дверью послышались осторожные шаги. Кто-то, вне всякого сомнения, рассматривал меня в глазок.

— Открывай! — крикнула я. — Я что, изменилась до неузнаваемости?

Тишина. Нет, это уже слишком. Она что, в самом деле меня не узнала? Даже по голосу?

— Ирка, — позвала я. — Кончай дурить. Открывай.

Лязгнул замок, дверь медленно открылась. На меня с неодобрением взирал дюжий дядя со шрамом на лбу, который тщетно пытался прикрыть длинной челкой. Волос на голове у него было маловато, челка вышла жиденькой. Зато взгляд колючий, а кулачищи как кувалды. Это что ж, Иркин папик? Больше на бандита похож.

— Здрасте, — сказала я. — Ира дома?

Меня бесцеремонно втащили в квартиру. Дверь за спиной захлопнулась. Торт в руках я едва удержала и не придумала ничего лучше, как сунуть его мужику со шрамом. Он машинально его принял и, хмуро оглядевшись, поставил на консоль. Я тоже огляделась. В дверях, ведущих в кухню, стоял еще один тип, рожа у него оказалась поприятней, но тоже не порадовала.

— Ира дома? — повторила я, уже заподозрив, что явилась сюда совсем некстати, и гадая, здесь Ирка или нет.

— Ты кто? — спросил тот, что со шрамом.

— Я? Подруга, — пожала плечами. — А вы кто?

— Друзья, — хмыкнул он. — Вот, зашли навестить, а Ирки дома нет. Не знаешь, где она?

— Нет, — покачала я головой, демонстрируя задумчивость и стараясь выглядеть максимально убедительной. — Я думала, она здесь... дома.

— Почему ты так думала?

Второй тип молча наблюдал за нами, сложив руки на груди.

— Ну... Она знала, что я приеду. Мы собирались встретиться. Я вещи побросала и сразу к ней... — переводя взгляд с одного на другого, сказала я.

— Значит, ты ее подруга? — попытался улыбнуться мужчина. — Как зовут?

— Софья.

— Не слышал от нее о такой подруге.

— Вообще-то, я давно здесь не живу. С Ирой мы в одном дворе росли и...

— Ты Софья Новак, та, что в Америку уехала? — вдруг спросил до того молчавший тип.

— Да, Софья Новак, — кивнула я, вопрос с Америкой решив не освещать. Пусть думают, что им угодно. Откуда эти типы обо мне знают? Как-то не очень они похожи на Иркиных друзей. Но если не она им обо мне рассказала, то кто? — Ирка дома или нет? — не выдержала я.

— Нет. А нам до зарезу надо встретиться. Чем раньше, тем лучше. Не знаешь, где она может быть?

— Вы шутите? — нахмурилась я, хотя догадывалась, что никто тут шутить не собирался. — Я пару часов как приехала.

— Но ведь вы перезванивались?

— Ну да...

— Так и сейчас позвони, — предложил здоровяк. — Может, она где-то рядышком.

Я весьма неохотно набрала номер, гадая, что буду делать, если Ирка ответит. Ясное дело, появляться здесь ей ни в коем случае нельзя. Чума не ответила, на счастье или на мою беду, я затруднялась сказать. Понятно, что предполагаемые дружки на этом не успокоятся и общение с ними ничего хорошего мне не сулит.

— Мобильный отключен, — с намеком на печаль, сказала я, протягивая свой телефон мужчине. Но он его не взял: должно быть, находясь рядом, слышал и гудки, и стандартную фразу «телефон выключен».

— Не повезло, — кивнул он. А я забеспокоилась еще больше, решив, что в виду он имеет мое невезение, и сказала:

— Весь день ей звоню...

— Выходит, прячется от тебя подруга, — хмыкнул он.

— Похоже, не только от меня, — не сдержалась я. Он усмехнулся и на меня уставился, точно прикидывая, что теперь со мной делать. Взглянул на второго типа. Тот прошел в кухню и кому-то позвонил, я слышала его голос, но слов, к сожалению, не разобрала. Через минуту он вернулся, после чего эти двое малость пошептались. Происходящее нравилось мне все меньше и меньше. Мысленно я успела пожелать провалиться к чертям собачьим и неизвестной парочке, и Чуме в придачу, за то что благодаря ей угодила в эту неприятную историю. В общем, я ожидала всего самого худшего, хоть и затруднялась сказать, чего именно. Не убьют же меня, в самом деле? А если не поверят, что я знать не знаю, где Ирка, и устроят допрос с пристрастием? При мысли об этом я почувствовала дурноту, доподлинно зная, что в отважные подпольщицы не гожусь.

— Иди, — вдруг сказал тип со шрамом.

— Куда? — брякнула я, теряясь в догадках и не веря, что меня вот так запросто отпустят.

— Куда хочешь, — фыркнул он. — Или желаешь здесь остаться?

— Нет, спасибо. Чего мне тут делать, если подруги нет.

Я попятилась к двери, мужчина взял меня за локоть, а я едва не заорала, заподозрив, что отпускать меня передумали. Я таращилась на него во все глаза, а он сказал:

— Торт... — И кивнул на коробку, стоявшую на консоли.

Я сгребла ее, прижала к груди и на негнущихся ногах покинула квартиру, после чего бегом спустилась по лестнице и выскочила на улицу.

Здесь я почувствовала себя куда лучше, а главное, увереннее. На смену недавнему страху пришла злость, в основном на типов, окопавшихся в Иркиной квартире. А досталось торту. Я швырнула его в урну и довольно громко выругалась.

Вот тут и выяснилось, что мои приключения на этом не закончились. Из машины, на которую я обратила внимание по дороге сюда и которая так и продолжала стоять возле подъезда, появился мужчина. Костюм в клетку с замшевыми налокотниками и очки в роговой оправе. Из-за костюма в духе английских профессоров и этих самых очков он выглядел дядей в возрасте, хотя на самом деле был молодой мужчина, лет тридцати — тридцати двух, не более. О вкусах, как известно, не спорят, к тому же в тот момент его вкусы меня интересовали меньше всего, потому что стало ясно: этот тоже по мою душу.

Он улыбнулся тонкими губами, бледными и оттого едва заметными на лице, улыбка вышла кривой и фальшивой, а он спросил:

— Софья Сергеевна?

— Ну, — буркнула я, стараясь держаться от него подальше.

— Садитесь в машину, — предложил он, вполне, кстати, доброжелательно, а я разозлилась еще больше: хватит с меня приключений на один день. — Садитесь, — повторил он, придерживая дверь.

— Ага, — ответила я с усмешкой. — А потрахаться по-быстрому не надо?

— Что за выражение? — попенял он.

— Я думала, вы уже взрослый дяденька и о жизни кое-что знаете.

— Не хотите — не надо, — кивнул он и захлопнул дверь. — У меня к вам просьба. Передайте подруге, что своим поведением она вынуждает нас... Короче, если она не перестанет валять дурака, будет иметь дело с полицией. И очень быстро окажется в колонии, где, по моему мнению, ей самое место. Вы все поняли?

— Нет. Но все передам.

Тут из подъезда появилась парочка недавних знакомцев, и я сочла за благо спешно покинуть двор, бормоча сквозь зубы:

— Твою мать...

Добравшись до троллейбусной остановки, я плюхнулась на скамейку немного отдышаться и как следует осмотреться. Здравый смысл подсказывал: вполне возможно, за мной следят. Ничего подозрительного я не заметила, но это мало что значит. Я же не Штирлиц.

Достав мобильный, я набрала Ирку и очень удивилась, когда она ответила.

— Ты где? — рявкнула я, не особо сдерживаясь.

— А ты?

— На остановке возле твоего дома.

— Ты туда или оттуда?

— Оттуда. Тебе привет от дяди в очках.

— Чтоб ему, — пробормотала Ирка. И поинтересовалась: — Тебя там не помяли?

— Обошлось. Коза ты, Чумакова. Могла бы предупредить.

— Да я не думала, что они возле дома пастись будут. Точнее, думала, но была уверена: тебя не тронут.

— Мило. Хочешь новость? Они ждали в твоей квартире.

— Че, серьезно? Распоясались, партизаны хреновы.

— Почему партизаны? — насторожилась я, гадая, куда на этот раз вляпалась Ирка.

— Да это я так...

— Ты знаешь этих типов?

— Отчасти.

— Кто они?

— Лучше не спрашивай. В смысле не по телефону. Короче, топай домой, а я пока подумаю, как нам встретиться, чтоб ты за собой хвост не привела.

— Тебе надо сменить имя.

— Думаешь, пора в подполье?

— Думаю, Мата Хари подойдет больше, чем Чума. Хотя... Эй, надеюсь, ты далеко от своего дома?

— Само собой.

— Так это была проверка?

— Зоська, ты жуткая зануда. Потерпи, встретимся, и все расскажу. И не бойся. Никто тебя не тронет. Кишка тонка. У меня на них компромата два чемодана.

— Они полицией грозились.

Она весело хихикнула:

— Ага, они в полицию, а я в прокуратуру. Пободаемся. Только кому это нужно. Ладно, люблю, целую, жди звонка.

Убрав мобильный в сумку, я еще немного посидела, оглядываясь. После разговора с подругой на душе полегчало. В основном потому, что голос ее звучал уверенно, без намека на страх. Впрочем, Чума всегда отличалась прямо-таки фантастическим бесстрашием. Вот уж кому прямая дорога в отважные подпольщики.

Подошел троллейбус. Я устроилась на задней площадке и всю дорогу высматривала тачку очкарика в потоке машин. Кстати, выглядел очкарик вполне интеллигентно, офисным мальчиком, прибавлявшим себе годы для солидности дурацким прикидом и очками. Я попыталась вспомнить, что Ирка рассказывала о своей жизни в последнее время. Ничего особенного. Откуда же эти дяди? Придется потерпеть: надеюсь, мы встретимся, и я смогу удовлетворить свое любопытство.

Не успела я войти в квартиру, как в дверь позвонили. Открывать в свете последних событий я не спешила, заглянула в глазок и увидела Стасю.

— Зоська! — позвала она. Я распахнула дверь, а она сказала: — Идем ко мне шарлотку есть, пока горячая.

Заперев дверь, я отправилась к ней. В кухне был накрыт стол, застеленный вязаной скатертью. По бокам шли розы с кистями, дымчато-розовые на белом фоне. Стася утверждала: это ее приданое. В центре стола на круглом блюде красовалась шарлотка. Я оглядела кухню, навевавшую воспоминания, и погладила рукой скатерть:

— Красиво.

— Помру — тебе достанется.

— Спасибо. Только не торопитесь.

— Дура я, что ли? Даст бог, еще поживу. — Она сходила в прихожую и вернулась с магнитным ключом от двери подъезда. — Возьми сразу, а то забуду за болтовней. Свою квартиру я тебе отписала.

— С ума сошли? — нахмурилась я.

— А кому? Обещай, что похоронишь как положено. С ксендзом...

— Где я вам ксендза возьму?

— Уж расстарайся. Халупа моя теперь больших денег стоит. Место на кладбище я уже купила. Все бумаги в секретере. Но чтоб обязательно с ксендзом.

— Дался он вам. Вы ж в Бога не верите.

— Это тебе кто сказал? В общем, верю не верю, а чтоб был. Давай рассказывай, как живешь.

— До сегодняшнего дня жила прекрасно.

— А сегодня что не так?

Я вздохнула и рассказала о звонке Ирки и недавнем приключении.

— Пся крев! — выругалась Стася и с задумчивым видом почесала затылок. — А что ты хочешь? — пожала она плечами. — Чума и есть Чума.

— Кто спорит. Но на сей раз, по-моему, все серьезно.

— Она ко мне забегала месяц назад. Одета, как принцесса, и в ушах бриллианты с мой кулак. Еще тогда подумала: добром не кончится.

— Вы б не каркали.

— А тут хоть каркай, хоть нет... Горе чуть в тюрьму не сел.

— За что? — нахмурилась я.

— Кто ж знает. Ирка говорит, менты к нему нарочно цепляются. Может, и так.

— Конечно, — фыркнула я. — К вам они цепляются? Нет? И ко мне нет.

— Ну, не зря ему прозвище дали. Кого еще в детстве собаки кусали? С крыши соседского сарая прыгали все, а в погреб провалился он один. И мотоцикл взорвался, помнишь?

— Помню. Потому что этот дурак с зажженной спичкой к бензобаку сунулся.

— А я про что? Одно слово — Горе.

Тут позвонила риелтор, о котором я успела забыть. Чаепитие пришлось прервать и спешно бежать в контору.

Возвращалась я ближе к вечеру, решила не спеша пройтись по городу и нашла большие перемены. Жизнь, как известно, не стоит на месте. В ностальгическом настроении я поднималась по лестнице и возле своей двери обнаружила Арни с букетом под мышкой и бутылкой мартини в руке.

— Привет, — расплылся он в улыбке.

— Виделись уже, — буркнула я, не испытывая ни малейшей радости от того, что он обретается вблизи от моей квартиры. Такой прием его слегка смутил.

— Я просто подумал, неплохо бы посидеть, поговорить. Ты, кстати, Чуму нашла?

Я открыла дверь, прикидывая, как бы половчее его отшить, но он, легонько подвинув меня плечом, просочился в жилище.

— Ваза есть? — спросил деловито. Сбросил туфли, снял куртку и пошел искать вазу.

Мысленно чертыхаясь, я пошла в кухню, где он скоренько и появился. Налил воды в вазу, определил в нее букет и поставил на подоконник.

— Вот так... с приездом.

Он обнял меня и поцеловал. Поцелуй вышел мимолетным, я успела увернуться. Хотела сесть за стол, но Арни ухватил меня за плечи и в глаза уставился.

— Я так рад, что ты вернулась, — сказал серьезно.

— Я не вернулась, — с усмешкой ответила я. — Просто приехала на пару дней.

— Ты счастлива в своей Америке?

— Конечно.

— Не скучаешь?

— Я довольно часто прилетаю в Россию, не успеваю соскучиться.

Он кивнул, вроде бы соглашаясь.

— Давай выпьем. Ты ведь любишь мартини. Или вкусы изменились?

— Нет ни льда, ни закуски, — порадовала я. Достала два стакана и разлила мартини.

— За встречу, — сказал он, поднимая свой стакан.

— Ага, — кивнула я и наконец-то села на стул.

Арни устроился напротив и тут же сгреб мою руку.

— Рассказывай, как ты жила все эти годы?

— Хорошо жила.

— А парень у тебя есть?

— Ага. Афроамериканец, два метра ростом.

— Серьезно? — фыркнул он.

— Разве этим шутят?

— Он тебя любит?

— Надеюсь.

— А ты его?

— Конечно. С какой стати, в противном случае, я стала бы с ним жить?

— Значит, вы живете вместе?

— Значит, живем. Извини, я устала с дороги, долгий перелет и все такое...

— Хочешь, чтобы я ушел?

— Неплохо бы...

— Черт, Зоська... не могу поверить, что ты здесь. Я... я боялся, что больше никогда тебя не увижу. Ты стала еще красивее.

— Ага. И заметно старше.

— Сколько лет прошло?

— Много.

— Ты думала обо мне? Хоть иногда?

— С какой стати мне о тебе думать? — не выдержала я.

— Ну, как же, — пожал он плечами. — Мы друзья.

— Мы когда-то были друзьями, в нашем славном детстве.

— И я совсем для тебя ничего не значу? — с обидой спросил он.

— Ты смысл моей жизни. Так нормально? Лучше расскажи, как там Гора и Ирка? Я до них не смогла дозвониться.

Он снова пожал плечами.

— Мы редко видимся. Случайно иногда где-то столкнемся.

— То есть старые друзья тебя не особо интересуют? — съязвила я, а он нахмурился. Пялился на меня, наверное, с минуту, вздохнул.

— Ты же знаешь, как я к тебе отношусь. Я всегда тебя любил... сколько себя помню. И всегда верил, мы будем вместе. Когда ты уехала, я... я хотел покончить с собой. Тебе это безразлично?

— Я рада, что ты жив и здоров. Скажи на милость, какого хрена надо ворошить прошлое?

— Ты не понимаешь, — горестно покачал он головой. — Я думал, что избавился от любви к тебе... научился как-то жить без тебя, но сегодня, когда мы встретились... все мгновенно вернулось.

— Потерпи пару дней, я опять улечу...

— Прекрати, — рявкнул он и тут же сморщился, точно готовясь заплакать. — Я не могу без тебя. Просто не могу.

— Дурака не валяй. Можешь, и даже очень неплохо. У тебя, кстати, невеста. Забыл?

— К черту ее. И моего дорогого братца...

— Он-то тут при чем? — удивилась я.

— Все дело в нем, да? Ты его все еще любишь?

— У меня двухметровый негр, я от него тащусь. Арни, — позвала я. — Все это было сто лет назад, нам тогда и восемнадцати не стукнуло, в этом возрасте все в кого-нибудь влюбляются. Это нормально. Теперь мы взрослые люди, давай вспоминать былую любовь с легкой грустью, ты мою, а я — свою, и пойдем по жизни дальше. У тебя скоро свадьба, а я намерена сделать карьеру и выйти замуж за конгрессмена.

— А как же негр? — усмехнулся Арни.

— Он у меня для души. Временно. Извини. — Я поднялась и направилась в туалет, прихватив телефон.

Стало ясно, от Арни просто так не отделаешься. Его занудство мне хорошо известно, придется обращаться за помощью.

— Ну, что, — вернувшись, сказала я. — Еще по чуть-чуть, и разбегаемся?

— Не прогоняй меня, — взмолился он, но стакан взял и выпил. — Мы ведь можем просто посидеть. Я столько лет мечтал об этом. Просто смотреть на тебя...

— Я спать хочу, честно. Давай встретимся через пару дней, когда я закончу с делами...

— И опять улетишь?

— Конечно, улечу.

Тут в дверь позвонили, и я козой запрыгала в прихожую, распахнула дверь и увидела Стасю.

— Зоська, у меня что-то телик не показывает, глянь, что с ним.

— Гляну, только гостя провожу.

— И что у тебя за гость? — Она бодрым шагом вошла в кухню, Арни поднялся ей навстречу. — Привет, Дохлый, — сказала старушка. — Не успела Зоська приехать, ты тут как тут. А красавец-то, любо-дорого посмотреть.

— У Арни скоро свадьба, — порадовала я. — Девушку я видела, симпатичная.

— Вот это хорошо. Пора уж. Женишься, деток заведешь. Пошли, Зоська, сейчас сериал начнется.

— Иди, я тебя подожду, — предложил Арни. — Или, если хотите, телевизор налажу.

— Я мужиков в квартиру не пускаю, чтоб потом по ночам не волноваться.

— Боитесь, ограбят?

— Сны замучили. Эротические. Снятся молодые мужики, хоть на стенку лезь. А тебя во сне увидеть — просто срам. Я ж тебя крохотным засранцем помню. Так что выметайся, и поскорее, мне сериал позарез нужен.

Она подхватила его под локоть и потащила к выходу, шутливо, но довольно настойчиво.

— Думаете, я не понял? — надевая куртку, сказал Арни. — Стася спешит на помощь. Зоська всегда была вашей любимицей. А меня вы терпеть не могли.

— Тю... что за инсинуации? Клевещешь на старушку, а все потому, что я тебя за уши оттаскала, когда вы с Горой письками мерились. Этот стервец сбежал, но тебя я за ухо поймала. А Зоська мне, считай, родня. В ней кровь наша, пановья. А вы с братцем как были прощелыгами, так и остались, хоть и катаетесь на «Мерседесах».

— Чертова ведьма, — исчезая за дверью, буркнул Арнольдик.

А я поспешила запереть дверь.

— Вы не переборщили? — спросила я Стасю, вместе с ней возвращаясь в кухню.

— В самый раз. Если б не эти... ты бы никуда не уехала и у меня была бы живая душа рядом.

— Хотите, я вас в Петербург заберу.

— Чего я там забыла? А кроме этой сладкой дряни есть что? — указав на бутылку мартини, спросила Стася.

— Нет.

— Тогда пошли ко мне. На хрен мартини, да здравствует коньяк!

За коньяком мы просидели долго, домой я вернулась за полночь. Появление Арни всколыхнуло непрошеные воспоминания, и еще часа два я ворочалась в постели, не в силах уснуть.

А в половине восьмого утра зазвонил мобильный. Я шарила рукой по тумбочке в поисках телефона, гадая, кого угораздило звонить так рано и по какой нужде. Номер высветился незнакомый, я было решила, что отвечать ни к чему, но все-таки ответила.

— Привет, — мурлыкнула Ирка. — Спишь?

— Уже нет, — зевая, ответила я.

— Это хорошо. Сможешь выбраться из дома нашей тайной тропой?

— Какой? — не поняла я, но довольно быстро сообразила, что Ирка имеет в виду. — Смогу, наверное. Если не произошли радикальные перемены.

— Вряд ли. Горе неделю назад проверял. Все ок. — Иркины слова наводили на размышления, но я решила оставить их на потом. — Как выберешься из дома, двигай к остановке. Доедешь до областной библиотеки, там напротив ремонт айфонов, ткнешься туда. В это время у них должно быть еще закрыто, а вот рядом китайская забегаловка, эти работают с восьми утра. Войдешь и через кухню выскочишь в Костин переулок. Там тебя Горе и подхватит. Пора нам с тобой увидеться. Не забудь сначала в ремонт сунуться. Ок? Вдруг эти олухи умнее, чем я думаю...

— А можно без шпионских страстей? — вновь зевнула я.

— Можно, — охотно отозвалась Ирка. — Но тогда мы вряд ли увидимся. До поры до времени мне лучше побыть в таком месте, о котором ни одна живая душа не знает. Точнее, знает Горе, и будешь знать ты, если поторопишься. Жду не дождусь. Чмоки-чмоки.

Я немного поглазела на мобильный в своих руках и отбросила его в сторону. Ирка уверена, что за мной следят, оттого все эти предосторожности. В ремонт я должна зайти, чтобы наблюдатель решил: я приехала в мастерскую. А к китайцам заглянула, чтобы скоротать время, заодно и позавтракать. Все логично. И дядя (не тетя же!) будет спокойно ждать, а не бросится за мной в переулок. За это время Гора отчалит вместе со мной. Это понятно. А вот с какой стати Ирка прячется? И от кого? Типы в ее квартире выглядели серьезными ребятами. И зачем мне это счастье?

Ирка просила приехать, рассчитывая на мою помощь. Я понятия не имею, что происходит... Встретимся, и узнаю. Тогда и решу, что делать дальше. К моему приезду друзья подготовились, не зря Гора проверил пути отхода... Никуда ввязываться я не собираюсь, просто выясню, в чем дело. Но если с самой собой не лукавить, выходило, что я уже ввязалась...

Рассуждая подобным образом и еще толком не зная, как поступить, я приняла душ и была готова покинуть квартиру. Постояла немного перед дверью и, вздохнув, вышла на лестничную клетку. Покосилась на дверь Стаси. Не удивлюсь, если в настоящий момент она прильнула к дверному глазку. Но нет, Стася уже распахнула бы дверь и непременно поинтересовалась, с какой стати я поднимаюсь наверх, а не спускаюсь вниз, раз уж мне пришла охота в такую рань покинуть свое жилище.

Стараясь не шуметь и очень надеясь, что в субботнее утро никого не встречу в подъезде, я поднялась на верхний этаж, а потом на чердак. Ключ от чердачной двери висел на гвоздике за ящиком с какими-то проводами. Надо же, ничего не изменилось. Чердак, пыльный и душный, кое-какие изменения все же претерпел. Во времена моего детства здесь сушили белье. Судя по оборванным веревкам и гигантской паутине — это в прошлом.

Осторожно ступая, я достигла противоположной стены, где была дверь в первый подъезд. Она оказалась незапертой. Я спустилась на первый этаж и вскоре стояла перед дверью в подвал, которая была чуть приоткрыта. Пространство подвала поделено на кладовки, когда-то здесь держали соленья и варенья. Само собой, не кладовки меня интересовали, а окно в конце узкого длинного коридора. Под окном стоял перевернутый деревянный ящик. Должно быть, Гора постарался.

Взобравшись на ящик, я легко открыла окно и выбралась на улицу. Кусты акации надежно скрывали меня от прохожих. Их, кстати, пока не наблюдалось. Отряхнув джинсы, я бодрым шагом направилась к остановке. Троллейбус как раз собирался трогаться, но водитель, заметив меня, задержался, я запрыгнула в заднюю дверь.

Точно следуя инструкции, я сошла на нужной остановке и подергала ручку двери в ателье по ремонту айфонов. Опущенные рольставни не оставляли сомнений, что явилась я рано. Я посмотрела на часы, потопталась на месте, оглядываясь. В общем, разыграла целый спектакль и зашагала к китайскому кафе, расположенному по соседству.

Кафе совсем маленькое, торговали здесь едой, в основном навынос, посетителей пока не было, и это порадовало. Китаец за прилавком — самый настоящий, и я забеспокоилась: как объясню, что мне от него надо? Объяснять ничего не пришлось. Я ткнула пальцем в коридор за его спиной, где предположительно был выход в переулок, а он радостно закивал. Еще несколько метров бодрым шагом, и я в переулке.

В трех шагах замер «Лексус», дверь тут же открылась. Только я устроилась на сиденье, как Гора рванул с места, и вскоре мы уже мчались по проспекту.

— Зоська! — орал друг детства, одной рукой обнимая меня, а второй кое-как управляя машиной. — Жутко рад тебя видеть. Офигеть, какая красотка!

Поцеловав Гору, я посоветовала ему следить за дорогой, пристегнулась ремнем безопасности и спросила:

— В каком шпионском триллере вы снимаетесь?

— Что? — удивился он. — А-а-а... Чума все расскажет. Я, если честно, сам толком не знаю. Чума велит — я делаю. Как всегда.

Похоже, он и в самом деле не видел в ситуации ничего необычного. Впрочем, это не удивило. Гора, как бы это помягче... Я стала замечать, что с ним что-то не так, лет в шестнадцать, до той поры он мне казался вполне нормальным парнем, которому просто не везет. Ну, а потом стало ясно: не везет ему в основном потому, что он не совсем нормальный. Похоже, в лучшую сторону ничего не изменилось.

Он продолжал болтать о том, как рад меня видеть, а я улыбалась и кивала, решив подождать с вопросами. В их давнем тандеме всегда верховодила Ирка. В четырнадцать лет они стали любовниками, подруга сообщила мне об этом с легкой усмешкой. Я таращила глаза и замирала от ужаса, щедро приправленного любопытством.

— Ты его любишь? — спросила я, потому что девушкой была начитанной и твердо знала: подобное происходит лишь по большой любви.

— А как это связано? — ошарашила Ирка.

Неделю я над этим размышляла, после чего вновь завела разговор. Ирка меня высмеяла, я разозлилась, и каждый остался при своем мнении. По выражению подруги, у них были свободные отношения. На деле это выглядело так: Ирка время от времени заводила себе парня, а Гора взирал на это с усмешкой. Потом парень куда-то исчезал, и Гора вновь занимал его место. Предан он был ей по-собачьи и к любым Иркиным выходкам относился с завидным спокойствием. Я так и не смогла понять причину этой преданности: то ли двигала Горой большая любовь, то ли отсутствие мозгов.

Теперь у Ирки неприятности, о чем мне известно доподлинно, и верный рыцарь рядом с ней, при этом он даже не потрудился узнать, что, собственно, происходит.

Между тем мы оказались в пригороде, немного попетляли по переулкам, пока не остановились возле дома из красного кирпича за глухим забором. Гора вышел из машины, открыл ворота и загнал «Лексус» во двор, после чего мы вошли в дом.

— Это мы, — сказал он громко, но навстречу с распростертыми объятиями никто не кинулся. — Чума! — крикнул он. — Ты оглохла, что ли?

— Да слышу я, слышу, — раздалось из соседней комнаты, и я последовала туда.

На разложенном диване, задрав ноги, лежала Ирка и листала журнал. Что-то о путешествиях, судя по обложке.

— Зоська, — пропела она, отбросила журнал в сторону и поднялась мне навстречу. — Ну, наконец-то...

— Вообще-то, эти слова надо было произнести мне, — с усмешкой заметила я, мы обнялись и расцеловались. Гора стоял рядом с таким сияющим видом, точно тренер возле новоиспеченных чемпионов мира.

— Спасибо, что приехала, — отстраняясь, заявила Ирка серьезно. — Я в тебе не сомневалась, знала, что поможешь.

— Что за помощь ты имеешь в виду? — насторожилась я. Ирка равнодушно махнула рукой.

— Не к спеху. Идем в кухню, посидим, поговорим.

На кухне был накрыт стол: мартини, шоколад, салатик, картошка, присыпанная укропом, и нечто похожее на тефтели.

— Ты готовила? — спросила я.

— Гора. Ты же знаешь, кулинария — не мой конек. Хотя от тоски и готовить начнешь.

— Давай-ка про тоску. Очень интересно.

— Терпением ты никогда не отличалась, — посетовала она.

— Мое терпение испытывают уже сутки. Ну, и от кого ты прячешься?

— Я прячусь? — удивилась Ирка. — Больно надо. У Горы проблемы.

— Что на этот раз? — спросила я. Утверждение явно противоречило ее недавним словам, но это не удивило: Стася права — Чума и есть Чума. Ирка перевела взгляд на Стычкина, предлагая ему самому объясниться. С объяснениями, насколько я помню, у него всегда было не очень, вот и сейчас не порадовал.

— Хмырь один схлопотал по роже.

— Мило, — выждав немного, кивнула я. — А дальше?

— Хмырь этот — мент, — вздохнула Ирка, сообразив, что объясняться все же придется ей, Гора смотрел на меня влюбленными глазами и почесывал затылок. По меткому Иркиному выражению: «Мысли кучкой собирал». — А у Горы еще условный срок не вышел.

— А нельзя было с мордобоем подождать? — проявила я заинтересованность.

— Не-а, — покачал головой Гора. — Такой свинота, зараза. Но ты не переживай, он из больнички выйдет, я с ним потолкую, и он заяву заберет. Иначе раньше, чем я, сядет.

— Не сомневаюсь, — кивнула я, заподозрив, что со времен нашей юности здесь мало что изменилось.

— Давайте выпьем, — внесла предложение Ирка. — Со свиданьицем.

— Может, это... Дохлому позвонить? — предложил Гора, выпив рюмку. В отличие от нас, пил он водку. Ирка взглянула на него укоризненно, а Гора нахмурился: — А чего?

— Того, — ответила она и поджала губы, оставив его гадать, что она все-таки имела в виду.

— С Дохлым мы уже виделись, — сказала я. Теперь Ирка нахмурилась, глядя на меня с некоторой настороженностью. — Встретились в торговом центре, обещал на свадьбу пригласить. Девушка у него — красавица.

— Ага, — фыркнула Ирка, — только вряд ли ему нужна. У Дохлого одна, но пламенная страсть, зовут ее Зоська. И поделать с этим он ничего не может.

— Это точно, — закивал Гора. — У него все разговоры только о тебе. Адрес твой у меня просил. А где я его возьму? Ирка говорит, ты в Америке. Америка большая. Куда письма-то писать?

— Ты про электронную почту слышал? — на всякий случай спросила я.

— Ну... и там нужен адрес. А мобильный, что Ирка дала, не отвечает, потому что номер ты сменила, не хочешь знать старых друзей. — Тут Гора подмигнул мне и улыбнулся.

— Что это было? — спросила я.

— Версия для любопытных, — ответила Ирка. — Гора — кремень, никогда не проболтается. Можешь быть спокойной.

— Чего мне волноваться, я ж не в розыске. Ладно, с Егором все более-менее ясно. Типы в твоей квартире по его душу или все же по твою?

— Давай еще выпьем, — предложила Ирка. Мы выпили, но отвечать на вопрос ей все равно пришлось. — Не стоит придавать этому большого значения, — начала она. — Они что, тебя напугали?

— Не особенно. Слушай, ты уже взрослая девочка, не пора ли оставить в прошлом милые привычки...

— Вот за что я люблю Гору, — перебила Ирка. — Он никогда не засоряет мне мозг всякой хренью.

— Точно. И посмотри, что с ним стало. Не тяни время и выкладывай, зачем я вам понадобилась.

— История довольно длинная, — вздохнула Ирка.

— Вы торопитесь?

— Ладно, — разливая по третьей, сказала она. — Только, ради бога, без комментариев. У меня был любовник. Старый противный хмырь, то есть не то чтобы очень старый, и не такой уж противный... основное его достоинство — он хозяин фирмы, где я работала. Хозяин и генеральный директор. А я до зама доросла, трудясь в поте лица днем на работе, вечером в постели. Это было нелегко, особенно работа в ночную смену.

— Зачем тебе это? — нахмурилась я.

— Хотела сразу в дамки. Он на меня повелся. Вообще-то, он не бабник, и если уж совсем честно, это я его соблазнила, надеялась, что он с женой разведется. Жена у него старая и страшная, детей нет, к его бизнесу она никакого отношения не имеет, и разбежаться им проще простого. Он мне обещал. Еще в прошлом году сказал: на развод подам сразу после ее дня рождения. Я ждала, сначала ее день рождения, затем другие праздники. Поговорила с ним опять, сказала: брошу к черту, если не разведется. На коленях стоял, плакал, год просил еще подождать. Я ждала. А потом нашла у него футляр с колье. Сначала обрадовалась, думала — мне. Сорок семь бриллиантов. Охренеть. И что ты думаешь? Жду подарка, а подарка все нет. Тут у этого гада юбилей, потащил всех в ресторан, и его старая вешалка там, в моем колье на тощей шее. Это как?

— Нехорошо, когда люди обманывают, — с умным видом встрял Гора.

— Нехорошо с чужими мужиками спать, — не удержалась я.

— Кто ж спорит? Но очень хотелось стабильности в жизни. У меня ипотека и три кредита, а я на Мальдивы хочу.

— Теперь у тебя какие-то хмыри в квартире, — напомнила я.

— Это ерунда, — беспечно отмахнулась Ирка. — Слушай дальше. Достал меня мой любовничек, и решила я его малость наказать. Дяденька он на руку не чистый, кое-кому его делишки были бы очень даже интересны. В особенности прокуратуре. И налоговой.

— Ты сперла документы? — опять не удержалась я.

— На фига они мне? Документы на хлеб не намажешь. Я сперла деньги. Всего-то три лимона. Не долларов даже, а рублей. Из принципа сперла, ну еще и компенсацию за сверхурочные.

— И в чем проблема? Лети на Мальдивы, ты ж хотела отдохнуть, или злой дядя деньги назад требует? Оттого в твоей квартире незваные гости?

— На Мальдивы я уже слетала. Требовать он может что угодно, мне по фиг. К ментам он не пойдет, объяснять замучаешься, откуда это бабло. У него был счет, на котором деньги лежали для всяких неблаговидных дел, вот я этот счет малость пощипала, то есть взяла-то совсем чуть-чуть. Я ж говорю, из принципа. Папуля не какой-то там бандит, из-за этих денег девушку не обидит. Опять же, любовь у нас. А то, что людишек послал, это понятно. Во-первых, боится, что я сгоряча трепать языком начну, во-вторых, денег все же жалко.

— И что дальше? Как тебе видится выход из данного положения?

— Бабки придется вернуть, — вздохнула Ирка.

— Разумно, — кивнула я, ожидая продолжения и сильно сомневаясь, что доводы разума имели для подруги хоть какое-то значение.

— Ты не понимаешь, — вновь вздохнула она. — Меня совесть замучила. Вообще-то, он всегда ко мне хорошо относился. И деньги подкидывал. Ипотеку до сих пор платит. Я проверяла. Каждый месяц до десятого числа.

— Ты решила к нему вернуться? — нахмурилась я.

— Нет. Я решила вернуть ему деньги. Те, что не успела потратить. Там почти два миллиона. И разойтись по-доброму. Я не буду на него стучать, а он засчитает остальные бабки как премиальные. И каждый из нас пойдет своей дорогой.

— А он согласится? — подумав немного, спросила я.

— Конечно. Куда ему деться? Миллион семьсот лучше, чем ничего. И никаких заморочек с налоговой.

— Вы это уже обсуждали?

— В общих чертах...

Иркина уклончивость не очень-то мне понравилась.

— Отлично. И в чем тогда проблема?

— Нет никаких проблем, — удивилась она.

— А я тебе зачем понадобилась?

— Ты отвезешь деньги, — сказала она и улыбнулась.

— Куда отвезу?

— Не куда, а кому. Папику моему. Кудрявцеву Виктору Васильевичу.

— Почему я?

— Потому что Горе никак нельзя. Витя его не жалует. И запросто может ментам стукануть. На обратной дороге и повяжут. Я с ним встречаться не хочу, из-за того что духом слаба. Начнет в ногах валяться и назад звать, не выдержу, расплачусь и отдамся. А я Горе обещала создать ячейку общества. Ему сейчас жить негде, а у меня все-таки квартира. И вообще, мы нравимся друг другу. С миллионами в сумке кого попало не пошлешь. Только тебя.

— Почему бы не перевести деньги на его счет?

— Со счетами сейчас проблемы. После того как я один обчистила, Витя стал очень подозрительным. Глубоко законспирировался. А как эти деньги проведешь, если не темнить и воспользоваться официальным счетом? Наличка надежнее.

— Допустим. И куда я должна отвезти деньги, в его офис?

— Ты что, боишься? — вдруг спросила Ирка. — По-твоему, я стала бы подставлять подругу?

— Надеюсь, что нет.

— Надеешься?

— Хорошо, нет. Но мне очень не понравились типы в твоей квартире. Ты так и не объяснила, кто это.

— Понятия не имею. Кто-нибудь из Валеркиных парней. Валера — начальник службы безопасности. Зануда-очкарик. Кстати, вполне приличный парень. Подкатывал ко мне с любовью. В смысле приглашал поужинать как-нибудь. Но когда узнал, что я с Витей шуры-муры завела, стал рожу воротить. Демонстрировал недовольство моим разнузданным поведением. Он, как и ты, считает, что с чужими мужиками спать нехорошо.

— Рада, что обрела единомышленника. Что ж, надеюсь, ты не забыла рассказать мне все самое существенное и мой вояж к твоему Вите закончится благополучно.

— Об этом можешь не беспокоиться. Если б я считала, что это хоть немного опасно, никогда бы не обратилась к тебе. Друзей надо беречь. А у меня их всего-то двое. Ты да Горе.

— Дохлого ты другом не считаешь? — слегка удивилась я. Если у меня был повод на него злиться, то у Ирки он вроде бы отсутствовал. Или я чего-то не знаю.

— Дохлого? — переспросила она. — Арни шага не сделает без своего говнюка-брата, прошу прощения. А Гера нас не жалует. Считает, времена изменились и мы теперь для Дохлого неподходящая компания.

— Неподходящая компания? — переспросила я. — Это из-за проблем Горы с полицией?

— И из-за этого тоже. Гера у нас бизнесмен, как тебе известно. Неплохие бабки заколачивает. Но мальчику из низов нелегко подняться. Приходится приспосабливаться к обстановке.

— А поконкретней?

— Взять хоть свадьбу Дохлого. Невесту ему брат сыскал. Дочка его партнера по бизнесу. У Геры есть идеи, у папаши бабосы. Обстряпают дельце по-семейному. Это мне Витюша поведал, я-то поначалу думала, наш Арни покончил со своей навязчивой идеей, влюбился и решил продолжить свой род. Порадовалась за чувака, душа-то родная. Оказалось, все упирается в голимый расчет и те же бабосы. Наш Арни женится, потому что брат так решил. Хотя теперь, когда ты приехала... очень может быть, Геру ожидает неприятный сюрприз.

— Никаких сюрпризов, — отмахнулась я. — С риелтором я встретилась, отвезу деньги твоему Вите и сразу отчалю. Отпуск не резиновый, я на море хочу.

— На море все хотят, — подал голос все это время молчавший Гора.

— Ничего не имею против вашей компании.

— А что? — оживилась Ирка. — Махнем, в самом деле, куда-нибудь втроем?

— Когда деньги везти? — вернулась я к насущному.

— Завтра. Надеюсь, что завтра. Позвоню Витюше, обо всем договорюсь. Слушай, а чего ты о себе не рассказываешь? Как дела на личном фронте?

— Без перемен.

— Это в смысле никого нет? — спросил Гора с сомнением.

— Это в смысле мужиков — завались, — ответила Ирка.

— Вариант Горы ближе к действительности, — внесла я ясность. — На отсутствие внимания не жалуюсь, но серьезных отношений не завожу.

— Из-за этого стервеца? — нахмурилась подруга.

— Стервец здесь ни при чем. Учеба, работа — времени нет. — Я посмотрела на Ирку, перевела взгляд на Гору. Последнее дело врать друзьям. — Боюсь влюбиться. Без этого как-то спокойнее.

— Башку бы оторвать твоему Гере и его братцу в придачу, — в сердцах заметила Ирка.

— Никому ничего отрывать не надо. Кстати, а почему Гера женит Дохлого? Мог бы сам на богатой невесте жениться.

— Бережет себя. Видно, недостаточно богата. Он парень целеустремленный и, безусловно, достигнет больших высот.

— Он спит со стриптизершей, — хмыкнул Гора. — Клуб «От заката до рассвета». Она там вампиршу изображает. Зовут Жози, то есть на самом деле Женька Демидова. Она художественной гимнастикой занималась, училась вместе с Танькой Быковой. Помните ее?

— Нет, — отрезала Ирка. — Чего ты лезешь со своими стриптизершами?

— Почему с моими? На фиг они мне нужны?

— Вот уж не знаю. Но лучше молчи.

— Мне совершенно все равно, с кем спит Гера, — сказала я, решив, что к Егору Ирка зря прицепилась.

— Да? Ну и ладненько. А чего сидим на сухую? За дружбу, безголовики.

Дружеское застолье длилось часа три, на столе появилась еще бутылка, а я засобиралась домой, решив, что, если так пойдет дальше, на своих двоих мне отсюда не выбраться. Выпивка не была в числе моих любимых забав, итогом всегда становились головная боль и малоприятные воспоминания.

В общем, я простилась с друзьями и направилась к остановке автобуса. Гора вызвался меня отвезти, но я этому, по понятным причинам, воспротивилась. Тогда он предложил проводить меня до остановки, что тоже радости не прибавило, учитывая его заморочки с ментами.

В результате, мы простились возле ворот, договорившись вечером созвониться. Автобуса дожидаться я не стала, остановила проезжавшее мимо такси, а в трех кварталах от своего дома вдруг вспомнила про конспирацию. Мне возвращаться партизанской тропой или обойдется? Жаль, забыла спросить об этом у Ирки. Можно, конечно, позвонить... Я покосилась на водителя. Пожалуй, не стоит.

— Остановите здесь, — попросила я, дворами прошла к дому, юркнула в кусты акации и полезла в подвальное окно. Если меня кто-то застукает за этим делом, решат, что я спятила. И правильно. Нормальные люди живут нормальной жизнью, а не в шпионов играют.

Однако на чердак я все-таки поднялась, а потом благополучно спустилась к своей квартире. Прошлась по комнатам и загрустила. Никаких дел на горизонте не маячит, и занять себя по большому счету нечем. Можно по городу прогуляться, теперь ничего не мешает покинуть дом через подъезд, не боясь слежки. Небо, как назло, опять заволокло тучами, того гляди пойдет дождь. Лучше на диван с хорошей книжечкой. Или к Стасе заглянуть.

Стася, легка на помине, объявилась сама. Я устроилась на диване и успела прочитать пару страниц, когда она возникла на пороге.

— Чего там Чума опять мутит?— вместо приветствия спросила старушка.

— Ваш лексикон заметно обогатился, — засмеялась я.

— С кем поведешься... Зоська, из всей компании только ты с головой дружишь. Вы уже не дети, вот и держись от Чумы подальше, поняла?

— Что за странный настрой у вас сегодня?

— Никакой не странный. За тебя боюсь, и это вполне естественно, учитывая, что ты моя единственная наследница.

— Вам не о чем беспокоиться, — пожала я плечами.

— Да? А чего тогда чердаком ходишь? — Я фыркнула и отвернулась. А она продолжила: — Думали, такие умные и никто не знает?

— В глазок подглядывали?

— Не подглядывала. Ждут тебя. Часа полтора, не меньше. Мимо ты пройти незамеченной не могла, выходит, через чердак. А с какой стати, если все нормально?

— Логичное заключение, — кивнула я и направилась к окну. — А кто ждет? — Вопрос, собственно, риторический. Я была уверена: вчерашние ребята очкарика. И нужна им, разумеется, Ирка.

Чуть сдвинув занавески, я осторожно выглянула в окно. Рядом с подъездом стоял черный «БМВ». Что ж, люди не бедные. И тут Стася смогла удивить.

— Этот твой... Герман. Должно быть, Дохлый сказал, что ты приехала. Почему бы им не оставить тебя в покое?

— В самом деле, — согласилась я. — С другой стороны, сидит человек в машине, никому не мешает. И пусть.

— Явился злой как черт, — продолжила Стася. — Сначала к тебе в дверь барабанил, потом ко мне наведался. Спрашивает: «Сонька у тебя?» Сонька... кому Сонька, а кому Софья Сергеевна.

— Не перебарщивайте. Сонька тоже сгодится.

— Сгодится... Нечего ему здесь делать. Профукал свое счастье, своими руками по ветру пустил.

— Вам нужно стихи писать.

— А тебе надо держаться от бывших дружков подальше. Не доведут до добра. Выйдешь к нему?

— Сколько, вы говорите, он там сидит?

— Часа полтора.

— Ну, пусть еще немного потерпит, а я о жизни подумаю.

Получается, что встречи нам все-таки не избежать. Стася ушла, а я, устроившись на диване, неспешно, словно разматывая присохшие к ране бинты, начала перебирать в уме воспоминания, от которых пыталась избавиться, покинув этот город.

Итак, у Дохлого был старший брат, и это делало Арни в нашей компании особенным. Германа боялась вся округа, он охотно лез в драку по любому поводу, демонстрируя всем и каждому, что способен за себя постоять. Гера был старше нас на семь лет, и Дохлый относился к нему скорее как к отцу, мы в каком-то смысле тоже. Безусловный авторитет, объект безудержного поклонения и, конечно, зависти. У нас-то такого счастья не имелось, и решать свои проблемы приходилось самим. А проблемы, конечно, были. Сейчас они кажутся смехотворными, а тогда всерьез отравляли жизнь. Надо отдать Гере должное, он всех четверых взял под свое покровительство, став для неокрепших детских душ кем-то вроде супермена. В семь лет я в него влюбилась и не замедлила поделиться новостью с Иркой, вызвав у подруги сначала недоумение, а потом острейшее любопытство. Как это: влюбиться? Пришлось объяснять. В последующие несколько месяцев мы только об этом и говорили. У нас впервые появились секреты от Дохлого и Горы, и это здорово злило обоих. Потом Иркино любопытство пошло на спад, а моя любовь, напротив, с каждым годом крепла. Само собой, Герман на меня внимания не обращал, то есть ничем не выделял из компании и даже не догадывался, какую бурю чувств вызывает одним своим появлением.

А потом настал день, когда мы почувствовали перемены. Из детей мы превратились в подростков, и кто дольше продержится под водой, интересовало нас все меньше, и на смену неуемной веселости явилось неясное томление. То есть я-то с ним уживалась довольно давно, а вот для моих друзей оно оказалось в диковинку. Гора влюбился в Ирку, это было столь явно, что объяснениями он мог себя не утруждать. Дохлый влюбился в меня, я считала, что просто другого подходящего объекта не нашлось. И честно призналась: я люблю его брата. От друзей нет секретов. Дохлый обо всем донес Герману, наверное, потому, что уже по-другому не мог. Брат способен решить любую проблему, и эту тоже решит.

Вечером, когда мы, по обыкновению, слонялись во дворе, Гера отозвал меня в сторонку и доходчиво поведал, что я еще совсем пацанка, и уж если мне приспичило влюбиться, то стоит выбрать кого-то из сверстников или чуть старше, потому что, когда я стану девушкой, он будет уже женатым дядей, а это значит, я зря трачу время. Я рыдала, уткнувшись в Иркины колени, у нас вновь появились секреты. А я с ужасом стала ждать того момента, когда Герман женится. На счастье или на беду, он с этим не спешил.

Время шло, и, встречая меня во дворе, Герман все чаще останавливался поболтать, спрашивая с насмешливой нежностью: «Как твоя любовь?», а я задиристо отвечала: «Растет и крепнет». Ирка с Горой стали любовниками, и Дохлый выдал что-то типа «все люди как люди, а мы когда?». Не тратя слов попусту, я заехала ему кулаком в нос и предложила искать дуру в другом месте. Нос распух, Дохлый прятался на чердаке, отказывался идти домой и требовал меня для разговора. Я пожелала ему на чердаке состариться, если уж он Арни так по нраву. Но домой Дохлый так и не пошел, до утра просидев с Горой на детской площадке. Германа в тот момент в городе не было, и я, признаться, с беспокойством ждала его возвращения. Однако ничего не случилось. Дохлый по-прежнему ходил за мной тенью, а Гера, встретив нас во дворе, улыбался и подмигивал.

А потом случилось страшное... То есть это мне так казалось. Слава богу, Герман не женился, но купил квартиру и вскоре переехал. Матери с братом тоже жилье приобрел, от себя на почтительном расстоянии. Наши встречи, которых я ждала с замиранием сердца, прекратились и, как мне тогда казалось, навсегда. Адрес я, само собой, раздобыла и все свободное время болталась по соседству с домом Германа, но ни разу его не встретила, что, в общем-то, не удивило: ходить пешком он не охотник. Иногда я видела во дворе его машину, но дежурить у подъезда или подняться в квартиру не рисковала, хоть и считала себя девчонкой отчаянной. Я уже смирилась с мыслью, что никогда его не увижу, но в день рождения Дохлого, который мы собирались отмечать за городом, он неожиданно появился. Отвез нас на озеро на своей машине и больше часа провел с нами. Я от переизбытка счастья впала в легкий ступор и по большей части молчала, предпочитая смотреть куда-то вдаль, дабы не лишиться чувств.

А на следующий день мы встретились вновь. Я шла по улице и вдруг услышала его голос. Оглянулась и увидела, как он выходит из машины. Позднее Герман признался, что очень помог встрече, с самого утра заняв позицию неподалеку от моего дома. Он поинтересовался, куда я направляюсь. Торговый центр был всего в двух кварталах, что в тот момент вызвало у меня бурю негодования. Оказалось, Герман не прочь пройтись вместе со мной.

Магазины ни у меня, ни у него в тот день особого энтузиазма не вызвали, очень быстро мы оказались в кафе, где пробыли довольно долго. Герман пил кофе, я ела мороженое, отказываясь верить, что он как ни в чем не бывало сидит напротив, такой красивый, такой умный и такой взрослый. Последнее вовсе не казалось минусом. Наоборот. Ясно было, что и Дохлый, и Гора, и все прочие парни, с которыми я была знакома, в подметки ему не годятся.

На следующий день он позвонил, и мы опять встретились, а через неделю стали любовниками. Мне было семнадцать, и я считала себя взрослой. Мама уже несколько лет жила в Америке, у тетки свои заботы — в общем, я была предоставлена самой себе и сполна этим воспользовалась. Предстоящее поступление в институт меня уже не интересовало, а все чаяния и надежды крутились вокруг Германа. Я все чаще оставалась у него на всю ночь, а потом и вовсе жила по нескольку дней. Само собой, мои внезапные отлучки не остались без внимания, и друзья начали задавать вопросы. Я предпочла отмалчиваться, но Ирке в конце концов проболталась. Думаю, она меня Дохлому и сдала. Тот явился к брату в неурочное время, когда я нагишом разгуливала по квартире, дверной звонок истерично дребезжал, и я, набросив рубашку Германа, поспешно скрылась в спальне, откуда и слушала диалог двух братьев, начавшийся воплями Арни: «Я знаю, что она здесь», и ответными словами Германа: «Да угомонись ты, придурок».

Из спальни я так и не вышла, через полчаса Дохлый нас покинул. Гера пребывал в задумчивости, а я в легком раздражении из-за испорченного вечера. Потом подобные сцены повторялись довольно регулярно, изрядно меня утомив. И я, встретившись с Арни на нейтральной территории, предложила альтернативу: либо он ведет себя как нормальный, либо катится ко всем чертям. В ответ он пообещал покончить жизнь самоубийством, вызвав у меня приступ безудержного смеха.

— Дохлый, в двадцать первом веке от несчастной любви не стреляются, — напомнила я ему. — Напиши Вконтакте, что я шлюха, и успокойся.

Думаю, мое неверие в то, что он способен на глупейшую из глупостей, и стало причиной последующего шага. Упрямство и оскорбленное самолюбие вовсе не любовь, хотя Арни с этим тогда вряд ли согласился.

В общем, вечером Арни явился к Горе и попросил передать мне письмо. Конверт был запечатан, сверху стояло мое имя. Гору подобная просьба удивила: отчего б не позвонить.

— Не хочу я ей звонить, — отмахнулся Арни.

— Тогда смс...

— Передай письмо завтра утром, — буркнул Дохлый и поспешил уйти.

Гора к тому времени из нашего некогда общего дома тоже съехал. Он отправился вслед за другом, потому что его поведение показалось ему странным: «Больно нервничал Дохлый». Арни шел к моему дому, в чем Гора очень быстро убедился. Если он идет ко мне, зачем письмо оставил? Вскоре стало ясно, не со мной он встречи ждет. Минуя мою квартиру (меня, кстати, в тот момент дома не было), Арни поднялся на чердак. В это время Гора, не желая показываться ему на глаза, пасся возле подъезда. Позвонил мне, выяснил, что я счастливо провожу время вдали от родного жилища, выждал еще немного, затем все же заглянул в подъезд и, не обнаружив там Дохлого, спешно поднялся на чердак, потому что больше тому деться было некуда. Поначалу Гора заподозрил: Дохлый слежку приметил и воспользовался чердаком, чтобы улизнуть. Но увидел болтающегося в петле Арни: тот воспользовался одной из веревок, на которой обычно сушили белье. Гора попытался извлечь друга из петли, это оказалось непростым делом, а учитывая всегдашнее его невезение, и вовсе бесперспективным. В общем, он позвонил Герману, и, когда мы явились (случилось так, что на тот момент я была рядом), застали жуткую картину: Дохлый с петлей на шее, бледный и мокрый, и Гора, из последних сил поддерживающий его на своих плечах, чтоб не удавился.

В тот момент ничего похожего на жалость в моей душе даже не шевельнулось. Я была уверена: все это дрянная инсценировка. Горе здорово от меня досталось, я считала: дружки в сговоре. Старший брат, вынув младшего из петли, повез его в больницу, а Гора, оправдываясь и едва не рыдая от обиды на мое недоверие, протянул мне письмо и рассказал, почему оказался на чердаке. Письмо было жалостливым и бестолковым. Не очень-то веря, что Арни в самом деле намеревался скончаться, я все-таки забеспокоилась, точно зная, на что способны люди из элементарного упрямства. Само собой, его нежелание смириться с моим выбором я считала именно глупым упрямством.

Вечером мы встретились в квартире Германа, тот привез брата к себе, чтоб был на глазах, а я пришла с намерением серьезно поговорить с Арни. Втолковать в меру сил, что я его не люблю и полюбить не могу при всем желании, что дело вовсе не в его брате: есть он или нет, это не меняет главного. Арни мне друг, им и останется. Однако заготовленную речь произнести мне не удалось. К тому времени, когда я появилась в квартире, братья уже обо всем договорились. Если бы Герман сказал, что не может больше встречаться со мной из-за брата, которого наша любовь сильно печалит, я бы его поняла, хотя принять его решение было бы очень трудно. Скорее невозможно. Герман был любовью всей моей жизни, пусть еще совсем короткой.

Но все было куда хуже, для меня-то уж точно. Тоном, не терпящим возражения, Герман сообщил, что уступает меня брату. Вот так и сказал, точно я доля в общей собственности и меня можно уступить, подарить или продать. Учитывая мой тогдашний возраст, повела я себя на редкость разумно. Без истерик, внешне довольно спокойно. Спросила, обращаясь к Герману:

— Ты — взрослый человек, надеюсь, ты понимаешь, что говоришь?

На что он ответил:

— Прекрасно понимаю.

А я заподозрила белую горячку. Не мог разумный человек, а тем более мужчина, которого я люблю, говорить подобную чушь. Приписав потерю здравого смысла недавнему шоку, я предпочла покинуть квартиру и поговорить с Германом, когда он немного придет в себя.

Но на следующее утро явился ко мне не Герман с извинениями, а Дохлый с букетом и шампанским. А когда я наотмашь ударила его этим букетом, пригрозив то же самое проделать с бутылкой, он разрыдался и заявил, что Герман ему обещал. Меня, надо полагать. В первый момент я даже растерялась. Наверное, сказалась привычка смотреть на Германа снизу вверх, как на существо более высокой формации. Потом я решила: Дохлый окончательно спятил, но вслед за этим пришлось признать, что спятил все-таки Герман. Я выставила Арни за дверь и позвонила возлюбленному.

— Ты что, не понимаешь? — разозлился он. — Арни мой брат.

— И что? — не очень толково поинтересовалась я, в голове стоял звон от растерянности с большой долей отчаяния, и сформулировать то, что рвалось наружу, в те минуты было затруднительно.

— Я должен думать о нем.

— Отлично. А я тебе кто?

От ответа он уклонился, вновь заговорив о брате, о своем долге перед ним. Я молча слушала с убежденностью, что мир вокруг рушится и жить в нем совершенно невозможно. Однако сил и здравого смысла хватило на то, чтобы более-менее спокойно ответить:

— У тебя долг перед братом, только при чем здесь я? — Повесила трубку и повалилась на диван, заливаясь слезами.

Вдоволь наревевшись, я вновь воспылала надеждой: все как-нибудь утрясется, Герман успокоится, Дохлый придет в себя, я тоже успокоюсь. Ну, и так далее. Дохлый явился в тот же вечер в твердой убежденности, что если брат сказал, то я со всеми потрохами принадлежу ему. Я влепила ему пощечину в надежде привести в чувство. Каюсь, влепила не один раз, и даже не два, но в мозгах у него не прояснилось. Вытирая разбитый нос, он бубнил, что я должна и прочее в том же духе.

С трудом от него избавившись, я опять собралась звонить Герману с требованием приструнить придурка-брата, но Герман явился сам, и вот тут назрел вопрос, кого из братьев считать большим придурком, потому что выяснилось: старший всерьез считает, что он может распоряжаться моей жизнью, как ему заблагорассудится.

— С сегодняшнего дня ты с Арни, и это не обсуждается, — заявил он и, хлопнув дверью, удалился.

На этот раз я не рыдала, а нервно хихикала. Сразу после ухода Германа в квартире появилась Стася. Наслушавшись наших криков, потребовала объяснить, что происходит. В ответ на мой сбивчивый рассказ, как всегда, выругалась по-польски, вздохнула и заявила, хмурясь:

— Жизни тебе эти малахольные не дадут...

И оказалась права. Мне буквально не давали прохода, впору было обращаться в полицию. Ирка с Горой приняли мою сторону и на Дохлого пытались воздействовать, в основном кулаками, особенно свирепствовала Ирка, что неудивительно, она-то понимала меня куда лучше мужиков. Дохлый в отместку совсем съехал с катушек, и его братец в придачу. В какой-то момент я начала опасаться: все это закончится изнасилованием, по крайней мере, к этому ситуация неудержимо скатывается. Я чувствовала себя загнанной в угол. В отчаянии я рыдала в Стасиной кухне, и тут она сказала:

— Зоська, уезжай. К матери. Хотя из Америки тебя хрен дождешься... Лучше к отцу. Звони ему сейчас же. Не позвонишь — я позвоню.

Тетушка, на чье попечение я была оставлена, в те дни отдыхала на курорте, а вернувшись, обнаружила пустые полки в моем шкафу и записку, что я отправилась к родителю. Стася, со своей стороны, усиленно распространяла слух, что теперь я в Америке, и с легкостью придумала мне новую жизнь с учебой в университете и работой официанткой в шикарном русском ресторане. Этот штрих придал рассказу необходимую убедительность, и все, в том числе Дохлый, поверили: я в Америке. Это, как известно, далеко, и на мою независимость никто не посягал.

О том, что я обретаюсь в родной стране, кроме тетки знали Чума и Стася, но все трое об этом помалкивали. Скажу честно, первые полгода, даже год, мне очень хотелось, чтобы Герман меня нашел. Разумеется, каясь и умоляя его простить, потому что он жить без меня не может. Я ждала его и простить, конечно, была готова. Хорошо хоть ума хватило самой не объявиться в большом нетерпении. Видимо, гордость, а может, и подозрение, что никакой любви с его стороны не было и в помине, сделать это не позволили. Новости я узнавала от Ирки, и с ее слов выходило: Арни ходит как в воду опущенный, более похожий на привидение, а вот Герман, судя по всему, чувствует себя распрекрасно. Его видели то с одной девушкой, то с другой, обо мне он ни разу не вспомнил, и никаких следов страданий на его лице незаметно. Это вызвало волну моих собственных страданий, но опять же удержало от дурацких поступков: позвонить, написать или сюда явиться. Пришлось признать очевидное: все произошедшее объяснялось не столько большой любовью к брату, сколько отсутствием особых чувств ко мне. В нежном возрасте это не так просто. Но я справилась, поставив на прошлом жирную точку.

Теперь это чертово прошлое караулит под моими окнами. Вздохнув, я поднялась с дивана. Глупо прятаться от проблемы, лучше решить ее сразу и навсегда. Набросив плащ, я вышла из квартиры, бегом спустилась по лестнице и твердой походкой направилась через двор, делая вид, что присутствие в моем дворе «БМВ» последней модели осталось мною незамеченным.

Не успела я сделать и десяток шагов, как дверь машины распахнулась и появился Герман. Я упорно смотрела только вперед, но боковым зрением движение уловила, сердце застучало с бешеной скоростью, и я некстати вспомнила поговорку: старая любовь не забывается. Век бы ее не видеть.

— Софья! — услышала я резкий окрик и повернулась.

Герман приближался, а я быстро оглядела его, ища какие-нибудь изменения. К худшему, разумеется. Было бы здорово, облысей он или прибавь два десятка килограммов. С прискорбием приходилось признать: выглядел он отлично. Безусловно, годы не прошли бесследно, но скорее добавили ему привлекательности. Он стал мужественнее, что ли, увереннее в себе, хотя и раньше от отсутствия уверенности не страдал. Волосы он теперь стриг короче, а привычные джинсы и пуловер сменил деловой костюм. Он ему шел. Все это отнюдь не порадовало. «Да что за день такой, — подумала я, прикидывая, какое произвожу впечатление, и заподозрила, что мои прелести его не впечатлили: он сурово хмурился и больше всего напоминал разгневанного водителя, которого ненароком подрезала блондинка, того гляди заорет: «Ты куда лезешь, коза?».

Я тоже нахмурилась и, когда он подошел, сказала равнодушно:

— А, это ты, привет.

— Привет, — недовольно произнес он. — Тебя вроде бы не было дома. Только для меня?

— Зачем заходил? — удивилась я. — Соскучился?

— Вот что... — Он взял меня за локоть и сжал, вряд ли сознавая, что делает мне больно. Подобное поведение намекало на большую нервозность. — Нам надо поговорить.

— Надо, так поговорим. Только руку отпусти.

— Руку? — Он вроде удивился, отошел на шаг и ладонь разжал. Быстро огляделся: — В машину? Или к тебе?

— На скамейку. Воздухом подышим, — предложила я и, не дожидаясь ответа, вернулась к подъезду, где стояла скамья. Села, запахнув плащ. Герман с заметным неудовольствием опустился рядом. Что-то ему не нравилось. Вряд ли скамейка. Должно быть, разговор начался не так, как он планировал. И это его раздражало.

— А ты изменилась, — вдруг заявил он.

— Постарела? — широко улыбнулась я, в моем возрасте о старости можно говорить разве что в шутку, вот меня и разбирало.

— Нет, — усмехнулся он. — Похоже, характер стал еще паршивей.

«Еще» вызвало недоумение, вот уж не знала, что являлась обладательницей паршивого характера, но вслух произнесла:

— Тебе видней. Так о чем ты хотел поговорить? О моем паршивом характере?

— Типа того, — вновь усмехнулся он. Посмотрел куда-то вдаль и, повернувшись ко мне, спросил: — Ты зачем приехала?

— Квартиру продать, — пожала я плечами.

— И за этим надо было тащиться из Америки? Или где ты там отсиживалась все это время?

— У тебя есть другие варианты? — подумав немного, задала я свой вопрос. Направленность беседы, признаться, вызвала легкое недоумение.

— Что? — вроде бы не понял он.

— По-твоему, есть другие причины?

Он зло хохотнул, отворачиваясь.

— Детка, мы оба знаем, что у тебя на меня большой зуб.

Он не пожелал продолжить, а я, выждав немного и ничего не дождавшись, вновь спросила:

— Ты решил, мое появление здесь как-то связано с тобой?

— А ты хочешь сказать, нет?

— Гера, ты хоть помнишь, сколько времени прошло? — удивилась я. — Ты всерьез думаешь, что все мои мысли были только о тебе? Я не стану называть тебя самовлюбленным идиотом, но ты весьма близок к этому определению, если и вправду так решил.

— Может, и не только обо мне, — хмыкнул он. — Но подложить свинью ты не откажешься.

— Провидец, — сказала я и отвернулась. — И как должна выглядеть свинья?

— Слушай, ты можешь говорить нормально? — разозлился он.

— Пытаюсь. Попытайся и ты растолковать, что имеешь в виду?

— Хорошо, скажу прямо: у Арни скоро свадьба. И если из-за тебя все вдруг сорвется...

— И я для этого прилетела из Америки? Ты несешь сущую нелепицу. Начнем с того, что мне по фиг, женится Арни или уйдет в монахи. Твой брат не занимает в моей жизни никакого места. Даже самого ничтожного.

— Дело не в Арни, — буркнул он. — Ты знаешь, как это важно для меня. Безголовики наверняка донесли со всеми подробностями.

— Донесли в общих чертах, — кивнула я. — Я бы еще худо-бедно поняла, обвини ты меня в желании сорвать твою свадьбу... но и это полный бред. Так что, братья Купченко, женитесь, размножайтесь и снова женитесь, я вам не помеха. Если надо — охотно благословлю.

Я поднялась с намерением уйти, но Герман схватил меня за руку.

— Этот идиот точно с цепи сорвался, — сказал раздраженно. — Возможно, ты ни при чем... но это мало что меняет. Он всегда был на тебе помешан. Поэтому пакуй вещички и вали отсюда. Лучше всего сегодня.

— То есть мне прямо сейчас бежать в полицию и писать заявление о поступивших угрозах? Или ты неудачно пошутил?

— Я не шучу. Иди в полицию, хоть к черту... только попробуй сорвать мои планы, — процедил он сквозь зубы.

— Мне нет до них дела. Продам квартиру и уеду. Все? И передай своему брату, чтоб держался от меня подальше, не то отправится под венец с новенькими зубными протезами. Приятно было встретиться.

И, не дожидаясь ответа, я скрылась в подъезде. Стася дежурила на лестничной клетке.

— Ну? — спросила нетерпеливо.

— Конкретизируйте свой вопрос, — фыркнула я, еще не избавившись от раздражения, которое вызвал недавний разговор.

— Что надо этому прощелыге?

— Стася, по слухам, у него солидный бизнес.

— Я тебя умоляю, кто верит слухам? Ну?

— Посоветовал выметаться из города, и побыстрее. У него виды на невесту Дохлого, точнее, на ее деньги. А Дохлый планы может завалить.

— Вообще-то, гаденыш прав, — огорошила Стася. — Тебе лучше уехать.

— И за что такая немилость? — спросила я.

— На душе неспокойно. Второй день капли пью. Как бы тебя твои друзья-подружки в какую-нибудь пакость не втравили. Чтоб им пусто было. Неподходящая компания для прекрасной паненки.

— За прекрасную отдельное мерси. Капли уберите в шкаф, я давно взрослая девушка и ни во что втравить себя не позволю.

— Ох, матка боска, — вздохнула Стася, зачем-то перекрестила меня и молча удалилась в свою квартиру.

Остаток дня прошел спокойно. Само собой, мысли о Германе были довольно назойливы, но о былом возлюбленном я думала скорее с недоумением, особых сожалений об этой самой любви не наблюдалось, и это уже хорошо.

Прогулка по городу меня взбодрила, а заодно прибавила оптимизма: никого я, похоже, не интересовала. Подозрительные дяди по пятам не шли, и всех прочих поблизости тоже не наблюдалось.

Звонок от Ирки застал меня в торговом центре, где я ужинала в одном из кафе.

— Как дела? — лениво поинтересовалась подруга.

— Радуюсь жизни в меру сил.

— Меня научишь?

— Запросто. Купила классные туфли. А у тебя с радостью что?

— Да все нормально. Витьке позвонила, душевно так поболтали, он меня простил и готов забыть мои грехи за оставшуюся в наличии сумму. Есть планы на завтра?

— Никаких.

— Значит, завтра деньги отвезешь, после чего обмоем мое возвращение в лоно порядочных людей, которые бабки у шефа не тырят. — Тут она весело хихикнула. — Короче, напьемся на радостях.

— Как скажешь, — хмыкнула я.

Вечер я провела у Стаси. То ли ее слова подействовали, то ли разговор с Иркой добавил нервозности, но на душе кошки скребли. Как видно, мой внутренний голос пытался донести до меня что-то, но не был услышан.

На следующий день я еще раз встретилась с риелтором и с прискорбием поняла: делать мне в родном городе нечего. С квартирой вопрос, в общем-то, решен. Можно было разыскать одноклассников, поговорить о житье-бытье, но сильного желания не возникло. И, если б не обещание, данное Ирке, я могла бы вернуться в Питер уже сегодня. Пару минут я так и намеревалась поступить. Поезд через два часа, успею купить билет и проститься со Стасей, а Ирка деньги пусть сама отвозит. Но тут же возникли угрызения совести. Я ведь приехала сюда, чтобы подругу выручить, слово не воробей, и все такое... Значит, в Питер едем завтра.

Я купила билет, вернулась домой и заглянула к Стасе, но старушка, должно быть, отправилась на прогулку. В результате я оказалась возле телевизора, в легком раздражении и абсолютной уверенности, что это самый идиотский отпуск в моей жизни.

Ирка позвонила около семи, когда я уже отчаялась ее дождаться и всерьез забеспокоилась: если ее планы изменились, вдруг придется здесь задержаться? Ну уж дудки. Так далеко моя готовность жертвовать отпуском не заходит. Голос подруги звучал буднично, без намека на эмоции, но я все равно опасалась подвоха.

— Ну что, — начала она, — Витя ждет. Можешь двигать прямо сейчас. Ты как?

— Сейчас так сейчас.

— Ну и ладненько. Запоминай адрес: Второй Коллективный проезд, дом семь. Заберешь там бабки.

— У кого заберу?

— У меня, само собой, — хмыкнула Ирка. — Будешь подъезжать, звони. Ок?

— Мне как добираться, потайными тропами?

— Зачем? Мы ж замирились. Приезжай на такси и лучше тачку не отпускай, чтоб с баблом по улице не мотаться.

Тут я впервые подумала, что мне куда-то придется ехать с чужими деньгами, да еще на такси. Само собой, об этом я знала и раньше, но меня куда больше волновала встреча с Витей или, боже упаси, с его дружками.

— Слушай, может, Гора меня проводит? — неуверенно предложила я.

— Про Гору я тебе все в прошлый раз объяснила.

— Ему не обязательно из машины выходить. Просто будет рядом.

— Зоська, ты за бабло боишься, что ли? Никто ж не знает, что ты его повезешь. Вите я позвоню, когда ты будешь уже в дороге.

— А если кто-то за мной отсюда увяжется?

— А ты где?

— Дома.

— Есть ощущение, что тебя кто-то пасет?

— Да вроде нет.

— Ну и отлично. Ты, главное, голову не забивай, все будет хорошо, а может, даже лучше. Люблю, целую.

Я еще некоторое время пялилась на экран телефона, чертыхнулась сквозь зубы и направилась к двери. Такси я решила не вызывать. Для начала стоит проверить, есть за мной «хвост» или нет.

Но все оказалось куда хуже. Не успела я выйти из подъезда, как появился Дохлый. Подъехал на машине и лихо затормозил в двух шагах от меня. Пока я прикидывала, как разумнее поступить: скрыться в подъезде или бегом покинуть двор, Арни выбрался из машины с огромным букетом белых роз.

— Это тебе, — сказал с улыбкой, переминаясь с ноги на ногу и гадая, какого приема следует ждать.

Дохлый явился весьма некстати, а его букет был некстати вдвойне: ну куда мне идти с этим колючим веником? В квартиру возвращаться? Если Дохлый проникнет в нее вместе со своим букетом, быстро от него не отделаешься.

— Зря тратился, — сказала я, вздохнув. — Отнеси его Стасе, вернусь — заберу.

— Почему ты не хочешь его взять? — заныл Дохлый, чуть не плача. Права Стася, достали эти братья.

— Арни, я иду по делам и с букетом буду выглядеть нелепо. Сделай одолжение: оставь его бабке или катись вместе с ним. Все ясно?

— Герман был у тебя? — вздохнул он, глядя на меня с видом побитой собаки.

— Был.

— И что?

— Ничего. Твой брат не хочет, чтобы мы встречались. Давай сделаем ему приятное. В любом случае мне надо идти. Пока.

Я сделала шаг в сторону с намерением обойти машину, но Дохлый этому воспрепятствовал:

— Куда ты?

— Я же сказала, по делам.

— Давай я тебя отвезу?

«Почему бы и нет? — подумала я. — Какой-никакой, а мужик рядом».

— Поехали.

Мы сели в машину, и я назвала адрес. Минут пять я неутомимо наблюдала в зеркало за потоком машин у нас за спиной, радуясь, что Дохлый молчит. Оказалось, он просто собирался с силами.

— Зоська...

— Меня, вообще-то, Софьей зовут...

— Извини... Просто я привык и... Герман может говорить все что угодно... Я... Это моя жизнь, и я сам решаю, что мне делать.

— Вот и прекрасно. Делай что хочешь, только не доставай.

— Я тебе безразличен? — с дрожью в голосе спросил он, а я свела глаза у переносицы.

— Дохлый, большая просьба, вспомни, пожалуйста: я была влюблена в твоего брата, а вовсе не в тебя, то есть планов идти с тобой рука об руку у меня точно не было, с чего бы им вдруг сейчас возникнуть? Поэтому ты можешь слушать Геру, а можешь послать его, только сделай милость: оставь меня в покое. Тут наши с Герой желания абсолютно схожи.

— Ты все еще любишь его? — спросил он с печалью.

— Нет.

— Врешь. У тебя голос дрожит, когда ты о нем говоришь.

— Вообще-то, это от злости. Главное, помни, мы с тобой были друзьями. Ими и останемся. Или нет.

— Все дело в моем брате, — благополучно пропустив мимо ушей мои слова, заявил Дохлый. — Если б не он...

— Если бы не он, я влюбилась бы еще в кого-нибудь, но не в тебя.

— Почему? — спросил он с обидой.

— Потому что ты мне еще в детстве надоел, зануда. Куда ты летишь? Здесь свернуть надо.

Само собой, нужный поворот мы проскочили, но в конце концов на Второй Коллективный смогли выбраться.

— Останови здесь, — сказала я, Арни приторможил, глядя на дом в некотором замешательстве.

Ничем не примечательная жилая трехэтажка с одним подъездом. Я набрала Иркин номер и коротко сообщила:

— Я на месте.

— Вижу, — вздохнула она. — Давай в подъезд.

Дохлый продолжал разглядывать дом.

— Ты надолго? — спросил заискивающе.

— Желаешь продолжить содержательную беседу? — съязвила я, выходя.

— Я тебя подожду, — заявил он.

— Не сомневаюсь.

Дверь подъезда была чуть приоткрыта. Я вошла, поднялась по трем ступеням на лестничную клетку, куда выходили двери четырех квартир, и услышала голос подруги:

— Я здесь.

Она стояла возле окна между первым и вторым этажом, а я по пути к ней машинально отметила: подъезд проходной, значит, Ирка все же решила проявить осторожность.

— Нельзя было от него отделаться? — кивнув в сторону окна, где рядом с машиной маячил Дохлый, спросила она.

— Сама попробуй, — фыркнула я.

— Он знает?

— Нет, конечно. Давай бабло и говори адрес.

Ирка придвинула ногой сумку, в таких обычно офисные работники таскают ноутбуки и разнообразную документацию.

— Крупные купюры. Не скажешь, что здесь полно денег. Хочешь взглянуть?

— Зачем? — удивилась я.

— Не знаю. Убедиться, что я не вру.

— А какого лешего тебе врать?

— Ну да... — она потерла нос. — Витька живет в пригороде. Коттеджный поселок «Сосны». От центра пять минут на тачке. Двадцать шестой дом. Отдашь деньги, сразу позвони. Что-то на душе неспокойно, — хмуро заметила она и поежилась. — Видно, денег жалко. Привыкла я к ним. Можно сказать, сроднились. Но совесть не дремлет...

— И люди твоего Витьки тоже.

— Ага. Хотят меня с денежками разлучить. Ты с Дохлым поедешь? Лучше, чтобы он не знал.

— Он и не узнает. Мало ли куда я еду и зачем. А где Гора?

— Еще с утра умчался по своим делам.

Я была уверена, Гора ждет в машине неподалеку, но обсуждать это не стала.

— Жаль. Мог бы вправить мозги Дохлому. Хотя подъезд проходной, выйдем через двор, а Арни пусть ждет в машине второго пришествия.

Немного подумав, Ирка пожала плечами:

— Да ладно, сэкономишь на такси... — чем еще больше укрепила меня во мнении, что Гора где-то неподалеку. Вот только зачем это скрывать? — Просто не говори ему, что здесь ты из-за меня.

— Не скажу. Что ж, пойду...

— Ага. Надеюсь, все пройдет как надо, вечером увидимся и...

— Напьемся, — подсказала я.

— Вот-вот...

Ирка меня поцеловала, и я, подхватив сумку, начала спускаться по лестнице, а она так и осталась возле окна. Арни, должно быть, настроился на длительное ожидание, мое появление его удивило.

— Куда теперь? — спросил он.

— Надо заскочить еще в одно место. А потом домой. Кстати, я могу взять такси, обойдусь без личного водителя.

— Я только рад... — начал Дохлый. Но я перебила:

— Тему наших взаимоотношений оставим в покое, в противном случае поеду на троллейбусе.

Он нахмурился, но очень скоро разговорился, однако болтал о своей работе и прочей ерунде, мало меня занимавшей, время от времени я кивала или о чем-то спрашивала, создавая иллюзию беседы. Впрочем, длилось все это недолго.

Ирка оказалась права: хотя «Сосны» считались пригородом, путь от центра занял всего десять минут. По мосту мы перебрались на другой берег реки и вскоре увидели указатель, а вслед за этим появились первые коттеджи нового поселка. Выглядели дома солидно, каждый насчитывал не меньше трех сотен метров, однако вместо привычных высоченных заборов радовала глаз зеленая изгородь, заросли туи, кое-где разбавленные боярышником. Въезд на территорию преграждал шлагбаум.

Я повертела головой: ни охранников, ни будки, где они могли бы обретаться. Наше появление ажиотажа не вызвало, никто на встречу не спешил.

— Нужен электронный ключ, — порадовал Дохлый.

— Спасибо, я догадалась. Придется прогуляться.

— Я тебя здесь подожду.

Я молча кивнула, направляясь к калитке рядом со шлагбаумом, достала мобильный с намерением звонить Ирке, чтобы сообщить о внезапно возникшем препятствии. Но калитка, к моему удивлению, оказалась не заперта, и я легко проникла на территорию.

Впрочем, если заборов нет, глупо на калитку замки навешивать.

Нужный дом я нашла быстро, воспользовалась планом поселка, висевшим на доске объявлений. Нужно было свернуть налево и пройти метров пятьсот. Дом с черепичной крышей выкрашен розовой краской, невысокое крыльцо, справа пристроенный гараж с подъездной дорожкой, слева клумба, плетистые розы и георгины, возле гаража стоял новенький «Мерседес».

Я поднялась на крыльцо и нажала кнопку дверного звонка. Прошло минут пять, в продолжение которых я пялилась на дверь без всякого толка. Позвонила еще раз, потом еще. Машина здесь — значит, хозяин должен быть на месте. Хотя неизвестно, сколько у него машин. Придется все-таки звонить подруге, пусть наберет своего Витю и поинтересуется, где его носит. Не очень-то он спешит вернуть свои денежки.

Я уже достала мобильный, но тут обратила внимание на дорожку, которая огибала дом, и, не раздумывая, отправилась по ней. За домом обнаружился участок с зеленой лужайкой, по периметру засаженный туями. Надежная защита от любопытных соседей. Участок примыкал к лесу, высоченные сосны радовали глаз. Должно быть, благодаря им поселок и получил свое название. На лужайку выходила застекленная веранда, дверь была распахнута настежь, но не похоже, что в доме кто-то есть. Уж очень тихо. Я постояла в раздумье и совсем было собралась вернуться к крыльцу, как вдруг услышала:

— Вы кто?

Вздрогнула от неожиданности и только тогда обратила внимание на скамейку, скрытую зарослями сирени. Со скамьи поднялся щуплый дядя лет шестидесяти, в тренировочных штанах, толстовке и тапочках. В руках у него была газета с кроссвордами.

— Здравствуйте, — сказала я, приглядываясь к дяде. По неизвестной причине, он мне сразу не понравился, хоть и выглядел эдаким пенсионером-дачником. То ли взгляд тому виной, настороженный, недобрый, то ли возмутила мысль, что этот тип, по всем статьям годившийся Ирке в престарелого родителя, был ее любовником. «С ума сошла подруга», — подумала я с сожалением.

В ответ на мое приветствие мужчина кивнул и продолжил меня разглядывать, а я сказала:

— Мне нужен Виктор Васильевич.

— Вот как? А зачем он вам? — усмехнулся дядя.

— Дело есть.

Он задержал взгляд на сумке в моей руке и спросил:

— И что за дело? Тебя Ирка прислала, что ли? Ну... профурсетка... — Он головой покачал и хмыкнул: — Я ведь сказал, чтоб сама приехала.

— Это вы с ней обсудите. Меня просили кое-что вам передать.

— Давай, — протянул он руку. — А ты откуда взялась, что-то я такой подруги у нее не помню.

— Из Америки приехала.

— Далековато.

— Ага. Специально на вас посмотреть. У вас документы, надеюсь, есть? — спросила я, не торопясь отдавать ему сумку и самой себе удивляясь.

— Какие документы? — выпучил он глаза.

— Паспорт или водительское удостоверение.

— Это зачем?

— Затем, чтобы убедиться, что вы действительно Виктор Васильевич. Мы ж с вами раньше не встречались.

— Серьезная ты девушка, — хихикнул он. — Идем в дом.

— Я лучше здесь подожду.

Он пожал плечами:

— Как хочешь. — И поднялся на веранду, а я осталась ждать, прислушиваясь. Он с кем-то разговаривал, вскоре выяснилось: разговор шел по телефону, и звонил он моей подруге.

— Ты мне кого прислала? Паспорт с меня требует. Ладно, ладно... знаю я все твои хитрости. Имей в виду, ты мне должна. Нам с тобой лучше дружить, а что деньги вернула — молодец. Воровство — дело подсудное...

В этот момент Витя, закончив разговор, появился на веранде и сунул мне в руку паспорт.

— Держи. У вас в Америке все такие бдительные?

— У нас в Америке — да.

В паспорт я заглянула скорее из упрямства. Все верно: Кудрявцев Виктор Васильевич. Вернула документ и протянула сумку.

— Спасибо. Всего доброго. — И собралась уходить.

— Стоп, красавица. Давай уж и я проверю, что ты мне принесла.

— Проверяйте, — пожала я плечами.

Он открыл сумку, держа ее на весу, и вытащил пачки денег. Пересчитал их, кивнул удовлетворенно.

— Вроде все.

Я заметила: деньги были в банковской упаковке. Он надорвал ленту в одной пачке и проверил купюры. Опасался, что ему «куклу» подсунут? А смысл? Ирка собиралась с ним помириться, так зачем ей его обманывать?

— Я могу идти? — спросила я, когда он убрал деньги в сумку.

— Может, выпьем? — усмехнулся он. — Познакомимся. Тебя как зовут, красавица?

— Курьер, — ответила я и поспешила убраться восвояси. Дядька вызывал чувство брезгливости, щедро сдобренное тревогой: у дачника-пенсионера были малопривлекательные ребята в подчинении. Не хотелось бы встретиться с ними еще раз.

Отойдя от дома на сотню шагов, я набрала Иркин номер.

— Что за представление ты там устроила? — хмыкнула подруга.

— Решила удостовериться, что отдаю миллионы нужному человеку.

— Как тебе мой возлюбленный?

— Нормально.

— Спасибо, что соврала.

— Да нет, так и есть, — снова соврала я. — Кстати, не похож он на дядю с личной гвардией отпетых головорезов.

— Ты про Валеру, что ли, и его придурков? Забудь о них. И это... спасибо тебе. Очень выручила. У меня тут дело, маленькое, но важное, сделаю его, и вся к твоим услугам. Позвоню.

— Хорошо, — ответила я, как раз выходя из калитки.

Арни пасся возле машины, оглядываясь без особого интереса.

— Неплохое местечко, — заметил он, когда мы сели в машину. — Кто-то из знакомых здесь живет?

— Точно. Просили передать подарок.

— А я смотрю, ты без сумки вернулась. А кто просил?

— Тебе-то что за дело? — удивилась я, и вопрос был исчерпан.

Разумеется, сразу отделаться от Дохлого не удалось. Примерно час мы пробыли в кафе, где он рассказывал о себе, любимом. Я терпеливо слушала, напомнив себе, что завтра уезжаю и, даст бог, мы с ним никогда уже не встретимся. Этому обстоятельству Арни и был обязан моей покладистости.

— Давай сегодня сходим куда-нибудь? — предложил он.

— Уже сходили.

— Послушай, — он накрыл рукой мою ладонь и в глаза уставился. — Что плохого в том, чтобы сходить в кино или просто прогуляться?

— Спроси об этом у своего брата...

— Да пошел он, — разозлился Дохлый. На моем веку подобная смелость по отношению к старшенькому впервые.

— Арни, — позвала я. — Я не хочу неприятностей. Ни причинять их кому-либо, ни, тем более, их иметь. Герман решил, я плохо на тебя влияю. В каком-то смысле он прав. У тебя скоро свадьба. Вот о своей невесте ты и должен думать. А я приехала всего на пару дней и в любом случае не могу относиться к тебе иначе как к другу. И зачем, скажи на милость, тратить на меня время?

— Ты не понимаешь, — вздохнул он. — Никто не понимает. Ты — моя единственная любовь. Она на всю жизнь.

— Ну, жизнь впереди у тебя, надеюсь, еще долгая...

Он усмехнулся и с видом обиженного ребенка стал в окно смотреть, а я засобиралась домой, сочтя момент подходящим. Разумеется, Дохлый решил меня подвезти. Минут через двадцать мы наконец-то простились у моего подъезда; чтобы ускорить процесс, мне пришлось продиктовать номер своего мобильного.

Тут я вспомнила об Ирке, которой уже надлежало бы объявиться, взглянула на мобильный, забеспокоившись, что за разговорами пропустила ее звонок. Но никаких звонков не было. Подумала позвонить сама, однако делать этого не стала. Если Ирка не звонит, значит, все еще занята. Хотя все происходящее выглядит довольно странно: подруга настойчиво просила приехать, я приезжаю, но... Не так я представляла встречу старых друзей. А на деле все с ног на голову: Арни допек своим вниманием, а Ирка с Горой заняты неведомо чем.

Звонка я в тот вечер так и не дождалась. Сама звонить тоже не стала, на сей раз из принципа: не звонит, ну и ладно.

Ночь выдалась беспокойной, в том смысле что спала я плохо, а если и удавалось заснуть, то сны являлись тревожные, а под утро и вовсе приснился кошмар. Оттого кофе я пила в легком раздражении и в некоторой обиде на судьбу. Все-таки позвонила Ирке, но только для того, чтобы сообщить: я уезжаю. Провожать меня не обязательно, однако попрощаться бы хотелось. Мобильный Ирки был отключен. То же самое с телефоном Горы.

— Очень мило, — фыркнула я.

Тут в дверь позвонили. Я пошла открывать, гадая, кого увижу: дорогих друзей, вспомнивших наконец-то обо мне, или Стасю? И не отгадала. На пороге стоял Герман. Я мысленно выругалась, а вслух сказала:

— Задолбали вы, братья Купченко. Сегодня отбываю по месту жительства, так что прибежал ты напрасно.

Герман в ответ улыбнулся. Вполне по-человечески, кстати.

— В квартиру впустишь? — спросил ворчливо.

— Зачем?

— Не тут же стоять...

Я пожала плечами и направилась в кухню, он, захлопнув дверь, пошел за мной.

— Квартира словно не твоя, — заметил, оглядываясь.

— Так и есть.

— Хочешь, я ее куплю?

— Купи. Вот только зачем она тебе? От меня избавиться? Я и так сегодня уезжаю.

— Значит, сегодня?

— Могу билет показать.

— Без надобности. Возвращаешься к себе в Питер? — Я постаралась своего удивления никак не демонстрировать, а Герман усмехнулся: — Думала, я не знал, где ты?

— Думала, тебе это безразлично.

— Если бы... — он вновь усмехнулся. — Дело давнее... но... я до сих пор... в общем, прости меня, если можешь.

Хорошо, что я на стуле сидела, не то ноги бы точно подкосились. Должно быть, Герман за эти годы сильно переменился, не в его привычках просить прощения, особенно у меня. Чудеса. Однако как ни была я поражена такими переменами, нашла в себе силы ответить спокойно.

— Ты прав, дело давнее, и я тебя давно простила.

Я не знала, что еще сказать, и надо ли говорить, Герман, наверное, тоже не знал, пауза затягивалась, мы старательно отводили взгляд. Наконец он произнес:

— Арни у тебя вечером был?

— Да, поработал водителем. Съездили в пару мест, посидели в кафе.

— Невеста его рвет и мечет, вчера их ждали в ресторане, где будет проходить торжество, собирались меню обсудить.

Говорил он с усмешкой и без злости, точно все это его совсем не касалось.

— Извини, не знала...

— Ты тут ни при чем, — махнул он рукой. — Вообще-то, братик прав: жениться надо по любви. Ты как считаешь?

— Разбирайтесь сами.

— Невесту эту я ему нашел, — продолжил Герман. — Он все по тебе сох. В Америку собирался. Скажи я ему, что ты в Питере, сорвался бы в тот же день.

— Спасибо, что промолчал. Надеюсь, что и впредь мое местопребывание останется в тайне.

— Значит, у братца нет шансов?

— Никаких.

— Что ж, судьбу не обманешь. Хотя попытаться всегда можно. — Он засмеялся и мне подмигнул. — Как у тебя, все нормально? Парень есть? — Я поморщилась и головой покачала. — Не стоило спрашивать? — хмыкнул Герман. — Ну, извини.

— Спрашивай на здоровье. Парня нет. Для девушки это всегда обидно, оттого и морщусь.

— А чего так? Ты ж красавица!

— Венец безбрачия.

— Это кто сказал?

— Цыганка на вокзале.

— Нашла кому верить. У меня, кстати, тоже никого. То есть баб пруд пруди, но... все взаимозаменяемы. Наверное, тоже венец. — Он вновь хохотнул. — Как отрезало. Должно быть, на небесах решили, это мне за тупость.

— Ты вроде дураком не был?

— Да? Чего ж тогда дурака свалял? Как бабуля-покойница говорила, что имеем — не храним, потерявши — плачем. — Он хлопнул ладонями по коленям, точно подводя черту, и поднялся. — Ладно, я пошел. Арни гони в шею. Он тебе не пара. И сам об этом прекрасно знает. Пусть со своей Наташкой мучается, она в нем души не чает. Питеру привет. Я там довольно часто бываю, по делам. Мимо твоего дома пару раз проезжал.

Он направился в прихожую, я плелась за ним. Герман открыл дверь и, уже стоя на пороге, спросил нерешительно:

— Позвонить-то можно будет?

— Звони, — промямлила я.

— Тогда диктуй номер.

Я продиктовала, он кивнул:

— Я запомню, — вышел и захлопнул дверь. А я повалилась на банкетку, счастливо оказавшуюся рядом, и уставилась на стену в крайнем недоумении. Это мне сейчас все привиделось? Или Герман в самом деле сожалеет? Он мне почти в любви признался или у меня глюки? Вчера был готов мне голову откусить, а сегодня нате вам: если можешь, прости. И что теперь? «Билет сдавать, — услужливо предложил внутренний голос. — Себе-то не ври, все эти годы ты продолжала сохнуть по этому придурку, уступившему тебя родному братцу, как место в троллейбусе».

Положим, со мной все более-менее ясно, обалдела от счастья или просто от неожиданности, но Герман... Если понял, что дурака свалял, чего ждал? Сам же сказал: в Питере бываю часто. Боялся нарваться на неласковый прием? Герман не из тех, кого это остановит. Парень он решительный. Тогда что? Хотел сначала Дохлого пристроить? А мне, значит, спокойно ждать своей очереди? Сомнительно, но как раз в его духе. Тогда с какой стати вчера зверем смотрел? А сегодня вдруг запел серенаду о былой любви. Хотя, если рассудить, о любви он не сказал ни слова. Сожалеет — да, хотел бы встретиться — тоже да. По крайней мере, намекнул, что позвонит. Ну, и отдельный куплет на тему: ты одна и я один. В общем, встретились два одиночества...

Нет, сдавать билет я не буду. Уж столько лет терпела и еще потерплю. Облегчать ему жизнь точно не собираюсь. Но беспокойство нарастало, эмоции зашкаливали и поражали своей противоречивостью: то хотелось немедленно броситься Герману в объятия со словами «Где ты раньше был?», то бежать отсюда сломя голову, не дожидаясь поезда в Петербург. Чудеса... Вопрос, люблю я его или уже нет, тоже оставался открытым, вдруг выяснилось, что все не так однозначно. Обида все эти годы точно была, но обида и любовь слеплены из разного теста.

Сообразив, что идей в голове все больше и больше, а толку от них все меньше, я решила обсудить впечатляющую новость с соседкой. Стася, с высоты своего жизненного опыта и незамутненного любовью сознания, авось да и ответит на вопрос: что за перемены произошли с человеком буквально за несколько часов?

Стася пила чай, сидя перед телевизором.

— Что смотрите? — проявила я интерес.

— Жду местных новостей. Вдруг кто-то помер?

— Кто-то конкретный?

— Все равно. Это всегда бодрит, начинаешь самой себе завидовать. А с тобой опять что? Такое впечатление, будто ты украла миллион, а теперь гадаешь, себе оставить или разумнее все-таки вернуть.

— По-вашему, я могу свистнуть чьи-то деньги?

— Это фигурально, деточка. Таки что?

Я села рядом, потерла нос и начала рассказывать. Стася слушала и мрачнела на глазах.

— Не верь ни одному его слову, — заявила она, когда свое повествование о визите Германа я закончила.

— Почему? — спросила я с обидой.

— Потому что Германа твоего я вижу насквозь. Никого, кроме себя, он любить не способен. И если сейчас соловьем запел, значит, есть тому причина.

— И какая же?

— Кто ж знает... но предположение имеется.

— Валяйте ваше предположение.

— Вчера ты его отшила, и этот тип понял: вертеть тобой, как прежде, не получится. А его планам ты можешь помешать. Башка-то у него варит, вот и сообразил: чем ругаться с тобой, лучше былую любовь вспомнить. Растрогаешься и станешь плясать под его дудку.

— Я сегодня уезжаю.

— Но он-то этого не знал. Опять же, можешь не раз вернуться. Или Дохлого к себе в гости пригласить... — Я закатила глаза, демонстрируя свое отношение к подобной идее. — А что? Желание напакостить иногда заводит очень далеко.

— Никому пакостить я не собираюсь.

— Скажи это Гере.

— Говорила.

— Должно быть, не поверил.

— Значит, это просто притворство? — вздохнула я.

— А тебе как хочется?

— Не знаю я, чего мне хочется, — разозлилась я. — Я девушка противоречивая.

— Зоська, держись от него подальше. Зачем ты вообще приехала? Сидела бы в своем Петербурге...

— Я-то думала, вы рады меня видеть.

— Рада. Но на душе беспокойно.

— Через три часа уеду, успокоится ваша душа. Давайте новости смотреть, надеюсь, они вас порадуют.

Сложив руки на груди, я уставилась на экран, а Стася сделала звук погромче. Новости оказались самыми обыкновенными: подготовка к отопительному сезону, нехватка мест в детских садах... Если честно, я мало что слышала, гадая, кому стоит верить: Стасе или Герману.

Начался прогноз погоды, и я сказала не без ехидства:

— Ну вот, все живы... — И оказалась не права.

— Сейчас криминальная сводка будет, — с милой улыбкой заявила Стася.

На экране под траурную музыку появилась заставка «Криминальные новости», а вслед за этим я увидела дом Виктора Васильевича Кудрявцева. Может, у меня бы и возникли сомнения, что это именно его дом, но приятный женский голос за кадром торопливо сообщил: «Вчера в своем доме был убит бизнесмен Виктор Кудрявцев. Супруга, вернувшаяся домой около девяти часов вечера, обнаружила его в спальне, лежащим на полу рядом с открытым сейфом. Сейф был пуст. В правоохранительных органах сообщили, что Кудрявцеву нанесли удар по голове, после чего дважды выстрелили: в сердце и в голову. Жена Кудрявцева не смогла ответить на вопрос, что конкретно находилось в сейфе. Однако подтвердила: супруг зачастую держал в доме деньги, и довольно значительные. Кстати, у правоохранительных органов к Кудрявцеву неоднократно возникали вопросы. Ходят слухи о некоем теневом бизнесе, уклонении от налогов, даче взяток должностным лицам и многое другое. Пока трудно сказать, было ли это ограбление или заказное убийство...»

— Черт, — простонала я, не в силах сдержаться, Стася взглянула с недоумением.

— Прибрал Иисус, Господь наш, жулика, и что? А деньги надо держать в сберегательной кассе.

Мысли мои лихорадочно метались, труп обнаружили около девяти: выходит, убили Кудрявцева вскоре после того, как я передала ему деньги. Кто-то знал, что я их привезу? Ударил хозяина дома по голове, вскрыл сейф, а потом застрелил Виктора Васильевича. Зачем? Затем, что опасался: если Кудрявцева оставить в живых, он грабителя найдет. Он его видел? Или просто догадывался, у кого возникло желание прикарманить его деньги...

— Незадолго до убийства, — продолжила журналистка, — возле поселка, где жил Кудрявцев, видели постороннюю машину, «Мерседес», серебристый металлик, сейчас активно ведутся ее поиски. Возможно, именно на этой машине и приехал убийца.

На ней приехала я, «Мерседес» — машина Дохлого, и нас очень скоро найдут.

— Черт, — вновь выругалась я.

— Пся крев, Зоська, — рявкнула Стася. — Что тебя так разбирает? Мужчину, возможно, жаль, но он тебе даже не знакомый.

Я достала мобильный и принялась звонить сначала Ирке, а потом Горе. У обоих телефоны выключены. Я бросилась к двери, Стася зачем-то припустилась за мной.

— Зоська, что на тебя нашло?

Но я ее уже не слушала. Заскочив в свою квартиру, взяла сумку и кинулась по единственно известному мне адресу, где могла находиться Ирка. Через полчаса я была там.

Дом выглядел необитаемым, на калитке замок. Наплевав на возможные последствия, я перемахнула через забор и поднялась на крыльцо. Дверь заперта, на звонок никто не открыл. Сквозь тюль на окне мало что разглядишь, однако не похоже, что здесь кто-то прячется.

— Ирка! — барабаня по стеклу, крикнула я, едва не заревев от отчаянья.

— Вы как вошли? — услышала я за спиной голос и, обернувшись, увидела возле калитки мужчину лет шестидесяти, он хмуро меня разглядывал, держа в руках связку ключей.

— Я ищу подругу, — ответила я. — У меня дело срочное...

— Какую подругу?

— Ирину Чумакову. Она жила тут... я была в этом доме...

— Никакую Чумакову я не знаю. Дом парень снимал, на месяц. Сказал, ремонт у него, надо где-то на это время устроиться. Я не возражал, дом пустует, желающих его снять пока нет. Вчера срок аренды закончился. С утра съехал.

— Парня зовут Егор Стычкин? — спросила я.

— Ну, да. У меня копия паспорта есть.

— А девушку вы здесь никогда не видели?

— Может, и была девушка, — пожал мужчина плечами. — Я личной жизнью постояльца не интересовался. А вот вас я видел. Вы на такси приезжали. Я напротив живу.

— Да, приезжала. Извините. — Он открыл калитку, и я вышла на улицу, повторив: — Извините.

Скорее из упрямства я проделала свой недавний маршрут, когда в день приезда разыскивала Ирку. Отправилась к ее матери, потом к нескольким общим знакомым. Полина Андреевна знать не знала, где ее дочь, и немногочисленные подруги тоже. Никакой пользы от беготни по городу не было, но, взглянув на часы, я смогла убедиться, что на поезд опоздала.

Повалившись на ближайшую скамейку, я попробовала решить, что делать дальше. Прежде всего предупредить Дохлого. Кстати, странно, что он не звонит. Не слышал новость? Или не связал убийство с нашим появлением в «Соснах»? Откуда ему знать, к кому я ездила? Но если б новость слышал, обязательно бы обратил внимание на сообщение о «Мерседесе»: «Зоська, прикинь, в поселке, где мы были, мужика грохнули. Теперь нас ищут, точнее, мою тачку». Если я расскажу Дохлому, куда ездила, придется рассказать и все остальное. Про дорогих друзей, благодаря которым я теперь и ломаю голову: как жить дальше?

История, надо признать, оказалась неприглядной. Ирка просит меня о помощи, я приезжаю и доверчиво проглатываю рассказ, которым она меня угостила: мол, сперла деньги у шефа, а теперь решила их вернуть. Для этого моя помощь и понадобилась. Не каждому доверишь миллионы и не каждому признаешься, что их украла. Друзья задумали аферу еще месяц назад и сняли дом. Мне сказали: Гора прячется от ментов, и это я тоже скушала. Далее меня отправляют к Кудрявцеву. Но он ждал мою подругу, а вовсе не меня. Допустим, Ирка просто не хотела с ним встречаться. Деньги в сумке были настоящими. Так в чем подвох? Может, я зря обвиняю подругу во всех смертных грехах? К убийству она не имеет никакого отношения? Вернула деньги, а потом узнала, что Кудрявцев убит. Испугалась возможных неприятностей и поспешила покинуть город вместе с Егором, предоставив мне возможность гадать, куда они делись. Могли бы и предупредить...

Никто меня предупреждать не собирался. Там, в подъезде, подружка уже знала, что мы не увидимся. Друзья детства задумали провернуть дельце, в котором мне отводилась определенная роль. Роль безмозглой дуры, я полагаю. Неужто они с самого начала решили убить Кудрявцева? В это трудно поверить. Потому что они мои друзья? Похоже, они здорово изменились. Хотя нет. Чума — она и есть Чума, а Егор послушно пляшет под ее дудку. С одной существенной разницей: Чума и Гора моего детства меня бы никогда не подставили. Тогда, но не теперь. Оттого Ирка и не обрадовалась, что за деньгами я приехала с Дохлым. Его они впутывать не хотели, потому что Арни — это Герман, а задираться со старшим Купченко себе дороже. Но, как видно, менять планы было уже поздно. Одно в голове не укладывается: зачем они вернули деньги Кудрявцеву?

Тут я зло фыркнула и головой покачала в досаде на свою бестолковость. Ответ прост: деньги вернули для того, чтобы получить еще большие деньги, которые были в сейфе, или что-то очень нужное им, превышающее ценой украденные миллионы. Кудрявцев — Иркин любовник, при желании снять слепок с ключей от его дома проще простого. А вот открыть сейф куда сложнее. Если я что-то понимаю в сейфах, должен быть ключ и код. Вряд ли заполучить их было просто, не настолько Кудрявцев доверчив... Даже если Ирке это удалось, после того как она свистнула деньги, Витя обязан был проявить элементарную осторожность и код сменить. Значит, надо создать такую ситуацию, при которой Кудрявцев сам откроет сейф. Получив от меня деньги, вряд ли бросит сумку в холле и пойдет разгадывать кроссворд. Куда логичнее подняться в спальню и убрать купюры в сейф. Гора занял позицию в доме задолго до того, как я приехала. Оттого и не мог меня проводить. В тот момент, когда Витя открыл сейф, Егор бьет его по голове тяжелым предметом, лишая сознания, забирает содержимое сейфа и привезенные мною деньги и сматывается.

Уверена, план был именно такой. Я отчаливаю в Санкт-Петербург, где меня вряд ли будут искать, а Егор с Иркой — куда-нибудь на Канары, пока лишенный сознания Кудрявцев не сообщил, что к чему, и не устроил на них охоту. Вполне в духе друзей моего детства.

Но что-то пошло не так. Кудрявцев очнулся раньше? Или успел увидеть нападавшего? Отправляя Горе в дом шефа, Ирке стоило бы подумать: свое прозвище он получил не зря и способен завалить самый расчудесный план. В общем, что-то пошло не так, и Кудрявцева убили. И если я сейчас отправлюсь в полицию, то сдам обоих с потрохами. По-другому не получится. Конечно, они это заслужили, но есть одна малоприятная деталь: меня, вне всякого сомнения, заподозрят в соучастии. Убедить в обратном весьма проблематично. Кто ж поверит, что я такая дура: поперлась с миллионами к Кудрявцеву. Еще придется доказать, что миллионы были. Их вполне устроит другая версия: я явилась со своим сообщником, под дулом пистолета Витя открыл сейф, после чего был застрелен. А мы преспокойно покинули дом, но, узнав, что машину видели соседи, я отправилась в полицию, придумав свою байку.

Тут я опять выругалась в крайней досаде, заподозрив, что так, скорее всего, и будет. Но какая-то часть моего существа наполнилась хмельным азартом. Зря дорогие друзья вытащили меня сюда из Питера. Себе дороже.

Никакого плана в тот момент у меня не было, но я твердо решила остаться, чтобы самой разобраться в этой истории.

Домой я отправилась пешком, прикидывая, с чего начать. Энтузиазм таял на глазах, и появилась трусливая мысль немедленно бежать отсюда. Но я отмела ее как недостойную. Главное, надо найти Ирку с Горой раньше, чем меня найдет полиция.

Не успела я повернуть ключ в замке, как дверь напротив распахнулась, и Стася произнесла трагическим голосом:

— Ты меня до инфаркта доведешь. Я мечусь по вокзалу, точно психическая, а тебя нет.

— Я никуда не уехала, — сказала я, пожимая плечами.

— Вижу... — Стася, схватив меня за руку, втянула в свою квартиру, заперла дверь и, повернувшись ко мне, спросила: — А почему ты не уехала?

— Решила, что буду без вас скучать, — разулыбалась я, но старалась напрасно.

— Зоська, говори немедленно, во что они тебя втравили. Лучше страшная правда, чем дрянные фантазии. Это еще Энгельс сказал.

— Да ладно? А кто это?

— Смерти моей хочешь? — рыкнула она. А я вздохнула:

— Поите чаем, расскажу все как есть. Кстати, сомневаюсь, что Энгельс писал что-то подобное. Он же все больше про коммунизм.

— Ущербность нынешнего образования меня не удивляет. А потом, какая разница, кто сказал? Главное, что так и есть.

Стася включила электрический чайник и стала собирать на стол, а я принялась оглядываться в поисках Юджина Казимировича. Странное дело, с момента моего приезда на глаза он ни разу не попался.

— Где кот? — спросила я.

— Четвертый день шляется, сволочь. Утром под балконом поорет, мол, не волнуйся, Стася, и опять по бабам.

— Вроде не сезон.

— У хорошего кота и в январе март. Не тяни, — буркнула старушка, разливая чай.

И я все ей рассказала. Наверное, потому, что в детстве секретов у меня от Стаси не было. То есть я пыталась промолчать или даже соврать, но вранье она отметала сразу и с секретами разбиралась очень лихо. В продолжение моего рассказа Стася то матку боску поминала, то материлась, как извозчик. А потом задумалась. Чай пили в гробовом молчании.

— Только не говорите, что я должна уехать, — первой начала я.

— Был бы толк. Ты ж все равно не послушаешь.

— От проблем не бегают, их решают. Так Энгельс сказал.

— Зоська, мужика надо, — вдруг заявила Стася.

— Мне или вам?

— Нам.

— Прямо сейчас?

— Дурища. Нужна защита и опора.

— А мужик здесь при чем? Отстали вы от жизни Станислава-Августа.

— Есть у меня один на примете. Из наших.

— В смысле?

— В смысле поляк. Настоящий шляхтич.

— Стася, я вас умоляю, какие в нашем городе поляки?

— Ну, мы-то с тобой как-то приблудились, вот и он... Пан Левандовский.

Я весело хмыкнула:

— И чем занимается пресветлый пан?

— Самым подходящим для нас делом. Я с нашим жэком собиралась судиться, сунулась в интернет, чтоб адвоката найти, не самой же с этими идиотами нервы трепать. И тут его фамилия. Я уж ни секунды не сомневалась.

— Еще бы. И что, помог он вам?

— Сам не взялся. Сказал, не его профиль. Посоветовал коллегу. На вид пигалица, но дело выиграла. С тех пор мы дружим.

— Думаете, адвокат мне понадобится? — вздохнула я.

— Надеюсь, что обойдется. Но такой человек должен знать, как из дерьма выбраться. Опять же, мужское плечо...

— Ему лет-то сколько? На плечо почтенного пенсионера опереться приятно, но в бой они обычно не особо рвутся.

— Нашла пенсионера, — фыркнула Стася. — Он молодец, умен, к тому же красавец. Только поляки и бывают такими красавцами.

— Верю на слово.

— Ну, что? Звонить?

— Обойдемся пока без вашего пана.

— Ага... Судя по твоей физиономии, гениальных мыслей не наблюдается?

— Есть кое-какой план, — соврала я.

— Я правильно поняла: твой план в эмбриональном состоянии?

— Точнее, в предзачаточном. Но обращаться за помощью пока считаю излишним. Чем меньше людей знает...

— Вот это верно, — кивнула Стася. — Лучше пусть друзья-приятели думают, что ты сегодня в Петербург уехала. Нет тебя, и все тут. А ты ко мне переберешься.

— Ни к чему вас впутывать, — твердо ответила я. — Это может быть опасным.

— Во-первых, пока кот шляется, его комната все равно пустует, а во-вторых... мне восемьдесят три года. Скажи на милость, чем меня можно напугать?

— Правда восемьдесят три? — не поверила я.

— К сожалению. Поклялась коту протянуть до девяноста. Но это как получится. Тащи сюда свое барахло, и без возражений.

Однако я настояла на своем:

— Будем считать вашу квартиру запасным аэродромом. На крайний случай.

Стася нехотя согласилась:

— Делай как знаешь. Пойдем кота поищем, что ли?

— К вечеру непременно найду. А сейчас надо предупредить Дохлого.

— Еще чего, — нахмурилась Стася. — Дохлый сразу братцу донесет, а от него жди любой пакости.

— Я втравила человека...

— Откуда тебе знать, что он с друзьями не заодно? — огорошила Станислава-Августа. — Подожди совеститься-то. Ведь ты могла телевизор не смотреть, новость не узнать... И вообще, ты уже уехала.

— Ладно, я подумаю, — дипломатично ответила я, однако ее слова насчет возможного сговора даром не прошли. Что, если это действительно так?

Я вернулась к себе, заверив Стасю, что никуда сегодня не пойду, и попыталась составить подобие плана дальнейших действий. Пункт 1. Найти Ирку и Гору. Ха-ха. Это будет очень просто, особенно если они из страны уже смылись. Пункт 2. Попытаться выяснить, кто такой Кудрявцев и у кого был на него зуб... Тут и стало ясно: верить в то, что Ирка с Горой замешаны в убийстве, упорно не хотелось. Аферисты и свиньи, учитывая, что мне жизнь уже подпортили, — это да. Но убийство... Опять же: откуда у Горы пистолет? Даже если он умудрился где-то его достать, вряд ли сумел бы им воспользоваться без того, чтобы самому себе что-нибудь не отстрелить. Это ж Горе. Что же получается? В доме был еще кто-то и хозяина пристрелил? А что? Нормальная версия. В таких случаях принято подозревать жену. Она у него есть, и как раз именно жена труп обнаружила. У Кудрявцева была любовница, возможно, не одна, вот благоверная и решила, что с нее хватит. Есть еще конкуренты (как не быть!), а также некие темные дела, на которые намекала журналистка. О них следовало бы узнать побольше.

Я устроилась на диване и принялась бороздить просторы интернета. Вскоре выяснилось: о Кудрявцеве писали много. Ознакомившись с десятком статей, я озадачилась: если хотя бы половина из того, что здесь написано, правда, весьма удивительно, как Вите удавалось оставаться на свободе. Впрочем, такое, к сожалению, не редкость, и удивляться мы не станем. Лучше еще почитаем.

За окном стемнело, но свет включать я остерегалась. Вспомнила о своем намерении найти Казимирыча и отправилась во двор. Кот обнаружился сразу, лежал на качелях, поглядывая по сторонам с видом венценосной особы.

— Привет, — сказала я.

Он подождал, когда я подойду ближе, спрыгнул с качелей и не спеша направился в сторону гаражей. Я за ним, в тщетной надежде схватить мерзавца, но как только расстояние между нами сокращалось до опасных для кота пределов, он ловким прыжком его увеличивал, буквально выскальзывая из рук.

— Идем домой, гад, — попросила я, когда Казимирыч, вволю набегавшись, забрался на дерево, откуда и смотрел на меня с подлой ухмылкой. — Стася ждет.

— Оставь кота в покое, — услышала я голос соседки, она стояла на балконе и, судя по всему, уже давно наблюдала за моими тщетными попытками вернуть мужчину всей ее жизни в лоно семьи. — Я думала, ты ушла в подполье.

— Решила подышать свежим воздухом, — отозвалась я.

— Мужику нужна свобода. Запомни это, деточка. Если держать его под замком, он непременно сбежит, причем навсегда.

— Это все умные мысли на сегодня?

— Спешу поделиться жизненным опытом.

Я пошла к подъезду, а когда открыла дверь, оказалось, что кот следует за мной. Прошмыгнул мимо, слегка задев меня хвостом, проорал ругательство на своем кошачьем языке (вряд ли поблагодарил) и, весело подпрыгивая, стал подниматься по лестнице, продолжая вопить во все горло. Неудивительно, что Стася его услышала и предупредительно распахнула дверь.

— Встречайте хозяина, — сказала я.

— Может, и ты зайдешь?

— Спасибо. Не буду мешать вашему свиданию.

В общем, я вернулась на диван. Только взялась за планшет, как раздался звонок на мобильный. Звонил Герман.

— Не помешал? — спросил с непривычным смущением.

— Нет. — Я решила быть лаконичной, чтоб на радостях лишнего не наговорить.

— Чем занимаешься?

— Гадаю, лечь спать или еще немного фильм посмотреть.

— Во сколько поезд прибывает в Питер?

— В половине десятого.

— Успеешь выспаться. Счастливого пути!

— Спасибо. А ты чем занят?

— У меня что-то вроде командировки. Недалеко, километров сто от нас.

— Дохлый с тобой?

— Ага. Увез от тебя подальше, чтоб не наделал глупостей. Я сказал, что ты уехала, но он отказывается в это верить. Отобрал мобильный у страдальца, чтоб тебе не надоедал.

— Признательна. В командировку надолго?

— Завтра вернемся.

— Удачи.

— Сонька, — произнес он весело, — ты стала еще красивее.

— Ага. И, видимо, умнее.

— Это почему?

— Не спешу радоваться. Дохлому передай, я ему из Америки открытку пришлю, поздравительную.

Отбросив мобильный в сторону, я призадумалась. Арни, скорее всего, новостей не слышал, и уж точно со мной их не связал. Затяжное молчание объяснялось просто: младшего Купченко нет в городе, и телефон у него Герман отобрал. Вполне в его духе. Не теряет надежды пристроить братца с большой выгодой для себя.

Мобильный вновь зазвонил. На этот раз папа интересовался моими делами. Я ответила: у меня все прекрасно, и была достаточно убедительна, если папа ничего не заподозрил. Пока я с ним разговаривала, пришло смс. Открыв его, я с удивлением обнаружила: объявился Гора.

«Ты уехала?» — спрашивал он. Решив не тратить время на смс, я позвонила, не очень-то рассчитывая на удачу. Но Гора ответил.

— Привет.

— Привет, — сказала я. — Моей подруги поблизости нет?

— Нет. Она, это... отлучилась по делам. Ты когда домой собираешься?

— Сразу после того, как с вами встречусь. Мы ж хотели напиться.

— Ага, ты извини, что все так нескладно получилось... В общем, рви когти, и побыстрее. Рано утром поезд на Москву.

— Это хорошо, но мне туда не надо, — усмехнулась я.

— Зоська... короче, чем быстрее ты уедешь, тем будет лучше.

— Лучше кому? Боишься, что я в полицию побегу?

— Черт... все не так, как ты думаешь, — пробормотал он в большой досаде.

— А что я думаю? Вы отправили меня с баблом к Вите, чтоб он сейф открыл? Умники хреновы...

— Тебе Ирка сказала? — растерялся он.

— Сама догадалась.

— Правда? Ты из нас всегда была самой умной, — без намека на иронию заявил он. — Зоська, мы никого не убивали. Это все подстава. Уезжай, пожалуйста. Хоть за тебя бояться не надо будет...

— Вот что. Давай встретимся и все обсудим.

— Нет. Уезжай. Все очень хреново, понимаешь?

— Как я могу понять, если ты ничего не объясняешь?

— Я не могу больше говорить, — зашептал он и отключился, а я в досаде покачала головой.

Что он там говорил о подставе? Я оказалась права и мастерски задуманное ограбление закончилось убийством? А теперь Гора не знает, как из всего этого выпутаться. Он мне позвонил и, судя по голосу, в самом деле обо мне беспокоился. А вот подруга не очень. Может, Гору она успела кинуть, оттого он и обратился ко мне в глубоком отчаянье. Ладно, разберемся. Не похоже, что он далеко уехал. И если Ирка его кинула, он еще позвонит. Гора никогда толком не знал, что ему делать.

Утром я проснулась от настойчивого звонка в дверь. С трудом поднявшись и тряся головой, побрела открывать, уверенная, что это Стася. Больше вроде некому. Но на подступах к прихожей в мой еще спящий мозг вдруг закралась мысль: а если все же не Стася? И я, сменив траекторию, на цыпочках подошла к кухонному окну. Рядом с подъездом замер «Ленд Крузер», который ранее видеть уже доводилось. Черт, об этих типах я успела забыть, а зря. Звонок противно дребезжал, и я вернулась в прихожую, прикидывая, как разумнее поступить: открыть или затаиться? Здравый смысл подсказывал: надо как можно скорее сваливать из этого города. На прочие вопросы ответов не нашлось. Я гадала, что они будут делать, когда им надоест звонить, и тут услышала голос Стаси.

— Чего вы трезвоните? — ворчливо поинтересовалась она.

— Соседка ваша где? — задали ей встречный вопрос. Голос показался знакомым. Не иначе как сам Валера, начальник охраны покойного Кудрявцева. Неужто они уже машину Арни вычислили? Ох, как некстати...

— Так она еще вчера должна была уехать, — заявила Стася. — Со мной простилась ближе к обеду.

— Это точно? Она действительно уехала?

— Вечером ее дома не было, свет не горел. Сказала, в Петербург к отцу поедет. Повидаться. Поезд после обеда, а когда точно, не помню.

— Не сочтите за труд, если она вдруг появится...

Конец фразы я не услышала. Стася громко хлопнула дверью, после чего на площадке затопали — судя по всему, начали спускаться с лестницы. Но радоваться я не спешила, припала к двери, попутно пытаясь отдышаться. Тишина может быть обманчивой. Метнулась к окну, «Ленд Крузер» не мозолил глаза возле подъезда, но кто сказал, что плохие парни прибыли на одной машине?

Тут раздался стук в дверь, начальные такты полонеза Огиньского. Я бросилась открывать, Стася прошмыгнула в квартиру и заявила:

— Трое вошли и трое вышли. Но могли засаду оставить. Что за типы? На полицейских не похожи, уж очень рожи противные.

— Это начальник охраны покойного Вити.

— Ему-то какого лешего надо?

— Боюсь, они уже знают про машину Арни. Дохлый с братцем укатили в командировку. Но сегодня должны вернуться. Надо парня предупредить.

— Не надо, — разозлилась Стася.

— Надо. Что, если он не при делах, а эти ему ребра сломают?

— Эка беда, ребра... он мужчина, должен терпеть. У каждого свой крест, мы рожаем, а мужики...

— Помнится, вы всю жизнь прожили девственницей?

— Я? С чего ты взяла?

— Вы это клятвенно утверждали. Я точно помню.

— Наверное, соврала в воспитательных целях. Короче, Дохлый обойдется. А с тобой нужно что-то делать. Эти типы мне совсем не нравятся.

Я решила: для дискуссии время не самое подходящее, тем более что мне они тоже не нравились.

— Придется менять внешность.

— Побриться наголо и набить татуировку?

— Может, не стоит так радикально? — засомневалась я.

Тут выяснилось, что Стася пришла не с пустыми руками, а с планшетом.

— Этот Кудрявцев — мутный тип, — заявила она. — Проверь свой почтовый ящик, я тебе ссылки сбросила. Я так поняла, он был переговорщиком, хотя, может, это по-другому называется. В общем, он в большой дружбе с нашими чиновниками, получал землю под застройку. Само собой, не за красивые глаза, а за большие денежки.

— Это называется откат, — подсказала я.

— Точно. Надеюсь, твой отец ни в чем подобном не замешан.

— Отвлечемся от папы. Что дальше?

— Дальше он продавал ее втридорога тем, кто хотел на этой земле что-то строить. Полночи я читала комментарии в интернете, и если верить этим людям, то получить землю под строительство без протекции Кудрявцева было невозможно.

Заглянув в свою почту, я лишь головой покачала: Стася успела прошлой ночью куда больше, чем я.

— Восхищаюсь вашим трудолюбием.

Она рукой махнула:

— Все равно не сплю. Еще Казимирыч орал, злился, что гулять не пустила. Пришел, поел и опять шляться намылился. Должен он в семье побыть? Хоть немного?

— Вы же сами говорили: мужику нужна свобода.

— Зоська, — вздохнула она, — ну, проторчали мы всю ночь в интернете, узнали, что Кудрявцев — тот еще хмырь... И что? В любом деле нужен профессионал.

— Вы опять о своем пане?

— Конечно. Котелок у него варит... И за тебя спокойнее. Он не женат. Я узнавала. И девушки у него нет.

— Вы его в каком качестве сватаете?

— Я не сватаю. Если не женат, домой к жене и детям бежать не надо... Будешь под круглосуточным наблюдением.

— Только этого не хватало. Стася, кончаем диспут. Мне еще маскироваться надо.

— Это проще простого, — заверила старушка.

— Да ну?

— Все люди — жертвы привычки. Вот ты: привыкла одеваться элегантно. Мне твой стиль очень даже нравится. Когда я была моложе...

— Стася, — позвала я, выразительно взглянув на часы.

— Короче, нацепи другие тряпки, и никто тебя не узнает. Идем ко мне.

С некоторой опаской мы пересекли лестничную клетку и оказались в квартире соседки. Прошли в каморку рядом со спальней, она служила Стасе гардеробной. Кот увязался за нами, но не орал, по обыкновению, а с интересом наблюдал за нашими действиями. Пошарив на одной из полок, бабка сунула мне темно-коричневую юбку из плотной ткани.

— Если будет велика, булавкой подколем.

К юбке прилагалась трикотажная кофта коричневого цвета и блузка с рукавами фонариком.

— Когда-то модная вещь, — вздохнула Стася. Очень сомневаясь, что от этого будет толк, я облачилась в доисторическое барахло. На счастье, пахло оно не нафталином, как можно было бы предположить, а лавандой. Хвала аристократическим вкусам соседки. Критически взглянув на меня, Стася извлекла из очередной стопки тряпья платок и повязала его мне на голову концами назад, лоб закрыв до самых бровей. Но этого ей показалось мало, она сходила в спальню, а назад вернулась с очками. Прямоугольные стекла, оправа пластмассовая, темно-коричневого цвета. Жуть, одним словом. Водрузив их мне на нос, Стася сложила руки на груди и сказала:

— Мать родная не узнает. Что скажете, пан Юджин?

Котяра заорал дурным голосом и кинулся к двери, а я подошла к зеркалу и с минуту хлопала глазами в полном обалдении. Узнала бы меня мама или нет, но в ужас бы пришла безусловно. Придвинулась ближе, рассматривая свое отражение, и вздохнула с заметным облегчением: слава богу, красота моя не испарилась, просто спряталась.

— Ну, как? — спросила Стася.

— Офигеть.

— То-то. Повышенного внимания мужчин я тебе не гарантирую, но там, где надо, пройдешь незамеченной. Возьми мою ветровку... да, и сумку смени. Твоя уж точно не подходит. Засыпаться проще всего на мелочах.

— Стася, вы, случайно, в разведке не служили? — усмехнулась я.

— Двадцать один год под прикрытием, деточка. Шутка. А теперь скажи на милость, куда ты собралась?

— Попытаюсь встретиться с Горой. Он вчера звонил.

— Чтоб ему, — в досаде плюнула Стася.

— Утверждает, что к убийству не причастен.

— Еще бы.

— Я склонна ему верить. Судя по голосу, он жутко несчастен...

— Не удивлюсь, если бабки у него Чума увела, вот он и загрустил...

— Такое тоже возможно, — согласилась я. — Еще хотелось бы потолковать с кем-то, лично знавшим покойного. На примете домработница, о ней в статье упоминали. Хорошо бы еще поговорить с любопытной теткой из его офиса...

— Пустое это, Зоська, — вздохнула Стася.

— Боюсь, что вы правы. Но надо же с чего-то начинать.

— Я правильно поняла: ты не веришь, что твои бывшие дружки Кудрявцева шлепнули, и хочешь найти убийцу?

— Примерно так. Главное, чтобы меня не нашли и не отправили в места лишения свободы за соучастие.

— Типун тебе на язык. Из дома выбирайся через чердак. Мало ли что. И будь осторожней.

— Ага. Жаль, не спросила Дохлого, где он теперь живет... И визитку его выбросила...

— Все-таки хочешь его предупредить?

— Поговорить. Если он с ними заодно... я это обязательно узнаю.

— Пустишь в ход свои чары?

— Если понадобится.

Стася вздохнула.

— И адрес, и номер его мобильного у меня есть. Сейчас тебе «смс» скину.

— Вы не перестаете меня удивлять.

— Надо идти в ногу со временем.

— Я имею в виду обширность ваших сведений.

— Старалась не упускать из виду вашу компанию. Знала, что еще удивят.

Через двадцать минут я уже шла по проспекту в направлении улицы Растопчина. Там проживал бывший одноклассник. В «Одноклассниках» я его, кстати, и нашла, и даже успела поговорить по телефону.

Данила открыл мне дверь и уставился в недоумении.

— Это ты? — спросил настороженно.

— Это я. Не удивляйся. Несчастная любовь подкосила. Дурнею на глазах.

— Да ладно. Нормально выглядишь, просто одета как-то... несовременно. Ты ж всегда модницей была...

— Жизнь заставила пересмотреть свои взгляды. Дань, мне надо липовое журналистское удостоверение.

— Зачем? — растерялся он.

— Хочу задать людям вопросы, не вызывая удивления. Никто понятия не имеет, как выглядит это самое удостоверение и существует ли оно вообще... Но наличие бумажки всех успокаивает...

— Сляпаем. Тебе какое издание больше нравится?

— Что-нибудь отчаянно желтое. Найдется такое в родном городе?

— А то. Расскажешь, зачем тебе это? — спросил он, устраиваясь за компьютером.

— Как-нибудь непременно.

— Ну, Сонька, ты даешь. Свалилась как снег на голову, и вся такая таинственная...

Свеженькое удостоверение лежало в моей сумке, а я направлялась в офис Кудрявцева. Учитывая, что совсем недавно начальник его охраны проявлял большой интерес к моей особе, соваться туда было себе дороже. Да я и сомневалась, что мне позволили бы болтаться по кабинетам, задавая вопросы. Поэтому я заняла позицию на скамейке в сквере напротив и с праздным видом листала журнал, исподтишка оглядываясь.

Офис Кудрявцева выглядел довольно скромно. Трехэтажное здание, в одном крыле которого находился магазин строительных материалов, а в другом, собственно, фирма «Орион». Время близилось к обеду. Если в офисе есть столовка, сотрудники вряд ли покинут родные стены. Хотя сейчас в рядах разброд и шатания, ведь после гибели хозяина не ясно, что будет с фирмой.

Время от времени кто-то заходил в подъезд, кто-то выходил, но ни к кому из выходящих приставать с вопросами желания не возникло, пока в дверях не показалась девица лет двадцати пяти, в блузке, юбке в обтяжку и накинутой на плечи куртке. Она быстрым шагом пересекла дорогу и направилась к пирожковой с милейшим названием «Вкусняшка». Я тут же припустилась следом.

Пирожковая оказалась совсем маленькой. Стойка вдоль стен и прилавок. Двое мужчин пили кофе, стоя лицом к окну, девушка как раз разговаривала с продавцом, набирая пироги на весь отдел: три с картошкой, три с грибами... Я дождалась, когда она расплатится, и перехватила ее в дверях.

— Простите, вы в «Орионе» работаете? — заговорщицки спросила я. Девушка посмотрела с недоумением.

— Работаю. И что?

Я подхватила ее под руку, увлекла в ближайший угол и зашептала:

— У меня к вам несколько вопросов.

— Каких? — Теперь она выглядела слегка растерянной, впечатленная моим напором.

— Я представляю газету «Город». И за сведения готова заплатить. — Тут я продемонстрировала купюру.

— Вы про Кудрявцева, что ли? — озарило ее. — Я ничего не знаю...

— Вы получите деньги, просто ответив на вопросы.

Девушка нахмурилась:

— Прямо сейчас? А вдруг кто-то увидит? В общем, так. Дальше по улице кафе, жди там. Отпрошусь на полчасика и приду.

Я кивнула. Она вернулась в офис, а я пошла в кафе, гадая по дороге, явится девица или нет. Ждать пришлось минут двадцать. Я успела выпить кофе и съесть пирожное, и тут она появилась в зале.

— Деньги давай, — шепнула, устраиваясь напротив.

— Закажите что-нибудь, я заплачу, — предложила я, отдав ей деньги. — Если ваши ответы покажутся интересными, сумма удвоится.

— Ты в своей газете про меня напечатаешь, а мне потом...

— Я даже имени вашего не спрашиваю.

— Слушай, а ты правда журналистка? Выглядишь как-то чудно.

Я молча показала удостоверение. Девица потерла нос, вздохнула и, подозвав официантку, заказала кофе.

— Вот и отлично, — улыбнулась я. — Начнем с самого простого: что говорят в офисе по поводу убийства Кудрявцева?

— Разное болтают, — пожала плечами девушка. — Одни, что это ограбление... Деньги в доме держать опасно, даже в сейфе... Сейф, кстати, у него был о-го-го... так говорят. Он, когда дом строил, приказал его в стену вмонтировать, чтоб стянуть его было невозможно, и весит он чуть ли не тонну. Врут, наверное. Это ведь очень много? Кто-то знал, что у него в сейфе деньги, вот и...

— То есть в тот день предположительно в доме была крупная сумма денег?

— Крупная сумма там каждый день была, — перегибаясь ко мне, шепнула девушка. — А в этот раз... огромная. — Тут она вздохнула и добавила: — Нам с тобой такая и не снилась.

— А в связи с чем она там оказалась?

— Откуда мне знать? — обиделась девушка.

— Жаль. Такие сведения дорогого стоят. Еще версии есть?

— Сегодня в курилке Серега Бочаров трепался, что хозяина дружки кокнули.

— Дружки?

— Ну... у него ж все наше городское начальство в друзьях. Со всеми вась-вась. Когда пятнадцатилетие фирмы отмечали, кого только не было. Даже губернатор. И два хмыря из Москвы. И все с ним целовались, только что не взасос.

— За что же дружкам его убивать?

— Халява кончилась. Чего-то там в законодательстве поменяли, теперь землю под застройку просто так не отдадут. Соображаешь? А наш-то как раз этим и занимался. Это весь город знает. Те, кто строил, ему мзду платили, а он, само собой, с дружками делился. Но если верить Сереге, наш-то похитрее оказался. С бизнесменов бабло собрал, но оставил все себе, а дружкам-чиновникам — фигу, мол, если вы теперь ничего не можете, за что вам платить? А денег там было немерено.

— Это Серега сказал?

— Ну...

— А он кто?

— Вообще-то, менеджер в отделе реализаций, мы ж еще стройматериалами торгуем.

— Понятно, — пропела я, заподозрив, что деньги трачу впустую. Но решила зайти с другого бока.

— А что вы знаете о начальнике охраны вашей фирмы?

— О Валерии Павловиче? — нахмурилась девушка.

— Кажется, его фамилия Рогожин?

— Да... нормальный мужик... У нас его все уважают.

— А хозяина не уважали?

Девушка с недовольством принялась меня разглядывать

— У Кудрявцева характер был... — начала она после некоторой паузы, — пакостный. Уборщица полы моет, так он нарочно пройдет и ноги не вытрет. Понимаешь, о чем я? А еще злопамятный. Тот же Серега однажды не то вякнул и два года подряд отпуск только зимой. А не нравится, ищи работу в другом месте.

— Любовница у него была?

— После Ирки вроде нет.

— А Ирка — это...

— Ирина Викторовна Чумакова. Вот, скажу тебе, прости господи, окрутила хозяина на счет раз.

— Она окрутила или он сам к дамам не равнодушен?

— Этого я не знаю, но на работе он на девок не смотрел. У нас некоторые пытались, — зло фыркнула она, — есть такие, кому чужие бабки да чужие мужики покоя не дают. Но не слыхать, чтоб им повезло. А Чума хозяином вертела, как хотела, и даже дружками его. Умеет она мужикам мозги запудрить. Этого не отнимешь. Болтали, с Валерой у нее тоже что-то было. Может, врут, конечно. Но я сама их однажды видела, тут, неподалеку, в ресторане. Чешу с работы, а они как раз выходят. Под ручку.

— А Кудрявцев об этом не догадывался?

— Откуда ж мне знать? Наверное, нет, раз Валера так и работает... А вот Ирку он погнал.

— Уволил?

— Ну, официально она вроде сама уволилась, только кто в это поверит? Местечко-то тепленькое, вряд ли в городе их много. Плюс особое расположение хозяина. Нет, ясно, что между ними черная кошка пробежала, и он Чуме на дверь указал: прости, прощай и все такое. Но если Рогожина следом не отправил, получается, что не из-за него.

— Может, он бы и хотел его уволить, да не смог? И начальник охраны знает такие тайны, что лучше с ним не ссориться?

Девушка на минуту задумалась и кивнула:

— Валере он доверял. Они с ним всегда вместе, неразлейвода.

— То есть Валера не только на него работал, их можно было назвать друзьями?

— Не знаю. Валера всегда о нем уважительно говорил. Даже за глаза только по имени-отчеству называл. Слушай, ну кто может знать, что там у них было? Я-то точно не знаю. Сижу в своем кабинетике и начальство вижу раз в неделю. И остальные так же. Хотя, конечно, зря болтать не будут, — встрепенулась она, наверное, решив, что ее слова в этом случае вряд ли чего-то стоят.

— Валера женат? — спросила я.

— Вроде нет. Ничего про его жену я не слышала. Может, и живет с кем.

— А у Кудрявцева с женой какие были отношения?

— Ну, ты даешь. Я у них что, под дверью спальни до утра торчу?

— Но ведь что-то говорили?

— Говорили, — кивнула она. — Пока Чуму не уволили. Гадали, округтит она хозяина или нет. Многие перед ней подхалимничали, а начальница моя сказала: ничего Ирке не светит, Кудрявцев с женой ни за что не разведется.

— Это почему?

— Они двадцать лет вместе, а тут какая-то, прости господи, это она так сказала. Жена у него болеет, вот он и повелся на прелести Чумы. Мужики без секса не могут, а жене, видать, совсем не до этого. Она все по больницам и санаториям. Нормальный человек не станет разводиться в такой ситуации, да и... — Тут она вновь придвинулась ближе ко мне: — Если жена на ладан дышит, на фига разводиться, бизнес делить? Проще дождаться... А Чума ждать не хотела и лишилась всего.

— А что за болезнь у его жены?

— Вроде сердце.

— О законных детях Кудрявцева ничего не слышно. А о незаконных?

Девушка похлопала глазами:

— О таком даже в курилке не болтали.

— А почему у вас до сих пор курилка? Страна борется с никотиновой зависимостью.

— Так хозяин у нас дымил, как паровоз. Весь офис провонял. Слушай, мне на работу надо, — вздохнула девушка.

— Еще один вопрос. Кто теперь руководит фирмой?

— Пока Лузгин Евгений Петрович, а так — кто знает. Наверное, как жена Кудрявцева решит, она же наследница.

Я расплатилась с девушкой, и она с большим облегчением покинула кафе. А я задумалась. Если Гору обвели вокруг пальца и он действительно не убивал (а верить в его вину по-прежнему не хотелось), то целью могли быть не только сбережения, нажитые непосильным трудом и спрятанные в сейфе, а все наследство Кудрявцева. После его смерти оно отходит жене, но если жена больна, а недавний стресс самочувствие, безусловно, ухудшит, то наследницей она пробудет недолго. Детей у Кудрявцева нет, и кому в этом случае достанется все имущество? Интересный вопрос. Кто знает, как обстоят дела с фирмой, может, у нее уже есть хозяин?

Еще одна примечательная деталь: оказывается, Чума была в дружбе с Валерой. Потом деньги свистнула, и дружба кончилась? Ох-хо-хо... В этой истории все не так, как кажется. Гора болтается где-то здесь и, судя по всему, без Ирки. Так может, и суровые парни, разыскивающие ее, не более чем бутафория? Кудрявцев убит, Гора в дураках, а за всем этим стоят моя до-

рогая подружка и ее дорогой друг Валера? А ко мне
он сегодня зачем явился? Убедиться, что я покинула
город и на их планы никак не повлияю? Вот с этим
он не угадал.

Я расплатилась, вышла из кафе и принялась на-
званивать Егору. Его мобильный был отключен.
Я написала смс: «Надо поговорить. Есть сведения,
которые покажутся тебе интересными». Терпеливо
ждала полчаса, после чего стало ясно: он вряд ли ответит.

И я отправилась в пригород, где жил Кудрявцев,
отказавшись от такси в пользу рейсового автобуса,
сочтя это более безопасным. Остановка как раз напротив шлагбаума, закрывавшего проезд в поселок.
Вместе со мной вышли двое школьников и женщина
с ребенком лет четырех, то ли бабушка с внуком, то
ли няня. В десятке метров отсюда была развилка,
прямо — дорога в коллективные сады, направо —
в микрорайон Заречное.

Я немного прошла вперед, а потом свернула, с намерением кружным путем подобраться к дому Кудрявцева со стороны леса. Это заняло не больше де-
сяти минут. Оглядевшись и выждав время, я подошла
вплотную к туям, отмечавшим границу участка, чуть
раздвинула ветви. Дверь на веранду закрыта, на лужайке ни души. Жалюзи на окнах опущены. Вряд ли
в доме кто-то есть. Хозяйка наверняка предпочитает
жить в другом месте, по крайней мере в первые дни.

Прогулявшись вдоль соседних участков, я убедилась: жизнь и там не бурлила. У дома, что слева,
жалюзи тоже опущены. Отправляясь сюда, я надеялась встретить домработницу Кудрявцевой. Надежда
так себе. Скорее всего, тут свою роль сыграло отсутствие каких-либо идей как сдвинуть мое расследова-

ние с мертвой точки. Но совсем бесполезной поездка сюда все же не была.

Стало ясно, что проникнуть незамеченным в дом проще простого. Видеокамеры я еще в прошлый раз заметила на въезде в поселок, но со стороны леса не только видеокамер, даже забора не было, только плотные заросли туи, преодолеть которые совсем не трудно. Они защищали от любопытных взглядов, но совсем не от воров. Из публикаций в интернете я знала: дом Кудрявцев ставил на охрану, но на момент ограбления включена была только сигнальная кнопка, которой Витя не смог воспользоваться, находясь в спальне. Кудрявцев ждал Ирку и о своей безопасности не беспокоился. Что идет вразрез с рассказом девицы из офиса о разладе с отцами города и их желании от него избавиться. Кстати, почему избавиться? С покойника деньги точно не получишь. Тогда дело не в деньгах, а... например, в компромате, хранившемся в том самом сейфе. Компромат на чиновников, из-за которого они могли лишиться насиженных мест, а может, и похуже, учитывая недавнюю борьбу с коррупцией. Оттого Кудрявцев никого и не боялся, и деньги им не отдал, если все это не досужие сплетни, конечно. Знал, что предпринять какие-либо шаги против него попросту не рискнут. Но кто-то рискнул и сейф обчистил. И теперь бывшие друзья должны чувствовать себя неуютно, если убил Кудрявцева не их человек. У кого сейчас деньги, а главное, компромат? Очень легко стать объектом шантажа и самому уже платить денежки, а не обкладывать других поборами.

— Не спеши с выводами, — хмыкнула я, решив попридержать фантазию. — Все это лишь догадки...

Я не стала ждать автобус возле поселка, не желая привлекать внимание, и до ближайшей остановки шла пешком. Размышлениям это очень способствовало. Автобус подошел минут через пять, и вскоре я уже оказалась в центре города. В который раз набрала номер Горы: телефон по-прежнему выключен. Но пока, сидя на скамейке в парке, я прикидывала: отправиться к Дохлому или для начала пообедать, Гора позвонил сам.

— Зоська, это я, — забормотал в трубку. — У тебя все в порядке?

— Ты мое сообщение видел?

— Нет. Случилось что-нибудь?

— Давай встретимся прямо сейчас и все обсудим.

— Ты еще в городе? Черт... очень прошу, уезжай. Еще за тебя бояться...

— Не особо вы за меня переживали, когда предлагали приехать, — съязвила я.

— Ты права. И мне стыдно. Серьезно. Никто не думал, что все так получится.

— Мы сейчас о чем? — решила я уточнить.

— Ты ведь не думаешь, что это я его убил?

— Честно? Не думаю.

— Спасибо, — выдохнул он. — Все жутко по-глупому получилось.

— Ты был в доме в момент убийства?

— Наверное. Только ничего не видел. Я прятался в спальне, ждал, когда Витька сейф откроет. Он начал деньги из сумки выкладывать, а я его по башке ударил.

— Чем?

— Кастетом. Я и не думал убивать, просто хотел вырубить ненадолго. Он упал, тут и меня вырубили.

Веришь? А когда очнулся, рядом труп, сейф пустой, сумки нет. Не знаю, как выбрался из дома...

Я не сомневалась, что Гора говорит правду. Во-первых, врал он всегда очень неумело, во-вторых, случись это с кем-то другим, я бы подобному рассказу не поверила, а для Горы такое в самый раз.

— Ты был на машине?

— Конечно. В лесу ее прятал. До нее добрался, отогнал подальше и еще часа два лежал, башка просто раскалывалась.

— А Ирка где была?

— Там, где договаривались. Я кое-как смог доехать до города. Мы встретились, я ей все рассказал. Ирка чуть не спятила от страха. И денег нет, и мы засветились по полной.

— Где она сейчас?

— Не знаю. Чума сказала, валить надо.

— Так чего не свалил?

— Без денег?

— Только не говори, что ты их ищешь.

— Если убийцу не найдут, мне хана. Поняла?

— Возможно, Чума знает куда больше.

— Что? — растерялся Гора.

— Тебе известно, что она водила дружбу с Валерой, начальником охраны Кудрявцева?

— Ну... у нее от меня секретов нет.

— Поздравляю. Надеюсь, тебе она голову не морочит. Еще вопрос: Дохлый был в курсе ваших планов?

— Дохлый? При чем здесь он? Черт, — выругался Гора, и связь неожиданно прервалась.

Сколько я ни набирала номер, слышала одно и то же: «абонент в зоне недосягаемости». Матерясь в крайней досаде, я отправилась по адресу, где жил младший из братьев Купченко. Пора ему из командировки вернуться. Если не вернулся — подожду возле дома. Проще всего было бы ему позвонить и выяснить, вернулся или нет. Проще, если б не старший брат, который, по его собственному признанию, мобильный у Дохлого отобрал как раз для того, чтоб тот не досаждал мне звонками. Ни к чему старшему знать, что я в городе. Для начала следует поговорить с Дохлым. Если все трое безголовиков мне голову морочили, я это выясню. Понадобится — прибегну к запрещенным приемам. Но это при условии, что Герман не помешает. Авторитет старшего слишком велик, а Гера, само собой, не захочет, чтобы братец оказался замешанным в убийстве накануне своей женитьбы. Да и просто не захочет, и Арни под его давлением начнет все отрицать.

Дохлый уже несколько лет жил отдельно от матери. Сам квартиру купил или Герман помог, но в любом случае удивил, потому что выбрал жилье не в новостройке, что было бы логично, а предпочел квартиру в старинном особняке в тихом переулке, неподалеку от центра. Во двор вела арка, пристроенная сбоку. Дом был окружен низким заборчиком, в целом все выглядело солидно. В переулке всего-то семь домов, и только три жилых: дом, где жил Дохлый, новый коттедж напротив и двухэтажка рядом с ним. В остальных размещались офисы. Переулок узкий, движение одностороннее, тротуар тоже только с одной стороны.

Я вошла в арку и окинула взглядом двор. Машины Дохлого не было. Набрала на домофоне цифру пять и стала ждать. Ответа не последовало. Я еще раз оглядел двор, прикидывая, где укрыться. Возле детской площадки обнаружилась скамейка, скрытая кустами сирени. И внимания не привлеку, и дверь подъезда отсюда прекрасно видно. Настроившись на длительное ожидание, я позвонила папе, потом подругам, оставшимся в Петербурге, и Стасе. С ней разговор вышел самым продолжительным, ей надо было знать, где я, что делаю сейчас и что собираюсь делать в дальнейшем. В заключение она сообщила:

— Кот опять смылся. Через балкон.

— Может, его кастрировать? — предложила я.

— Поздно. К тому же такой красавец просто обязан оставить потомство. Кто, если не он?

За болтовней со Стасей я едва не проглядела парня, появившегося во дворе. Ожидала я Дохлого и, разумеется, на машине, и поначалу равнодушно мазнула взглядом по возникшему в арке молодому мужчине в темно-серой куртке. Капюшон толстовки, надетой под куртку, он нахлобучил на самый лоб, темные очки и бородка клинышком. Но что-то в фигуре и манере двигаться показалось знакомым. А когда он, подойдя к подъезду, огляделся настороженно и набрал номер на домофоне, сомнения меня оставили: это Гора. Внес кое-какие изменения в свой привычный облик. Но обвинять его в этом затруднительно, сама грешна.

Он постоял, слушая сигнал домофона, потянулся за мобильным, но внезапно передумал и убрал его в карман. Наверное, решил, что разговор по телефону с Дохлым ничего не даст. Гора прошелся по двору, поглядывая на часы, а я терялась в догадках, как поступить: появиться из-за кустов с радостным возгласом «А вот и я!» или посмотреть, что будет дальше. Второе, пожалуй, предпочтительнее. От разговора по душам он запросто может уклониться, а при удачном стечении обстоятельств я смогу узнать, где его искать при случае. И дорогую подругу тоже.

Минут десять Гора болтался во дворе, заставив меня понервничать: что, если он, как и я, решит дожидаться Дохлого с удобствами, то есть начнет претендовать на мою скамейку? Спрятаться на детской площадке негде, если только в домике. Но даже Гора обязан обратить внимание, что в нем кто-то есть. На счастье, терпение никогда не было сильной стороной моего друга, и через десять минут он решительно зашагал со двора.

Я отправилась за ним. В том, что он узнает меня, столкнувшись нос к носу, я не сомневалась (я-то его узнала!), но в толпе вряд ли обратит внимание. Однако никаких толп в переулке не наблюдалось. Гора шел по тротуару в одиночестве. Я решила рискнуть, но держась на расстоянии. Он ни разу не обернулся, и это было безусловным везением. Так я и шла за ним, сначала по переулку, потом по Ильинской в направлении проспекта. Здесь я слегка перевела дух: прохожих заметно прибавилось. Но и забеспокоилась. Как долго он собирается идти пешком? Вряд ли у него где-то здесь припаркована машина, чего б ему тогда передвигаться на своих двоих, но он ведь мог воспользоваться такси или общественным транспортом.

Двигался Гора быстро и темп только наращивал, я уже почти бежала. Мы вышли на проспект, и возникла опасность потерять его из виду. Пока я худо-бедно справлялась, но, если он решит остановить машину, я ведь не могу по его примеру замереть на краешке тротуара, размахивая рукой. Или могу? Покажется ему это подозрительным, или он попросту не обратит внимания на какую-то девицу? В общем, переживаний хватало.

Теперь Гора направлялся к небольшому скверу, а миновав его, вышел к Вознесенской церкви и вдоль ее ограды начал спуск в овраг по едва заметной тропинке. Я обошла церковь с другой стороны и теперь наблюдала, как он подходит к низенькому домишке из беленого кирпича. Я бы решила, что это какая-то церковная постройка, хотя и стоит чуть в стороне.

Гора открыл дверь своим ключом и скрылся за дверью, а я принялась осторожно спускаться по тропе. До ближайших домов метров двести; если Егор сейчас смотрит в окно, обязан задаться вопросом: что здесь надо какой-то девице. Это при условии, что меня не узнает. Но в данный момент подобная перспектива не пугала. Скорее всего, именно здесь он и прячется. Возможно, Ирка тоже тут.

Стараясь ступать не слышно, я подошла к дому. Из окна торчала самодельная антенна, форточка была открыта, в доме работал телевизор. Как раз шла новостная программа. Я осторожно заглянула в окно. Гора сидел на обшарпанном диване с банкой пива в руках. Кроме дивана, старенького телевизора на тумбочке и табурета, мебели в комнате не было. В углу свалены листы картона и малярные кисти. Гора допил пиво и швырнул пустую банку в угол, лег и закинул руки за голову. Лицо его было хмурым и сосредоточенным. Похоже, он здесь один.

На всякий случай я обошла дом, осторожно заглядывая в окна. Еще три комнаты были пусты, если не считать всякого хлама в виде того же картона. Судя по всему, это мастерская, и Гора использовал ее в качестве убежища. Никакого намека на присутствие Ирки. Значит, они разделились. Присев на корточки, я привалилась к стене и попыталась решить, что делать дальше. Первый вариант: обнаружить свое присутствие, например, постучав в окно, и попытаться поговорить с Горой. Хорошо его зная, могу с большой долей вероятности предположить: к своему предыдущему рассказу он вряд ли что добавит. Наверное, будет лучше, если он пока будет не в курсе, что я его выследила. По крайней мере, мне известно, где его найти, и очень может быть, Ирка сюда в конце концов явится. А вот то, что Гора после разговора со мной кинулся к Арни, наводит на размышления. Либо Арни с самого начала был в деле и Гора спешил его предупредить о моем интересе, либо в чем-то заподозрил. В чем? Об этом лучше спросить самого Гору. Но если Арни в деле и Гора после моего визита успеет с ним связаться... в общем, в своем расследовании я не продвинусь.

Удалившись от мастерской на значительное расстояние, я набрала номер Арни. Его мобильный отключен. Возможно, по этой причине Гора и отправился к нему. Я топталась на месте, не в силах на что-то решиться. Впору монетку подбрасывать. За то время, что я трачу впустую, Дохлый мог уже вернуться домой. В общем, чертыхнувшись, я начала подъем к церкви, потом подумала: грешно ругаться в таком месте — и торопливо перекрестилась.

Все еще сомневаясь, правильно ли поступаю, я вышла на проспект, остановила такси и назвала адрес Дохлого. Через десять минут мы уже сворачивали в переулок, таксист начал притормаживать, а я сквозь проем арки увидела во дворе «Мерседес» Арни, вздохнула с облегчением и тут обратила внимание еще на одну машину. Она стояла между двумя зданиями на противоположной стороне. Джип темно-синего цвета с тонированными стеклами, которые не позволяли видеть, есть кто-то в машине или нет, но сердце вдруг сжалось в дурном предчувствии, а еще возникло ощущение, что из машины за нами наблюдают.

— Поезжайте дальше, — попросила я.

— Так вот же дом, — удивился водитель.

— Я передумала.

Вскоре я попросила водителя остановиться возле салона красоты. На всякий случай зашла в салон и записалась на маникюр, а когда вновь оказалась на улице, такси уже исчезло за поворотом. Отсюда ни дом, где жил Дохлый, ни даже подозрительную машину не увидишь.

Свернув на соседнюю улицу и сделав изрядный крюк, я попыталась проникнуть во двор дома Арни с другой стороны. Это оказалось невозможно: соседний двор отделен от него забором. Перелезть через него я бы, наверное, смогла, но привлекать к себе внимание не хотела. Дома в переулке стояли вплотную друг к другу, укрыться можно было лишь в подворотне напротив. Я сделала еще один круг и оказалась там. Подозрительная машина стояла на том же месте. Позвонила Арни, его мобильный по-прежнему отключен. Требовалось срочно решить, что делать: попытать счастья, отправившись во двор, и набрать номер его квартиры на домофоне? Если машина стоит возле дома, маловероятно, что Дохлый отсутствует. Здравый смысл именно это и рекомендовал сделать. Но интуиция была против. Очень мне не нравился джип в переулке, хотя причину подобной неприязни я объяснить затруднялась. Никогда раньше я его не видела, да и нет ничего особенного в том, что чья-то машина стоит неподалеку. Но то, как она стоит, настор[аж]ивало: водитель не поленился развернуться, чтобы дом Арни, а также подступы к нему с обеих сторон были как на ладони. По-другому попасть во двор невозможно, о чем хозяину джипа наверняка известно. Может, у меня уже глюки, нечто вроде шпиономании? Но куда мог отправиться хозяин джипа? В один из офисов? Тогда машину логично поставить на парковку возле них. Кстати, обе парковки совершенно свободны. А он выбрал место в стороне, между зданиями, с тем расчетом, чтобы не бросаться в глаза. Ну и кто это может быть? Логично предположить: люди Валеры. Черт, а если сейчас они у Арни? Допрашивают с пристрастием?

В этот момент окно джипа приоткрылось, и я на мгновение увидела лицо мужчины. Он выбросил пакет из-под чипсов и тут же закрыл окно. Не похоже, что мы встречались. Конечно, видела я его мельком, в памяти остались светлые волосы и довольно длинный нос. Парень сидел на месте пассажира. Скорее всего, с самым скверным сценарием я поспешила. Если бы злодеи отправились к Арни, оставили бы одного водителя. Значит, в их задачу входит наблюдение. И кого они ждут? Ответ на этот вопрос напрашивался сам собой и совсем мне не нравился. Возникло искушение немедленно сбежать, и не только отсюда, но и из города. Но совесть некстати принялась зудеть: надо предупредить Дохлого.

Я потянулась за мобильным и вновь начала чертыхаться: этот олух телефон упорно не берет. Может, Герман так его и не вернул, лишив возможности мне позвонить? А если позвонить Герману? Рассказать все как есть, пусть он с этими типами сам разбирается? Тут я занялась самокопанием. Может, желание все свалить на Германа объясняется чересчур просто: у меня появится повод его увидеть? Не только увидеть, а, скорее всего, вместе попытаться выяснить, что происходит. Кстати, неплохая идея. Стася настоятельно рекомендовала обзавестись надежным мужским плечом. Стася Германа терпеть не может, да и я его плечо надежным считать никак не могу. Как бы в дураках не оказаться с таким-то помощником.

Размышления пришлось прервать, потому что к дому подъехал «Лексус» перламутро-розового цвета. Только я задалась вопросом, кому пришло в голову выбрать такое чудо, как из машины показалась девушка-блондинка. Одного взгляда не нее было достаточно, чтобы узнать невесту Дохлого. Наташа, кажется. Сунув сумочку под мышку, она на негнущихся ногах направилась во двор. Свободному передвижению мешали высоченные каблуки вкупе с высоченной платформой, рост она себе увеличила сантиметров на пятнадцать, но привлекательности ей это не прибавило, ее облик упорно ассоциировался с цаплей.

Из поля зрения она скрылась довольно быстро, и в тот же момент стало ясно, что, занятая созерцанием чужих прелестей, я едва не проглядела главное: носатый блондин успел покинуть джип и теперь входил в арку. Во дворе он пробыл пару минут и вернулся в машину. Кроме него в джипе точно был водитель, которого я заметила, когда блондин открыл дверь. И что все это значит? Они решили убедиться, что девушка направляется к Арни? Или не успели ее разглядеть и бросились с проверкой? Неужто они в самом деле меня ждут? Может, у меня приступ самомнения? Это было бы куда лучше, чем вырисовывающаяся действительность.

Вновь захотелось бежать отсюда со всех ног, но я продолжала обретаться в подворотне, очень надеясь, что не привлекаю внимания. Только я об этом подумала, как раздались шаги, со мной поравнялась женщина с хозяйственной сумкой в руках и, пока я по-дурацки улыбалась, прошла мимо, окинув меня недовольным взглядом. Уже вечер, люди возвращаются домой. Мне придется сменить свой пост, вот только в ум не шло, куда бы я могла перебраться, учитывая, что это единственное удобное укрытие.

Я привалилась к стене, чувствуя некоторую усталость. Караулить в подворотне не самое легкое занятие. Пока я себе сочувствовала и пыталась принять наиболее удобную позу, вновь появилась Наталья. Выглядела она, скажем прямо, скверно. Лицо покраснело, то ли от гнева, то ли от обиды, она почти бежала, что на высоченных каблуках делать непросто. Оттого девушка то и дело спотыкалась. В одной руке она держала сумку, другой прикрывала рот, точно сдерживая крик. Плакать ей точно пришлось, даже со своего места я видела размазанную тушь. Она села в машину, вцепилась в руль, уронив голову на свои руки, и некоторое время сидела так. Потом, понемногу успокоившись, завела «Лексус», неловко развернулась и поехала в сторону проспекта, наплевав на одностороннее движение. Джип продолжал стоять на месте, укрепив меня в догадках: если мужчин в джипе кто-то интересовал, то отнюдь не Наталья.

Само собой, я тут же принялась звонить Арни, но звонки он упорно игнорировал. Зачем, спрашивается, нужны блага цивилизации, если ими не пользуются? Может, стоит рискнуть и отправиться к Дохлому? Вряд ли меня узнают. А если все-таки я и есть их цель и они окажутся на редкость глазастыми?

Вскоре к усталости добавилась еще одна беда: захотелось в туалет. На соседней улице я видела кафе. Отлучусь ненадолго, надеюсь, ничего за это время не произойдет. Судя по тому, как выглядела Наталья, разговор с Дохлым вышел неприятным. Поссорились молодые. Арни заартачился и решил с женитьбой не торопиться? Это вряд ли понравится его брату, хотя он и говорил что-то на тему брака по любви. Надо полагать, это была минута слабости. Или вовсе мне голову морочил. Дохлый мог отключить мобильный как раз для того, чтоб его звонками не допекали. Невеста решила его навестить, и вот итог. Теперь, если я все правильно понимаю, должен появиться Герман, при условии, конечно, что невеста пожаловалась на братца. Хотя я бы жаловаться не стала. Но я бы и замуж за Дохлого не пошла.

Переминаясь с ноги на ногу, я прикидывала: сейчас в кафе отправиться или еще подождать? Мое терпение было вознаграждено, и получаса не прошло с отъезда Натальи, как в переулке показалась машина Германа. Он бросил ее там, где недавно стояло авто блондинки, и направился во двор. По тому, как он шел, как держал голову, точно собирался проломить ею стену, становилось ясно: бывший возлюбленный в сильном гневе. Но интересовал меня не столько Герман, сколько возможная реакция на его появление типов в джипе.

Однако никакой реакции не последовало: никто во двор не бежал, из машины не показался и даже окно не приоткрыл. У брата Герман пробыл примерно час. За это время я раз пять собиралась нестись в кафе, каждый раз шепча себе под нос: «Еще немножко». Всем известно, самое интересное обычно начинается, когда ты отсутствуешь. Геру я увидела, уже твердо решив покинуть подворотню. Он был один, шел не спеша. Не похоже, что жизнью не доволен, физиономия, скорее, умиротворенная. Сел в машину и поехал дальше по переулку. Я перевела взгляд на джип, никакого движения. Не знай я, что в машине по меньшей мере двое, решила бы, будто она пуста.

Между тем начало темнеть. В подворотне появилась все та же женщина, на сей раз с собакой, визгливым пекинесом. Я поняла: надо срочно убираться, не дожидаясь вопросов. Тетка из тех, кто запросто позвонит в полицию.

Я быстрым шагом покинула подворотню и повернула направо. До кафе куда ближе, сверни я в противоположную сторону, но тогда пришлось бы идти мимо джипа, который мне так не нравился. Времени я потратила больше, чем планировала, а войдя в кафе, обнаружила за стойкой тетку такого свирепого вида, что стало ясно: если я просто воспользуюсь туалетом, мало мне не покажется.

Подойдя к стойке, я заказала кофе, дабы успокоить дракона в женском обличье, и, вернувшись из дамской комнаты, устроилась за столом. Посетителей было немного, в основном молодежь, почти все ограничились кофе, и это настроения барменше не прибавляло. А я вдруг почувствовала сильный голод, что, впрочем, не удивило. «Если типы ждут меня, спешить точно некуда», — малодушно рассудила я и попросила меню.

Пока мне готовили лапшу с тайским соусом, я позвонила Стасе. Она сообщила, что враги под дверью не шныряют и вообще все тихо. Поинтересовалась, где меня носит, но удовлетворять ее любопытство я поостереглась, пообещав все рассказать, когда вернусь.

Наконец принесли лапшу. Вопреки ожиданиям, еда оказалась вкусной, и я слегка расслабилась. Идти никуда не хотелось, уставшие ноги требовали отдыха. Я едва не задремала, убаюканная теплом, негромкой музыкой и чужими разговорами. Потянуло домой, выпить чаю со Стасей и завалиться спать. У меня отпуск, а в отпуске положено отдыхать, а не торчать в подворотнях.

Но душевная слабость длилась недолго, я расплатилась, вздохнула и отправилась к дому Арни, пару раз успев позвонить ему без всякой надежды на ответ. Так и вышло, его мобильный по-прежнему отключен. Нет, это даже странно.

Еще одна странность, а скорее неожиданность, обнаружилась возле дома Дохлого. Пока я обедала в кафе и болталась по улицам, джип исчез, вызвав досаду и раздражение, хотя совершенно не ясно, что бы я стала делать, если бы и присутствовала при его отбытии. Бросилась такси ловить? Кстати, неплохая идея, был бы шанс узнать, кто эти типы, проводив их до места, а теперь я даже не уверена, что их интересовал Дохлый. Носатый бросился за Натальей... Он мог ее с кем-то спутать. Вдруг ревнивый муж нанял сыщиков и ко мне все это не имеет никакого отношения?

Теперь прятаться в подворотне было глупо, и я направилась во двор, с намерением звонить в домофон до тех пор, пока Дохлый не откроет. Иначе выходит, я зря столько времени на него потратила. В переулке зажглись фонари, отбрасывая на асфальт словно нарезанные полосами тени, а вот во дворе было темно, только одно окно, выходящее сюда, светилось — то, что прямо над дверью подъезда. Ничего необычного в этом не было, но я сразу почувствовала себя неуютно. Машина Арни стояла на том же месте, хотя в темноте ее не особо разглядишь. Однако тот факт, что он, скорее всего, дома, придал мне уверенности. Я подошла и набрала номер квартиры на домофоне. Сигнал повторялся снова и снова, а я вдруг затылком почувствовала чей-то взгляд, по спине мурашки побежали, я замерла, толком не зная, стоит повернуться или нет? Так бывает, когда ожидаешь увидеть нечто страшное. Глупые детские страхи, но в тот момент они таковыми не казались. Сигнал домофона стих, а я, прислушавшись, различила осторожные шаги. Набрала в грудь воздуха и резко повернулась. Свет из окна над моей головой освещал небольшой пятачок земли возле подъезда, теперь двор казался еще темнее.

Я отступила на шаг, почти прижавшись спиной к двери. О безотчетном ужасе я слышала, теперь пришлось узнать, что это такое, и в восторг я, понятное дело, не пришла. Никакого движения, никаких звуков в тишине, вдруг ставшей пронзительной.

Надо сказать, со страхом я справилась довольно быстро. Глубоко вздохнула и осторожно, на цыпочках, направилась в переулок. Достигла угла здания, выглянула. И вовремя. В арке на мгновение возник силуэт мужчины, а я с облегчением вздохнула: никакой мистики. И ускорила шаг, уже не прячась.

Миновала арку и с удивлением огляделась: переулок был пуст, так что неизвестно, куда этот тип делся. Если он не испарился в воздухе, против чего бунтовал мой здравый смысл, значит, скорее всего, укрылся в моей подворотне. Перебежав дорогу, я с некоторой опаской в нее заглянула. Вроде никого. Торопливо вошла во двор и увидела тетку с пекинесом, точнее, стояла она в компании женщины лет шестидесяти, а пекинес нарезал круги по соседству. Обе тут же на меня уставились, а я спросила задушевно:

— Вы мужчину не видели?

— Туда пошел, — кивнула женщина в глубь двора.

Я прибавила шагу, успев услышать, как она сказала, понижая голос:

— Странная девица... в нашей подворотне болталась.

— Небось за женихом следит, — хохотнула вторая женщина, а я, преодолев еще с десяток метров, вышла на соседнюю улицу.

Прохожих здесь было достаточно, но ни один не напоминал типа, увиденного в арке. Постояв немного в раздумье, я хотела было вернуться и выполнить недавнее обещание: достать Арни любым способом, но вдруг поняла, что никакие силы небесные не заставят меня войти в его двор. Хватит с меня приключений на сегодня.

Прикинув, в какой стороне ближайшая троллейбусная остановка, я бодро зашагала по улице, то и дело набирая номер Дохлого. Может, он успел его сменить? Надеюсь, в конце концов он обратит внимание на мои звонки и позвонит сам.

Сворачивая в родной двор, я увидела «Гелендваген», который не спеша меня обогнал. Должно быть, события дня так на меня повлияли, что все вдруг стало казаться подозрительным. Я притормозила, а потом и вовсе спряталась за ближайшими деревьями, продолжая наблюдать за джипом. Водитель развернулся и занял место на парковке, заблокировав сразу три машины. Есть такие нахалы. Этот особо не приглянулся тем, что встал прямо напротив моего подъезда. Фары потухли, двигатель не работал, но покидать машину никто не спешил. Устроили засаду возле дома

Дохлого, а теперь на всякий случай отправили кого-то сюда? И что делать мне? Воспользоваться чердаком, свет в квартире не включать, а еще лучше — заночевать у Стаси.

Я направилась к выходу со двора, намереваясь выполнить свой план, и нос к носу столкнулась с подвыпившей компанией. Трое мужиков искали приключения, и им было невдомек, что я-то как раз старательно их избегаю. В общем, на сегодняшний вечер у каждого из нас были свои планы.

— Красотуля, ты куда торопишься? — заголосил один из них и радостно заржал, пытаясь меня обнять.

— Вова, у нее зрение плохое, не видит своего счастья, — заголосил другой. Тут и третий подал голос:

— Не, она обалдела от счастья. Слышь, как тебя там...

Никогда раньше мужики так со мной не разговаривали, я собралась ответить в том смысле, что мечты редко претворяются в жизнь, а особенно такие дурацкие, как у них, но вспомнила, как выгляжу, и чужое нахальство стало понятно. Обычно подобные типы от меня держались на расстоянии, справедливо полагая: ничего им не светит. И нате вам... Да еще в такой неподходящий момент.

— Руки убери, — зашипела я, но только их раззадорила.

— Что ты девушку смущаешь? — начал кривляться первый. Второй тут же поддакнул:

— Она скромница. Ты, случайно, не монахиня?

— Я, случайно, из общества по защите прав животных. И чтобы завтра мне не пришлось вас защищать, давайте вы сейчас пойдете себе с миром.

— Вова, я не понял, она нам хамит? — удивился один. А второй добавил:

— Ты, дрянь, знаешь, с кем говоришь?

Положение мое было крайне затруднительным. Я запросто могла дать деру и скрыться раньше, чем они очухаются. Сомнительно, чтобы в таком состоянии они хорошо бегали. Беда в том, что уносить ноги я могла лишь в одном направлении. Путь вперед был заказан (сквозь этих придурков не прорвешься), а во дворе поджидал «Гелендваген», водителю которого совсем не хотелось попадаться на глаза. Положим, в темноте он меня не узнает, но вдруг все-таки захочет проверить, что за девица вошла в подъезд?

Между тем мужики окружили меня плотным кольцом, и я испугалась: свой шанс сбежать без потерь я упустила. Мы вяло переругивались, на мое счастье, троица сама толком не зала, чего хочет. Убраться восвояси не позволяла гордость, прочее виделось им так же смутно, как и мне. «Надо решаться», — подумала я, сообразив: все неминуемо скатывается к мордобою. И тут из темноты возник мой спаситель, его миссию я просканировала сразу, по металлу в голосе, когда он произнес:

— От девушки отошли и, по возможности, быстро исчезли.

Я взглянула на него в немой благодарности, доходившего сюда света фонаря было достаточно, чтобы разглядеть мужчину, глаза у меня чуть выкатились от изумления, а сердце сладко защемило. Он казался воплощением женских грез о благородном и сильном. Плечо его, безусловно, было крепким, а спрятаться за спиной могли не одна, а даже две девицы моей комплекции. О таком натурщике тосковали все художники: и рост, и стать, и лицо, ваяя которое природа или Господь, уж кому как нравится, намеревались показать, каких вершин можно достичь при известном старании. Короче, он был просто неприлично красив и решил спасти меня от хулиганов. Такое, как известно, бывает лишь в женских романах и третьесортных фильмах, когда никто не заморачивается придумать что-нибудь более оригинальное. Оттого подобное счастье напрягло и даже насторожило. Еще вопрос, от кого следует бежать.

Пока я над этим размышляла, трое типов всецело переключились на моего защитника, наперебой выясняя: кто он, знает ли он, во что превратится через минуту и куда ему следует идти. Он ответил на вопросы весьма своеобразно: кулаком в ухо ближайшего к нему парня. Тот слабо охнул и свалился без чувств, прямо под ноги онемевшим товарищам. Видимо, идея, что их будут бить, до той минуты в голове не укладывалась и вызвала скорбное удивление.

— Зараза, — прорычал один из двоих оставшихся на ногах и тут же оказался рядом с товарищем. Третий заверещал:

— Ты чо творишь? — и предусмотрительно отпрыгнул в сторону.

— Бегом, — скомандовал мой защитник. И парень резво потрусил со двора, время от времени оборачиваясь и потрясая кулаком.

— Спасибо, — раздвинув рот до ушей, сказала я и бочком начала его обходить, надеясь смыться, но он был бдителен, шагнул в сторону, препятствуя свободному передвижению, и сказал сурово:

— Приличной девушке ни к чему вступать в перепалку с пьяным сбродом.

— Это диагноз? — поинтересовалась я.

— Надеюсь, что нет.

— Правильно, надейтесь. Еще раз спасибо и всего вам доброго...

Я вновь попыталась улизнуть со двора, а он сказал:

— Недостаточно приключений на один вечер? Шла бы ты домой... — И кивнул в сторону моего подъезда. Это мне особенно не понравилось.

— «Гелендваген» не ваш, случайно? — уточнила я.

— Нравится? — спросил он.

— Не очень. Чересчур брутально. Но вам подходит.

— Иди домой, — задушевно предложил он.

— А чего это вы мне тыкаете? — удивилась я.

— Обращение на «вы» всегда несет определенный подтекст, намекая на возраст женщины.

— Это кто сказал, Энгельс?

— Почему Энгельс? — удивился красавец-заступник.

— Сама не знаю. Кстати, мой возраст еще лет десять как минимум реагировать на подтексты и не подумает, так что смело можете говорить мне «вы».

— Не занудствуй, — он зевнул, разбивая вдрызг образ прекрасного принца и на глазах становясь наглым придурком. — Пошли. — И, легко подхватив меня за локоть, повлек к подъезду.

Пока мы вели светскую беседу, мужики поднялись с колен и, трогательно поддерживая друг друга, заковыляли вслед за товарищем. А я пожалела, что не могу к ним присоединиться.

— Ты кто такой? — спросила я, открывая дверь подъезда и не ожидая от жизни ничего хорошего. А ведь как все славно начиналось! Правду говорят, в реальной жизни все не так, как в романах.

Он вошел в подъезд. А я предложила:

— Может, здесь простимся?

— Мы еще даже не знакомились, — проворчал он, снял с меня очки и усмехнулся. — Ты и впрямь красотка. Не соврала бабка.

Вот тут до меня наконец-то дошло, кто передо мной, и я весело хихикнула:

— Ясновельможный пан Левандовский, кажется.

— Кажется, — фыркнул он.

— Стася говорила, ты чудовищно прекрасен. Как может быть прекрасен только поляк. Откуда тебя принесло, настоящий шляхтич?

— Само собой, из Польши, если верить Стасе. Должно быть, кто-то из предков приблудился.

— Я не рассчитывала на экскурс в историю, сиюминутное меня куда больше занимает.

Мы успели подняться на лестничную клетку, где была моя квартира, и я задумалась, куда его вести: к себе или к соседке?

— Я не мог отказать старушке-соотечественнице, а она настойчиво просила помочь красавице в беде. Ты ключ потеряла?

Вздохнув, я открыла дверь, предупредив:

— Свет можно включать только в прихожей. Кстати, проходить тебе не обязательно. Будем считать: миссию ты выполнил. И можешь отправляться восвояси.

— С удовольствием. На самом деле бабка сильно преувеличивала твои достоинства.

— А как же комплимент? — напомнила я.

— Чего ты хочешь от поляка? Мы до сих пор при встрече женщинам руки целуем. И это несмотря на успешное вхождение в Евросоюз.

— То есть я не красотка?

— Скажем, не в моем вкусе.

— Ну и нахал ты, ясновельможный, — фыркнула я. — Между прочим, я просто не в форме. Тебе бы не устоять... — с легким подхалимством в голосе ответила я, вновь раздвинув рот до ушей.

— Перед улыбкой? — кивнул он. — Я и не устоял.

Мы все еще топтались в прихожей, и я очень сомневалась, что его стоило впускать в квартиру. Теперь я смогла его как следует разглядеть и пришла к выводу: записать его в романтические герои я поспешила. И дело даже не в том, что уж очень скор на расправу. Физиономия подкачала. То есть все его достоинства при нем и остались: блондин, глаза, скорее, зеленые, но в зависимости от освещения приобретали голубоватый оттенок, правильные черты лица, красивая линия губ, улыбка голливудской звезды и, как завершающий аккорд, едва заметная ямочка на мужественном подбородке. В общем, все хорошо, но одна деталь настораживала: та самая распрекрасная улыбка на фоне абсолютно холодных глаз. А глаза у нас что? Правильно, зеркало души. Наверное, Энгельс сказал. В общем, я не спешила считать Левандовского подарком судьбы.

— Если ты здесь собираешься исповедоваться, то неси стул. Я вправе рассчитывать хотя бы на минимальные удобства, — проворчал он.

— А исповедоваться зачем? Я планирую жить долго, так к чему торопиться?

— Замени слово «исповедь» на «подробный рассказ», если тебе так больше нравится. И помни: от врачей и адвокатов секретов быть не должно — себе дороже.

— Нет у меня никаких секретов. Давай я тебя поцелую в награду за спасение, и ты пойдешь спасать еще кого-нибудь.

— А давай, — кивнул он. — Можешь даже не целовать. Сомневаюсь, что ты это умеешь.

— Да что ж за день такой... — буркнула я. — Чего хорошего нашла в тебе Стася? Если все настоящие поляки такие, пусть сидят у себя в Польше.

Стася, легка на помине, забарабанила в дверь и трагически зашептала:

— Зоська, это я.

Оттеснив Левандовского в сторону, я открыла дверь, моя старушенция вошла, увидела шляхтича и запела дурным голосом:

— Пан Левандовский, какое счастье, что вы здесь.

Этот гад тут же расплылся в улыбке, приложился к ее ручке, щелкнув каблуками. То ли долго тренировался, то ли впрямь за плечами двадцать поколений аристократов. Сморщенное личико Стаси украсил румянец.

— Вам надо жениться, — заявила она. — И завести детей. Хорошие гены — редкость. И, разумеется, спутницу жизни выбрать из наших, не то породу загубишь. — Тут она выразительно взглянула на меня: — Как вам Зоська?

— Я точно породу испорчу, — хмыкнула я, разбив ее надежду вдребезги, — потому что не из ваших, Станислава-Августа. Да и он никакой не поляк.

— Не слушайте ее, — отмахнулась Стася. — Она и так рассудком слаба, а тут еще стресс от знакомства. Идемте ко мне, у меня шарлотка, и свет жечь можно.

Она гордо выплыла из моей квартиры, Левандовский последовал за ней, весело мне подмигнув, а я поплелась следом, в основном потому, что очень хотелось знать: с чего это Стася записала меня в идиотки? Левандовский остался в гостиной, а я пошла с хозяйкой в кухню и спросила:

— По-вашему, я дура?

— А то нет? — удивилась она. — От такого мужика отказываться. Я вот ухажерами доразбрасывалась, и что? Отписала свою квартиру неблагодарной девчонке, а могла бы внукам. Иди, развлекай гостя, я здесь сама управлюсь.

Гость сидел за столом и развлекался со своим смартфоном, поднял на меня взгляд и сладенько так улыбнулся.

— У вас своеобразный стиль, дорогая. Немного архаично, но, безусловно, оригинально.

Ветровку он снял, на нем были джинсы и водолазка. Понятно, что носил он ее с умыслом, демонстрировал свои достоинства. К моему глубочайшему сожалению, они у него были.

— Это не стиль, — буркнула я. — А маскировка. Вообще-то я девушка красивая, а ты безглазый. Или педик. Сейчас таких пруд пруди.

— За педика отдельное спасибо. Похоже, зря я тебя спас.

Тут возникла Стася, толкая перед собой сервировочный столик, и мы дружно заулыбались.

— Вы успели познакомиться? — спросила она. — Марк Владиславович, думаю, можно просто Марк. — Тот кивнул, соглашаясь. — А это Зосенька...

— Софья, — поправила я. — Стася выдумала мне польские корни...

— Ничего я не выдумала, — отрезала она и стала разливать чай. — Спасибо, что откликнулись на мою просьбу. Зоська, пся крев, начинай рассказывать.

— Не буду, — отмахнулась я под ее свирепым взглядом. — Вы уверены, что он адвокат?

— Разумеется, дурища.

— А вот я сомневаюсь. Ваш шляхтич кулаками машет, точно портовый грузчик.

— Мужчина должен уметь постоять за себя. А где он кулаками махал?

— После разговора с вами я решил встретиться с прекрасной Зоськой уже сегодня. Намеревался позвонить вам из машины, но тут она появилась. Вы, кстати, дали весьма подробное ее описание. Особенности характера привели к тому, что невинное дитя, как вы ее охарактеризовали, умудрилась рассориться с какой-то пьянью. Вот так, дорогая, невинности зачастую и лишаются, — нравоучительно обратился он ко мне.

— Я ничего не поняла, — заволновалась Стася.

— Неудивительно, — подхватила я. — Я тоже. На самом деле этот тип торчал во дворе, прячась в своем «Гелендвагене». Я его заметила и решила смыться, но нарвалась на пьяных парней, которые вели себя вполне сносно. Но тут налетел ваш любимец и принялся махать кулаками. Потому я и усомнилась, что он адвокат.

— Хорошо, возьмем за основу твою версию, — скривился ясновельможный.

— Что ты глупости говоришь, — напустилась на меня Стася. — Разумеется, он — адвокат.

— Возможно. Значит, обдерет как липку. «Гелендваген», дорогие шмотки, стрижечка модная, а платить за это должен кто?

— Что делается! — ахнула Стася. — Девку точно подменили. Пан Левандовский, вы к сердцу не принимайте, она точно не в себе. Говори, что случилось?

— Ничего.

— Часто подобная агрессивность у юных девушек означает только одно, — вновь сладенько улыбнулся

Левандовский. А я насторожилась, успев понять: улыбочка эта — предвестник какой-нибудь пакости.

— Что означает? — нахмурилась Стася.

— Девчонка влюбилась в меня с первого взгляда.

— Чтоб тебя, — сказала я в досаде. А Стася закивала:

— Езус-Мария, как же я не сообразила... Теперь дело за вами, Зоська из прекрасной семьи. Отец — состоятельный человек, мать в Америке, и тещу будете видеть, только когда сами соскучитесь. Кстати, девчонка с образованием, и не сказать, чтобы совсем дура. Да и не надо ума-то много, чтоб детей рожать. Было бы мне на старости лет утешение.

— Сватовство закончили, — прорычала я, — адвокат мне тоже не нужен. На сэкономленные деньги оденусь поприличней. За шарлотку спасибо, доброй вам ночи, панове.

Я поднялась, раскланялась и поспешно удалилась. А оказавшись в своей квартире, рассмеялась весело. Глупо злиться на Левандовского, а уж тем более на Стасю. От проблем они меня ненадолго отвлекли, и хоть пользы я от них не вижу, но настроение, безусловно, подняли.

Не зажигая в комнатах света, я прошла в ванную, а потом отправилась спать. Однако сон не шел, а общая направленность мыслей слегка настораживала, потому что Левандовский в них занимал слишком много места. Чего доброго, и правда влюблюсь.

Нет уж, хватит с меня мутных типов, сначала Герман, теперь этот... мне нужен простой парень, с которым все ясно, оттого пакостей от него не ждешь. Взаимоуважение, доверие... Ладно, парни подождут. Для начала надо с этим делом разобраться.

Я прикидывала, чем займусь завтра, когда раздался звонок на мобильный. Номер мне ни о чем не сказал, но я почему-то решила: это Гора. И поспешно ответила.

— Это Марк, — заявил Левандовский. — Я возле твоей двери. Открой.

Отвечать я не стала и на мгновение задумалась: открывать или нет? Поднялась, пошарила в темноте в поисках одежды, но в конце концов отправилась в чем была. Оказавшись в прихожей и включив свет, окинула взглядом свое отражение в зеркале. Его водолазка против моих шорт и маечки. Так-то, гад...

Я открыла дверь, притворно щурясь от света, Левандовский вошел, а я сказала:

— За стулом не пойду, так что излагай коротко.

Он привалился к двери, сунув руки в карманы и глядя на меня исподлобья:

— Ты в самом деле об их затее не знала или Ваньку валяешь?

— Стася все разболтала? — сложив руки на груди, хмыкнула я.

— И правильно сделала. История — полное дерьмо.

— Что за выражение, ясновельможный?

— Ты не ответила на вопрос, — перебил он, уставившись мне в глаза. Выдержать его взгляд оказалось нелегко.

— Я ничего не знала, — ответила я серьезнее, чем хотела. Он кивнул, словно соглашаясь.

— Совет нужен?

— Нет.

— Зря. Это абсолютно бесплатно. Уезжай к отцу. Если менты на тебя выйдут, им придется задавать вопросы на твоей территории. Отец наймет хорошего адвоката, и ты останешься в стороне при любом раскладе. Болтаясь здесь, ты здорово рискуешь, и не только потому, что у Валеры возникнут сомнения. Если полиция тобой заинтересуется... то, что ты до сих пор тут, играет против тебя. Логично предположить — ты ищешь деньги. Или дружков, которые с деньгами смылись.

— Хорошо, что совет бесплатный, грех платить за такое. А ты хороший адвокат?

— Хочешь меня нанять? — усмехнулся он.

— Ты мне не по карману.

— Ладно, давай мой приз, — отлепившись от двери, сказал он, и, пока я думала, что он имеет в виду, Левандовский ухватил меня за подбородок и поцеловал. А я заехала ему кулаком в живот, но, каюсь, далеко не сразу. Он охнул и меня отпустил. — Что за манеры? — спросил насмешливо.

— С тебя беру пример. Так быстрее доходит.

— Ты по поводу надоедливых алкашей? — Я пожала плечами. А он сказал: — Пока, красотка.

— Ты мне льстишь, — расплылась я в фальшивой улыбке.

— Нет. За последние часа полтора ты заметно похорошела. И приданое за тобой дают.

— Приданое Стася придумала.

Я открыла дверь, а он сказал уже серьезно:

— Уезжай.

— Ага.

Закрыв дверь, я прислушалась. Насвистывая, он начал спускаться по лестнице, а я переместилась от входной двери к окну. Левандовский как раз вышел из подъезда и теперь направлялся к своей машине.

Не оборачиваясь, помахал мне рукой, должно быть, уверенный, что я на него в окно пялюсь. Вот гад. Особенно обидно: именно этим я сейчас и занята.

Утро выдалось скверным. Во-первых, шел дождь, а во-вторых, я подумала о Левандовском, и тут же появилась уверенность: я о нем думать и не переставала. По-моему, он мне даже снился, что вовсе никуда не годилось. Скверное настроение теперь вполне понятно. Я поднялась и пошлепала в кухню пить кофе. Смотрела в окно на залитый потоками воды двор и пыталась вспомнить вчерашние планы.

В дверь позвонили, я шмыгнула в прихожую, убедилась, что с той стороны стоит Стася, и решила симулировать свое отсутствие. В следующий раз пусть хорошо подумает, прежде чем принимать сторону Левандовского. Стася скрылась в своей квартире, а я села у окна пережидать дождь. Он закончился довольно быстро, поставив меня перед неразрешимым вопросом: что делать дальше?

С легким вздохом я взяла мобильный и набрала номер Дохлого. Телефон отключен. Да что же за напасть такая! Придется опять к нему ехать. Я выпила вторую чашку кофе в надежде на озарение. Его не последовало, и через полчаса я уже с опаской входила в знакомый переулок. «Мерседес» Дохлого стоял на прежнем месте, подозрительных машин не наблюдалось. Как заправский шпион, минут двадцать я торчала в подворотне, изучая все подъезжающие машины, и лишь после этого вошла во двор, но все равно с опаской. Набрала номер квартиры и стала ждать. Похоже, Арни либо дома нет, либо он задумал отрешиться от мира.

Вздохнув, я прошла к детской площадке и устроилась на скамье. Проникну в дом с кем-нибудь из жильцов и буду барабанить в дверь Арни. Если он у себя, должен открыть: моя настойчивость против его нежелания. Посмотрим, кто кого.

Тут к дому подъехала машина, то самое розовое чудо, со своего места я ее отлично видела, а потом появилась Наталья. В меховом жилете, на высоченных каблуках и в брючках в обтяжку. Жилет выглядел дешево, а ноги у девицы кривые — это несколько примирило с тем, что я сижу во вчерашнем прикиде, то ли в образе монахини, то ли девицы без средств с дурным вкусом. Наталья, как и я, потыкала пальцем в домофон, послушала сигнал, глядя на машину Арни, а потом, немного подумав, достала из сумочки ключи. Открыла дверь и скрылась с моих глаз. Входить в подъезд вместе с ней желания не возникло. Милые бранятся — только тешатся, и делать это лучше без посторонних. Но минут через пять Наталья вновь появилась во дворе, при этом выглядела даже хуже, чем накануне. Правда, сейчас не рыдала, но неслась как угорелая, точно за ней черти гонятся. Похоже, несмотря на внушения брата, Дохлый жениться не спешит. Однако за пять минут полноценно не поскандалишь — видно, невесту он выставил за дверь без объяснений, вот ее и разбирает. Это, в принципе, обидно, но если тебе при этом еще и высказаться не дали...

В общем, я ей посочувствовала. Только собралась еще раз попытать счастья по домофону, как на месте «Лексуса» Натальи, умчавшейся минуту назад, появилась машина Германа, а вслед за этим и он сам: в костюме, темно-серой рубашке и стального цвета галстуке. Выглядел весьма неплохо, что я отметила с легкой обидой. Непохоже, что страдает из-за моего отъезда. С какой стати ему страдать? Вот-вот, оттого и обидно.

Герман подошел к домофону и позвонил. Постоял, подождал, взглянул на машину Дохлого и позвонил еще раз. С тем же успехом. Достал мобильный и опять позвонил, теперь уже по телефону. Но и на этот звонок Арни не ответил. Старший братец принялся шарить по карманам, должно быть, в поисках ключей. Он довольно громко чертыхнулся и еще немного постоял, разглядывая машину Дохлого. С невестой брата он разминулся буквально в минуту. По идее, она должна сейчас звонить старшему Купченко с жалобой на младшего. Или жаловаться ей надоело, и она решила послать обоих?

Герман, между тем, продолжал осматриваться и уперся взглядом в меня, после чего начал приближаться, а я гадать: узнал или нет? И что теперь делать мне? Дохлый на контакт не идет, а предупредить его надо. Вывод: пусть старший сам с проблемами разбирается. Герман хотел что-то спросить, но замер в трех шагах от меня, постоял в недоумении, однако вопрос все-таки задал:

— Софья? Ты что ж, не уехала?

— Приятно, что ты заметил, — ответила я. Он сел рядом.

— Что ты здесь делаешь? И почему в очках? У тебя что, зрение плохое?

— Спроси еще, почему я так по-дурацки одета.

— Вот именно, почему?

— Это долгая история, которую я тебе непременно расскажу, но позже. Сейчас хотелось бы Дохлого увидеть.

— Мне бы тоже хотелось.

— У тебя нет ключей?

— Нет.

— А вчера были.

Он посмотрел настороженно, однако с вопросами не спешил.

— Вчера мне ключи дала Наташка. Потом я их вернул.

— Они что, поссорились с Дохлым?

— Моего брата зовут Арни.

— Извини. Меня зовут Софья, но многим на это наплевать. Они поссорились?

— Разумеется, — язвительно ответил он. — Ты очень постаралась.

— Я?

— Конечно.

— Глупость, но допустим. Арни на мои звонки не отвечает.

— Ты на мобильный звонила?

— Другого номера у меня нет.

— Мобильный он вчера по дороге выбросил. В большой досаде, что ты уехала. Хотел тебе звонить, я пригрозил, что телефон опять отберу, и он вышвырнул его в окно.

— Какие страсти...

— Из дома Арни позвонил Наташке, сказал, что свадьба отменяется. Та прискакала сюда, и этот придурок наплел ей про свою неуверенность и необходимость проверить чувства. Притом что приглашения на свадьбу уже разосланы. Наташка позвонила мне, я приехал и убедил его не делать глупостей. Он поклялся быть молодцом. И что? Сегодня я звоню ему, он не берет трубку, а ты сидишь в дурацком прикиде под его дверью. Сонька, зачем тебе все это? Ты ж его не любишь.

— Если хочешь, я его за руку в загс отведу, вместе с Натальей, разумеется, но сейчас мне надо поговорить с твоим братом совершенно по другому поводу. Это касается наших друзей.

— Даже спрашивать не хочу, что они натворили.

— И правильно. А я не хочу отвечать. И прикид мой как раз по этой причине. Потому что есть люди, которые хотели бы вопросы задать.

Герман, выслушав все это, присвистнул:

— Все в духе доброго старого времени, — сказал со смешком. — Горе взял бабло взаймы, а теперь трясут Ирку и тебя в придачу. Никто из вас умнее не стал.

— Я что, спорю? Ключи можешь найти?

— Ключи есть у матери. И у Наташки.

— Она только что была здесь, выскочила из подъезда с таким видом, точно от возмездия уходила. Найди ключи.

Герман вновь присвистнул, а я начала злиться.

— Тебя не беспокоит, что ты не можешь до него дозвониться?

— Что я, младшего не знаю? Он терпеть не может проблем, он от них прячется. Помнишь, в школе прятался в спортзале за матами и лежал, пока вам в кабинете директора втык давали. Один раз четыре часа лежал. Это я называю выдержкой.

Герман хлопнул себя по коленям и поднялся.

— Ладно, поехали к матери. Видеться сейчас с Наташкой нет никакого желания. Мне ее страданий и вчера за глаза.

— Я здесь останусь. Вдруг он решит сбежать.

— Нет. Для этого хоть какой-то характер нужен. Откуда он у моего братца?

Герман направился к машине, повернулся, кивнул, предлагая к нему присоединиться, но я лишь головой покачала. Он уехал, а я подумала: заводить разговор при нем с Арни все-таки не стоит. Герман и так готов обвинить меня во всех смертных грехах, а если я про Кудрявцева расскажу... в общем, он точно не поверит, что я ничего не знала и Дохлый потащился со мной по своей собственной инициативе. Еще и в полицию сдаст. Хотя позавчера намекал на старую любовь.

Я настроилась на долгое ожидание, но Герман вернулся довольно быстро. Вошел во двор и продемонстрировал ключи.

— Как дела у матери? — сочла я своим долгом спросить, когда мы поднимались по лестнице на второй этаж.

— Приболела немного, а так нормально. Про твою не спрашиваю, с мужем повезло, вытащила счастливый билет?

— Вроде того. Воспитывает троих чужих детей, в общем, жизнь удалась.

— А тетка рассказывала, у нее не жизнь, а вечный праздник.

— Тетка теперь тоже празднует.

Мы подошли к двери с цифрой пять, Герман вставил ключ в замок, а я предложила:

— Может, сначала позвоним?

И, не дожидаясь ответа, надавила кнопку звонка. Звонок весело дребезжал, никаких других звуков из-за двери не доносилось.

— Если тебе так легче, — усмехнулся Герман, глядя на меня, и толкнул дверь.

Ничто не указывало на присутствие хозяина. Тишина, только слабый шум с улицы, с трудом пробивавшийся сквозь стеклопакеты.

— Арни, — позвал Герман. — Ты где? — Заглянул в одну комнату, потом в другую, зашел в кухню и сказал: — Сбежал, засранец.

— Он не выходил из дома, — покачала я головой.

— Ты его проворонила.

— Нет. Я глаз с подъезда не спускала. — Тут я вспомнила, с каким лицом отсюда выскочила Наталья, и почувствовала беспокойство, оно быстро набирало обороты, перетекая в страх, от которого по спине побежали мурашки. — Ты хорошо посмотрел? — спросила я Геру. Он недовольно пожал плечами, но беспокойство и у него появилось.

Он решительно направился к ближайшей двери: как оказалось, вела она в ванную. Дверь не заперта, и свет в ванной не включен, вряд ли Арни лежит в темноте. Герман нащупал выключатель, вспыхнул свет, и старший Купченко отшатнулся, издав звук, похожий на стон.

Я заглянула в ванную, желая понять, что произвело на него такое впечатление, о чем тут же пожалела. Глазам предстало страшное зрелище. Арни в одних трусах лежал на полу в луже крови. Ее было невероятно много, ручейки растекалась от его рук и ног по белому мрамору, возле головы кровь была темнее и гуще, казалось, кто-то нарочно налил ее, создавая жуткую декорацию. Но спектаклем здесь и не пахло. Одного взгляда было достаточно, чтобы понять — Арни мертв. Таких отрешенных, пустых лиц у живых просто не бывает.

— Братишка... — пробормотал Герман и кинулся к нему, успев встать ногой в кровавую лужу, а я схватила его за руку.

— Куда ты! Нельзя ничего трогать.

Я выволокла его из ванной, на полу остался след, когда он прошел в кухню и упал на стул, закрыл лицо руками и зашептал:

— Дурак, что ж ты наделал... дурак...

Я достала мобильный, пытаясь сообразить, какой номер следует набрать. Герман выхватил у меня телефон, вновь превратившись в того парня, которого я хорошо знала: твердого, непоколебимо уверенного в себе, который не пасует ни перед какими трудностями. Позвонил в полицию, а потом в «Скорую». Ровным голосом сообщил, что произошло, и повалился грудью на стол, мгновенно лишившись сил.

— Господи, что ты натворил, — бормотал он сквозь зубы. — Что я матери скажу...

Время было не самым подходящим, но я все-таки спросила:

— Ты думаешь, он это сделал сам?

Герман поднял на меня взгляд и с минуту смотрел так, точно видел впервые.

— Он вскрыл себе вены, — сказал, кривя губы, точно ему мучительно трудно это говорить: наверное, так и было.

— Но... ты видел... кровь возле головы и на ванной, он ударился об угол?

— Заткнись, — вдруг рявкнул Герман. — Чертова шлюха! Это все из-за тебя. Какого дьявола ты приехала? Добилась своего? Радуешься?

— Это неправда, — покачала я головой, понимая, что делаю только хуже.

— Убирайся отсюда! — рявкнул он. — Убирайся, быстро! Пока я тебя не придушил.

Это явно была не пустая угроза. Я довольно поспешно покинула квартиру, но далеко не ушла.

Устроилась все на той же скамейке во дворе. Лично я сильно сомневалась, что Арни сам себе вскрыл вены. С какой стати ему вдруг так разочаровываться в жизни? Брат заставляет жениться? Но при нашей встрече в торговом центре Арни выглядел вполне счастливым. Мое появление так на него подействовало? Повода думать, что нас ждет безоблачное совместное будущее, я не давала, даже наоборот, прямо заявила: надеяться нечего, а потом якобы уехала... А брат даже проводить меня не позволил... Н-да... все равно не верю. Арни — это Арни. Мог разрыдаться, забиться в истерике. Мог сделать глупость: послать невесту подальше и кинуться за мной. Вот только не знал, где меня искать... Логично было попытаться хотя бы мне позвонить... Он мобильный выбросил, а номера моего не помнил. Явился бы к Стасе. Да мало ли способов разыскать человека? Но не для Арни. Неужто правда сам? Герман, похоже, в этом не сомневается. Там столько крови... И почему голова в крови, если он резал руки и ноги? Ноги-то зачем? Какой-то совершенно бабий способ свести счеты с жизнью. А может, я не желаю признавать его самоубийство, потому что боюсь: я действительно виновата?

Лихорадочное метание мыслей пришлось прервать. Возле дома затормозила машина полиции, а через пару минут и «Скорая». Я подумала, может, вернуться в квартиру? А если Герман устроит скандал? Нет, уж лучше здесь посижу, понадоблюсь — позвонит.

Примерно минут десять ничего не происходило, потом появились медики. Двое мужчин в синей униформе вышли из подъезда, переговариваясь. Слов не разобрать. Сели в машину и уехали. А через полчаса показался микроавтобус без опознавательных знаков, из него вышли сразу трое мужчин, открыли багажник и выкатили носилки. Один остался на улице, закурил, поглядывая на небо, затянутое тучами, двое других покатили каталку к подъезду. Вскоре я вновь увидела их, теперь на каталке лежал большой полиэтиленовый мешок. Я заревела, и перед глазами возник смешной лопоухий мальчишка, тощий, с вечными ссадинами на коленках, непослушными вихрами и преданным взглядом. Мой друг Дохлый, с которым нас связывали почти два десятка вместе прожитых лет. И от чувства вины сдавило сердце, не от той вины, на которую так прозрачно намекнул Герман. Мы когда-то были настоящими друзьями, верными, какими бывают только в детстве, но ничего не смогли сохранить...

Я сидела, нахохлившись, кутаясь в Стасину куртку, и вспоминала наши детские проделки, безобидные, смешные, иногда опасные. Арни всегда отчаянно трусил, но не желал в этом признаваться, упрямо шел за Горой и безбашенной Чумой. А я не стеснялась говорить, что боюсь, и не хотела ничего доказывать. Наверное, поэтому он и любил меня. А вот я его — нет. И вычеркнула из своей жизни решительно и навсегда.

Не знаю, до чего бы я еще додумалась, но тут из подъезда показались полицейские, а с интервалом в пять минут и Герман. Выглядел скверно, лицо усталое, даже измученное, неуверенность в движениях, точно при головокружении. Однако заметно успокоившийся. Может, медики ему что-то вкололи? Он стоял возле подъезда, сунув руки в карманы и глядя себе под ноги, как будто не знал, куда теперь идти.

— Герман! — позвала я, поднимаясь со скамейки.

Он взглянул на меня, вздохнул и медленно пошел навстречу. А я бросилась к нему, стиснув зубы, чтоб не разреветься, и все равно расплакалась. Мы стояли, обнявшись, он прижимал меня к себе, все крепче и крепче, уткнувшись лицом в мои волосы. По телу его прошла дрожь, а когда он отстранился, я увидела в его глазах слезы.

— Садись, — сказала я, держа его за руку и указывая на скамью.

Мы сели, не разнимая рук, и некоторое время молчали.

— Надо к матери ехать, — вздохнул Герман, посмотрел на меня и попытался улыбнуться. — Извини, что я... в общем, извини...

— Что они сказали? — решилась спросить я, Герман пожал плечами.

— Он сделал это еще вчера... вечером или ночью. Может, сразу после того, как я ушел. Точнее станет ясно после... вскрытия. — Герман молча смотрел на меня не меньше минуты. — Это я виноват, оттого и наорал на тебя, потому что знал...

— Подожди, давай по порядку. Что вчера произошло?

Он вновь пожал плечами.

— Разругались по дороге. Из-за тебя, из-за этой свадьбы. Он выбросил мобильный в окно, потому что я не дал тебе позвонить. Приехали в офис. Он начал приставать с вопросом, знаю ли я, куда ты уехала. Я наорал на него. Сказал, что ты в свою Америку укатила, и я надеюсь, навсегда. А он не унимался, все твердил: «У тебя есть ее адрес? Я знаю: есть». Я вытолкал его взашей, так он мне надоел. Он сел в машину и уехал. И из дома позвонил Наташке, сказал:

свадьбы не будет. Она пожаловалась мне, и я приехал вправлять ему мозги. Я его избил. За всю жизнь в первый раз... Я... не в себе был после нашей с тобой встречи. Мне показалось, все еще можно вернуть. И тут Арни. Все опять повторялось. В общем, я всю злость на нем выместил.

— Сильно избил?

— Вряд ли. Но не в этом дело. Я не должен был... Заставил его позвонить Наташке, обещал выбить из него всю дурь, если он еще раз... Потом мы вроде успокоились, выпили. Все было нормально. Я уехал. Но на душе кошки скребли. Всю ночь не спал. Думал о тебе, об Арни... Наверное, сработало предчувствие. Утром не выдержал, поехал к нему. Мы договорились, что сегодня он дома побудет. Позвонил на домашний, Арни не ответил. Я подумал, опять дурит. Злился по дороге, а он...

— Почему так много крови? И рана на голове...

— Порезы очень глубокие, он хотел, чтоб наверняка. Не пугал, все решил серьезно. Наверное, поскользнулся и ударился головой об угол ванной.

— Записку оставил?

— Нет.

— И у полиции не было никаких вопросов?

— Про синяки спросили. Ну и про его душевное состояние.

— А ты что ответил?

— Правду. Что брата избил, что заставил делать то, что делать он не хотел.

— И у них не возникло подозрения, что это может быть убийство?

На этот раз Герман смотрел на меня не меньше минуты.

— Хочешь сказать, это я его убил?

— Ты? — растерялась я. — Конечно, нет. Послушай, — я вновь схватила его за руку. — У меня есть повод подозревать, что Арни убили. Вчера я видела здесь подозрительную машину.

— Ты была тут вчера? — нахмурился Герман.

— Да. Хотела предупредить Арни. Он не отвечал на звонки, теперь я знаю почему. Дверь он мне не открыл.

— Домофон без видеокамеры. Наверное, он решил, что это я.

— Наверное. Чуть дальше в переулке стояла машина. В ней было двое мужчин. То есть я видела двоих. Когда приехала Наташа, один из них вошел во двор, видимо, что-то проверял, не знаю. Потом приехал ты...

— Ты видела меня?

— Конечно. Приехал злой, ушел вполне довольный... Потом мне пришлось отлучиться. Примерно минут на сорок пять, может, чуть больше. Когда я вернулась, машины уже не было. Арни по-прежнему не отвечал.

— В котором часу это было?

— Где-то в половине десятого.

— И что? — с сомнением спросил Герман. — Машина показалась тебе подозрительной...

— Ты не знаешь главного. Слышал об убийстве Кудрявцева?

— Кудрявцева? — переспросил Герман. — Хозяин фирмы «Орион»? Конечно. А ты его откуда знаешь?

— Пришлось познакомиться, — решилась я, вовсе не уверенная, что поступаю правильно. — Чума свистнула у него деньги. Если не ошибаюсь, три миллиона рублей. Его люди Ирку искали, в этом я смогла сама убедиться. Она решила, что добром для нее это не кончится, и деньги надумала вернуть. Договорилась с Кудрявцевым, что привезет их к нему домой. Но сама не поехала. — Тут я сделала паузу, Герман смотрел на меня и хмурился, а потом матюгнулся сквозь зубы.

— Дай отгадаю, кто повез деньги? Ты?

— Мы с Арни.

— Твою мать, — вновь выругался он.

— Думаю, для этого она меня сюда и вызвала. Никому не решилась довериться...

— И Кудрявцева они с Горем шлепнули?

— Горе говорит, что по башке получил и очнулся рядом с трупом. — Я подробно пересказала наш разговор. — Машину Арни видели возле поселка, могли и номера запомнить.

— Подозреваешь людей Кудрявцева?

— И их тоже.

Герман потер лицо руками и на меня уставился:

— Давай начистоту. По-твоему, Арни с самого начала знал... или это действительно случайность?

— Я бы решила: случайность. Он просто хотел меня подвезти. Чуму вроде огорчило его появление, но не очень. По крайней мере, она не настаивала, чтобы я избавилась от его общества. Хорошо зная безголовиков... в общем, могло быть по-любому. Вчера я дозвонилась Горе и прямо спросила: Арни был в курсе или нет. Ничего вразумительного он не ответил и тут же бросился сюда. Хотел встретиться с твоим братом.

— Ты видела его здесь?

— Да, задолго до твоего появления. Арни дверь не открыл. На звонки не отвечал. И Горе ушел...

— Но мог вернуться?

— Ты допускаешь мысль, что он убил Арни?

— Не знаю. У меня голова кругом. Был уверен, что брат покончил с собой, и вдруг такое... Сонька, если выяснится, что брата убили, я запросто могу стать главным подозреваемым. Похоже, я последний, кто видел его живым. Не считая убийцы, конечно. Я избил его. Мог ведь и убить?

— Я видела, как ты выходил из подъезда...

— И что? Ты сама не в лучшем положении. Если Кудрявцева убил кто-то из безголовиков, тебе будет сложно доказать, что ты ни при чем.

— Вот именно. Поэтому я никуда не уехала. И пыталась предупредить Арни, на тот случай, если Чума и Горе использовали его втемную, как и меня. Жаль, не успела. Если б он ответил на звонок...

— Ничего уже не исправишь, — вздохнул Герман. — Итак, любовь всей моей жизни, мы в дерьме по самые уши.

— Это я уже поняла, — кивнула я, едва сдерживаясь, чтобы не развить тему о «любви всей жизни». Не ко времени. То есть очень хотелось, но Арни еще до морга не довезли, а я млею от слов Германа и готова козой прыгать на радостях. Куда разумней сделать вид, что не придала значения его словам. А надо бы просто не придавать значения... Не зря я боялась встретиться с Германом.

— Поняла? — переспросил он и усмехнулся. — Поэтому вырядилась в Стасино барахло?

— Откуда знаешь, что в Стасино?

— А в чье же еще? Бабка в курсе?

— Нет, — соврала я, решив, что пока с нашей «большой любовью» ничего не ясно, не стоит открывать все карты. — У нее давление. Сказала, за тобой слежу. На почве былой страсти.

— Она поверила?

— Барахло, как видишь, дала.

— Что делать-то будем? — спросил Герман, приглядываясь ко мне, но теперь голос звучал спокойнее, а на губах появилась улыбка, правда, скорее печальная.

— Искать убийцу Кудрявцева.

— Кудрявцева? — переспросил он.

— Я уверена, если Арни убили... в общем, скорее всего, убийца Кудрявцева и твоего брата — один и тот же человек. Или люди.

— А если это Горе? Что тогда?

— Трудный вопрос, — вздохнула я. — Давай сначала найдем убийцу, а потом будем думать.

— Значит, Горе был здесь? Надо с ним поговорить. Позвони ему.

Я набрала номер, но мобильный Егора оказался выключен.

— Может, в бега сорвался? — предположил Герман.

— Это не трудно проверить. Я знаю, где он прятался. Выследила.

— А ты... умеешь удивить, — покачал головой Герман.

И мы поехали к Горе. Машину оставили возле церкви и начали спуск в овраг.

— Он вон в том здании, — кивком указала я.

— Тогда надо брать левее, он может нас увидеть. И сбежать.

— С тобой он вряд ли захочет разговаривать, — согласилась я.

К мастерской мы вышли минут через пять. В доме царила тишина, на двери висел замок. Герман на всякий случай его подергал. Затем обошел здание по кругу, заглядывая в окна.

— Там на полу какие-то вещи, — сообщил хмуро. — Похоже, он все еще здесь.

— Если он узнал, что Арни погиб... ему было не до вещей, — отмахнулась я.

— Как он мог узнать?

— Допустим, как и я, следил за домом. Или слушал полицейскую волну.

— Это Горе-то?

— Он неплохо разбирается в компьютерах. По крайней мере, так утверждала Ирка.

— Есть догадки, где сейчас может быть твоя подруга?

— Есть предположение, что Гору она бросила и сбежала из города. Возможно, вместе с деньгами.

— Что? — нахмурился Герман. — Ты считаешь...

— Она подставила меня, могла подставить и Гору. Вряд ли сама по башке его огрела, для этого она слишком осторожна: вдруг сил не хватит вырубить его с первого раза?

— То есть в деле есть кто-то еще?

— Это только предположение. Но если оно верно, не удивлюсь, коли и этого типа Ирка кинет.

— Чума — это Чума, — согласно кивнул Герман. — И этот тип убил моего брата?

— Я не верю, что убийца — Гора. Он, конечно, чокнутый, но дружба для него кое-что значит. По крайней мере, он пытался меня предупредить. Сейчас главный вопрос: был Арни в деле или нет?

— Почему главный? — спросил Герман.

Мы сели на перевернутые ящики неподалеку от мастерской и разговаривали, глядя на небо, затянутое темными, почти черными облаками.

— Ответ на него поможет понять остальное. Если Арни ни при чем, его, скорее всего, убили люди Кудрявцева. — Герман в этом месте присвистнул, мол, сомнительное предположение. Но я продолжила: — Они ищут деньги. Возможно, еще что-то. Я тут на досуге в интернете покопалась... Непростой человек был этот Кудрявцев.

— Непростой, — кивнул Герман. — Очень даже непростой. Без его дружбы работать в этом городе было трудно. А дружба стоила дорого.

— Вот-вот. Ставки высокие. Если они вышли на Арни... Нет, не сходится, — недовольно нахмурилась я.

— Что не сходится? — проявил интерес Герман.

— Все. Допустим, они узнали, кто владелец «Мерседеса». Им необходимо вернуть содержимое сейфа, так? У Арни того, что им надо, нет. И он не знает, где оно может быть. Они поверят?

— Вряд ли.

— Правильно. Значит, не стали бы убивать его в квартире. Увезли бы в безопасное для них место и устроили допрос с пристрастием.

— А что мешало допросить его дома? На нем уже было достаточно синяков, если прибавятся новые, общую картину это не испортит. Потом ударили его по голове, вскрыли вены и бросили умирать.

— Потому что поняли: он действительно ничего не знает?

— В любом случае. Мой брат выложил бы все после первой оплеухи, как только понял, что дело серьезное. И теперь они будут искать тебя. И, конечно, Чуму с Горем. Оттого Стычкин и смылся. Тебе надо уезжать. Сегодня же. Здесь слишком опасно.

— А если полицейские и впрямь решат, что ты мог убить брата?

— Ну и чем ты мне поможешь?

— Расскажу о тех типах в машине, я номер запомнила.

— Если это киллеры, номера ничего не дадут.

— Я не уеду, пока во всем этом не разберусь, — упрямо возразила я.

— Да? А я подумал, за меня беспокоишься, — улыбнулся он.

— Беспокоюсь.

— Дурацкая мысль пришла в голову, — медленно произнес он, глядя куда-то вдаль. — Арни больше нет... никаких преград... — тут он посмотрел на меня. — Чувствую себя последней сволочью.

— Ты не виноват в его смерти. Я уверена, это было убийство.

— Виноват, не виноват... Арни нет. Кстати, если ментам придет охота копаться в нашей истории... у них будет лишний повод меня подозревать. Брат убил брата, любовный треугольник и все такое...

— Любой, кто тебя знает, скажет, что это чушь.

— Надеюсь, — Герман поднялся. — Надо ехать к матери. Не знаю, что я ей скажу... Ты отправляйся к Стасе и из ее квартиры не высовывайся. Потом я что-нибудь придумаю...

— Может, мне лучше здесь остаться? Вдруг Горе вернется?

— Спятила? А если предполагаемые убийцы выйдут на этот дом? Кто-то ведь дал ему ключ. Зная Горе... в общем, вряд ли он был особо осторожен. Я буду ему звонить, авось да ответит. А ты не вздумай. Неизвестно, с кем мы имеем дело, вдруг засекут твое местонахождение по мобильному. Лучше вообще его выключи.

— А как я тебе звонить буду?

— Я сам позвоню. На домашний Стаси.

— Номер помнишь?

— Еще бы, — усмехнулся он.

Мы вместе доехали до Соборной площади. Герман молчал, сурово хмурясь, готовился к разговору с матерью.

— Тебя отвезти? — спросил он, точно опомнившись.

— Сама доберусь.

— Нет, я...

— Ты забыл про мою маскировку?

Он остановил машину, я собралась выходить, когда он взял меня за руку и поцеловал. Едва коснулся губами моих губ, но это был поцелуй.

— Будь осторожна, — шепнул он, а я кивнула.

«БМВ» Германа исчез в потоке машин, а я все стояла на тротуаре, глядя ему вслед. Герман прав, Арни нет, а следовательно, нет никаких препятствий. От этой мысли стало не по себе. Не так давно, сидя на скамейке во дворе его дома, я оплакивала друга детства. А теперь что ж, радуюсь? Слава богу, подобных мыслей я отчаянно стыжусь. Но что-то вроде надежды, робкой и еще не ясной, в душе моей, безусловно, теплилось. Ох, уж эта старая любовь, которая не забывается.

На подступах к дому я вспомнила про осторожность (до той поры мысли мои целиком были заняты былой любовью), так вот, чтобы не отправиться вслед за Арни, я решила пробираться в квартиру окольным путем, то есть через подвальное окно на чердак и уж оттуда спуститься к своей квартире. Точнее, к Стасиной. Герман и тут прав, пора переселяться.

По лестнице я шла очень осторожно, стараясь не привлекать внимание соседей. Сначала припала ухом к двери своей квартиры, потом Стасиной. В моей квартире тишина, в ее работал телевизор.

Я надавила кнопку звонка, прикидывая, стоит сразу рассказать старушке о смерти Арни или лучше повременить... Ни шагов, ни привычного ворчания, но по-настоящему насторожиться я так и не успела. Дверь распахнулась, и я увидела здоровячка со шрамом. Он не стал оригинальничать, схватил меня за шиворот, втянул в квартиру и захлопнул дверь.

— Ну, вот и Зоська пожаловала, — услышала я голос Валеры, а потом и он сам возник в прихожей в сопровождении еще одного головореза.

— Где Стася? — стараясь не терять присутствия духа, спросила я. Станислава-Августа не из тех, кого легко напугать, однако в ее возрасте стрессов лучше избегать, оттого я за нее здорово беспокоилась

— С ней все в порядке, — кивнул Валера. — Сменила имидж? Зря. Раньше ты была привлекательней.

— Где Стася? — повторила я, оглядываясь.

Валера подошел к двери кладовки, которая служила Стасе гардеробной, распахнул ее, и я увидела старушку. Она сидела на стуле со связанными руками, которые держала на коленях, и с кляпом во рту. Стася гневно вращала глазами, но в остальном выглядела вполне нормально.

— Не стыдно вам? — укоризненно спросила я, обращаясь к Валере, имея в виду полное неуважение к ее преклонному возрасту.

— Это вынужденная мера, — махнул он рукой. — Мы втроем едва с ней справились. Она, кстати, укусила Володю, — кивнул он на здоровяка. — Как бы не пришлось уколы делать от бешенства.

— У старушенции челюсть искусственная, — вмешался в разговор его подручный с наколкой «Артем» на пальцах правой руки. — Есть надежда, что бабка не ядовита.

Стася возмущенно замотала головой. А я поправила:

— Челюсть у нее настоящая, сорок уколов в живот вы себе обеспечили.

— Не повезло, — вздохнул Валера, захлопнул дверь кладовки и повернулся ко мне. — Поговорим на куда более серьезную тему. — Прошел в кухню и сел возле окна. — Давай без церемоний. Проходи, садись.

Само собой, я прошла и села. Один из парней пасся в коридоре неподалеку от двери в кладовку, второй вошел в кухню и привалился к стене за моей спиной.

— Ну, рассказывай, — предложил Валера, взял яблоко из вазы, надкусил и начал лениво жевать.

— Что вас интересует? — спросила я, очень жалея, что не уехала еще вчера, как советовал ясновельможный.

— Все. Начни с того, как вы решили Кудрявцева ограбить.

— Мы — это кто? — уточнила я.

— Ты и твои друзья.

— Значит, Арни вы убили? — вопросом на вопрос ответила я. Валера нахмурился:

— Кого?

— Арнольда Купченко.

— Он убит?

— Якобы вскрыл себе вены. Но я думаю, вы ему очень помогли.

— Мы? — возмутился Валера. — Ты в своем уме?

— Я-то в своем. Вы нашли его по номеру машины.

— По-твоему, я спятил, да?

— По-моему, вы из тех, кому на закон плевать. Иначе бы Стася не сидела в кладовке.

— Немного разные вещи, не находишь? Одно дело — изолировать старушку на время, и другое — человека убить.

— Согласна. Но обычно все начинается с малого...

— Где твоя подружка? — спросил он, решив не отвлекаться на философию, едва заметно кивнул парню за моей спиной, тот вышел и стал куда-то звонить. Скорее всего, проверял информацию.

— Сама ее ищу.

— Зачем? Или она и тебя кинула, и своей доли ты не получила?

— Ключевые слова в вашем высказывании: «И тебя»? Вы ж с ней тоже дружили. Не удивлюсь, если в доме Кудрявцева были вы.

— А ты не слишком нахальна, деточка?

— Я умна и воспитанна. Это во-первых. А во-вторых, если вы убийца, меня в живых по-любому не оставите.

— О господи, — фыркнул он. — Боевиков насмотрелась? Я пытаюсь прояснить обстоятельства гибели господина Кудрявцева, так как работаю в принадлежавшей ему фирме начальником безопасности.

— Полиции помогаете? Я так и подумала, когда Стасю увидела.

— Надоела ты со своей бабкой. Говори, где Чума, иначе, мамой клянусь, сейчас поедешь с нами, и разговор у нас начнется другой.

— Не сомневаюсь, — вздохнула я. — Жаль, что понятия не имею, где искать Ирку. Если б знала, не стала бы ее покрывать. У нас уже два трупа. Это не смешно.

— Вот это верно... — Валера не успел договорить, как в коридоре раздался грозный крик:

— Оба на пол. Быстро.

Орал, безусловно, Левандовский. Плохо понимая, что происходит, я на этот раз отреагировала мгновенно, схватила со стола электрический чайник и шваркнула Валеру по голове. Чайник у Стаси керамический, и воды там было много, в общем, он оказался довольно тяжелым. Но все равно подобного эффекта я не ожидала. Как видно, угодила в какое-то особо болезненное место на голове, потому что Валера свалился со стула. Заглянувший в кухню Левандовский спросил с сомнением:

— Что с ним?

— Не знаю, — испуганно ответила я.

— Чайник поставь, — душевно попросил он, а когда я вернула чайник на место, вышел в прихожую, где лицом вниз лежали наши оппоненты. — Проверь, есть ли у них оружие, — кивнул он.

— А как? — нахмурилась я.

— Обыщи.

В тот момент меня куда больше смущало не предложение освоить что-то новое, а сам Левандовский, точнее, пистолет в его руке. Как-то это не вязалось с образом адвоката. Я наклонилась над ближайшим парнем, а он ворчливо сказал:

— Нет у нас ничего. Мы что, бандиты?

— Вот уж не знаю. Не обижайтесь, но я выверну ваши карманы.

— Езус Мария, — простонал Левандовский, пародируя Стасю. — Иди лучше за Рогожиным присмотри.

— Еще раз чайником его ударить?

— Достань из холодильника лед и сделай мужику компресс.

Говоря все это, Левандовский быстро обыскал обоих парней, причем делал это так ловко, что я затаила наихудшие подозрения на его счет.

— Надо Стасю освободить, — пискнула я.

— Я тебе что велел делать? — рявкнул ясновельможный, и я без особого желания вернулась в кухню.

Валера к тому моменту уже поднялся с пола и теперь сидел на стуле, массируя висок.

— Не вздумайте мне грозить, — предупредила я. — Я и так вся на нервах.

— Парень у тебя есть? — спросил он, пока я шарила в холодильнике в поисках льда.

— Нет.

— А как же этот... старший Купченко?

— Когда это было...

— Хорошо, — удовлетворенно кивнул Валера. — Если ты заодно с Чумой в тюрьме не окажешься, я на тебе женюсь.

— Ага, — фыркнула я, но тут же решила: к чему обострять ситуацию, никогда не знаешь, как все повернется. — Рассчитываете меня разжалобить, чтобы было кому передачи носить?

— Еще чего. Не за что меня от общества изолировать. Да убери ты свой дурацкий лед.

— Вдруг шишка вылезет?

Тут в кухню вошла освобожденная Стася.

— Молодой человек, — заявила хорошо поставленным голосом. — Немедленно покиньте мой дом.

— Стася, вы перепутали реплики, — кашлянула я. — Их надо в полицию сдать.

— Дамы, — вмешался Левандовский. — В наших общих интересах побеседовать с Валерием...

— Павловичем, — подсказал Рогожин.

— А уж потом мы решим, что делать дальше. Пани Станислава, вам бы я советовал прилечь и выпить успокоительное.

Стася опустилась на стул и заявила:

— Вот еще. Я изнываю от любопытства и своими мучениями заслужила присутствовать при самом интересном. Будете его допрашивать? В кладовке есть утюг...

— Что за странные фантазии? — закатил глаза Марк Владиславович. — Это совершенно не наш метод.

— Очень жаль. В другой раз подумал бы, как нападать на беззащитную старушку.

— Нам с пола можно встать? — неуверенно спросили из коридора.

— Полежите немного, пока мы достигнем консенсуса.

Марк устроился на стуле рядом с хозяйкой, а я на подоконнике.

— Ты кто? — спросил ясновельможного Валера, глядя на него с большим интересом.

— Адвокат пани Ковальской. Судя по всему, теперь Софья Сергеевна тоже моя клиентка. Левандовский Марк Владиславович.

— Рогожин Валерий Павлович. И я совсем не рад знакомству, — хмыкнул он.

— Да я тоже не в восторге.

— Теперь адвокаты с пушками разгуливают? — не унимался Валера.

Этот вопрос и меня очень интересовал, я выжидающе уставилась на Марка.

— Это газовый пистолет, — мило улыбнувшись, ответил он. — И, разумеется, на него есть разрешение.

— Серьезно? — хмыкнул Валера. — Не поверишь, но в оружии я разбираюсь.

— Да? Уверен, сейчас нас должно волновать другое. Налицо противоречие интересов. Между тем нам необходимо достичь компромисса.

— Да ты и правда адвокат, — скривился Валера. — Я ничего не понял.

— Это не страшно. Я растолкую. Но для начала потрудитесь объяснить, что вы хотели от Софьи Сергеевны?

— У меня есть все основания полагать, что ваша клиентка замешана в убийстве моего бывшего работодателя Кудрявцева.

— Вы, разумеется, уже обратились в полицию? И изложили свои доводы? — В ответ на это Валера усмехнулся и головой покачал. — Да или нет? — настаивал Левандовский.

— Нет.

— Мало того, вы врываетесь в квартиру почтенной дамы... — тут Стася радостно закивала. — И...

— Я все понял, — перебил Валера. — Чего ты хочешь?

— Моя клиентка оказалась в сложной ситуации. Против воли ее вовлекли в сомнительную аферу. Сейчас мы пытаемся выяснить, что в действительности произошло в доме господина Кудрявцева и кто виновник данного прискорбного происшествия.

— Ты меня насмерть заговоришь, — невежливо перебил Валера. — Допустим, я не стану сообщать ментам о роли нашей красотки во всем этом деле. А взамен я и мои люди спокойно уходим отсюда и старушенция не станет заявлять в полицию?

— Еще чего, — влезла Стася. Но стоило Левандовскому жестом руки призвать ее к молчанию, как она тут же согласно кивнула.

— Ну, так что? — спросил ясновельможный.

— Мне нравится девчонка, и я не хочу, чтобы у нее были неприятности, — пожал Валера плечами. — А они непременно будут, потому что менты до всего докопаются.

— Ну, пока не докопались...

— Надеешься за это время найти убийцу? Почему бы тогда не объединить усилия?

— Я не люблю играть втемную, а тут по-другому не получится.

— Тогда я пошел. — Валера поднялся и направился к двери.

— Эй, адвокат! — донеслось из прихожей. — Нам вставать или нет?

— Надеюсь, вы найдете дорогу, — ответил им Левандовский. Они поспешно поднялись, а Валера, притормозив, сказал, обращаясь ко мне:

— Имей в виду, я с тебя глаз не спущу.

— Плохая идея, — тут же влез ясновельможный. — Кстати, я буду рекомендовать своей клиентке покинуть город...

— Если ты тоже на это бабло нацелился... — хохотнул Валера. — В общем, хорошо подумай. Слишком серьезные люди в игре.

— Немедленно в Питер, — заголосила Стася, когда все трое удалились. — Сию минуту. Пан Левандовский тебя проводит.

— Никуда я не поеду, — отмахнулась я. — А вот вас не стоило во все это впутывать...

— Очень даже стоило. Что бы ты делала без меня?

Я посмотрела на нее, потом на Левандовского и задала вопрос:

— Он здесь неслучайно появился?

— Я смогла послать ему смс, — гордо сообщила Стася.

— Сидя связанной в кладовке?

— Конечно. Эти олухи спросили, есть ли у меня мобильный, а я ответила: у меня есть прекрасный домашний телефон. Они купились. Зоська, неужто я похожа на неандертальца?

— При чем тут неандертальцы?

— Вот именно. В наше время даже неандертальцы имели бы мобильный телефон. Он лежал в кармане моего плаща: я ходила в магазин и забыла его вынуть. Поэтому я спокойно встала со стула, вытащила его из кармана и отправила смс пану Левандовскому. А потом переключила на вибрацию: чего доброго, кто-то начнет звонить... У пана Левандовского с некоторых пор есть ключи от моей квартиры.

— У него еще и пистолет есть.

— Газовый, — подняла палец Стася.

— Вам откуда знать?

— Знаю. Этот тип хотел зародить в нас сомнения. И перед тобой хвостом крутил. Экий хитрец... женюсь и все такое... Короче, голову морочил.

— Неужели? — вздохнула я. — А я подумывала принять предложение. Не станет он на невесту ментам доносить...

— Он и так не станет, — хмыкнул Левандовский. — Это не в его интересах. Ему нужно найти убийцу раньше, чем это сделают сыщики.

— Скажи, что ты пошутила, — посуровела Стася. — Ты и этот тип... Что о тебе подумает Марк Владиславович?

— Я оказалась в трудной жизненной ситуации.

— Зоська, — позвал он. На сей раз в голосе слышалась усталость: наш треп, похоже, ему надоел. — На самом деле мне совсем не смешно. Ты своего дружка Арнольда Купченко давно видела?

— Он погиб, — нахмурилась я.

— Уже знаешь? А я хотел тебя подготовить. Парень вроде бы покончил жизнь самоубийством.

— Дохлый? — ахнула Стася. — Это что же делается?

— Тебе-то откуда об этом известно? — насторожилась я.

— Похоже, игра становится чересчур опасной, — продолжил ясновельможный, в свою очередь не обращая внимания на мой вопрос.

— Ни в жизнь не поверю, что Дохлый сам на себя руки наложил, — заявила Стася. — Пан Левандовский, запихните ее в первый же поезд...

Тут зазвонил домашний телефон, и я поспешила ответить, чтобы прервать надвигающуюся дискуссию. Звонил Герман, и сердце мое сладко екнуло, когда я услышала его голос.

— Как ты? — спросила тихо, поспешно покидая кухню с трубкой в руке. Но Стася демонстративно последовала за мной.

— Нормально, — ответил он. И добавил, вздохнув: — Матери «Скорую» вызвал.

— Я могу чем-то помочь?

— Можешь. Сиди у Стаси, и нос на улицу не высовывай, чтобы я, по крайней мере, за тебя не беспокоился.

Я хотела сказать, что в квартире Стаси вожделенной безопасностью даже не пахнет, но вовремя оста-

новилась: Герман, скорее всего, тоже погонит меня
на ближайший поезд.

— Чем занимаешься? — после паузы спросил он,
думаю, плохо представляя, о чем еще можно поговорить. Но и прекращать разговор ему не хотелось.

— Пью чай с шарлоткой.

— Как себя чувствует старушенция? Про Арни ты
ей рассказала?

— Нет. Берегу ее нервы.

— Правильно. Хотя все равно узнает. Ладно,
пока. Я позвоню.

Я ответила «пока» и дала отбой. Стася сверлила
меня гневным взглядом:

— Зоська, если ты опять свяжешься с этим проходимцем...

— Мне что, от вас в туалете прятаться? — ответила я. — Это личный разговор...

— Все ясно. Поддалась его чарам. Чуяло мое
сердце...

— Пани Станислава, чьи чары вы имеете
в виду? — немедленно влез Левандовский.

— Любовник ее бывший, Герман Купченко.
Старший брат нашего самоубийцы. Редкая сволочь,
скажу я вам. Марк Владиславович, у вас конкурентов как грязи. Герман этот, теперь еще Валера клинья
подбивает. Начинайте шевелиться, не то уведут девку
прямо из-под носа...

Левандовский немного похлопал глазами, должно
быть, силясь понять, а на кой черт я ему сдалась, но
старушку огорчать не рискнул.

— Не беспокойтесь, пани Станислава, все под
контролем.

— Можно без церемоний, просто Стася, — махнула она рукой.

— Приятного чаепития, — пятясь к двери, заявила я, но Левандовский ухватил меня за руку:

— Куда?

— К себе. Слишком много волнений, знаете ли. Моим нервам требуется передышка.

— Чем тебе здесь плохо? — возмутилась Стася.

— Глубокая потребность в одиночестве и медитации.

Стася плюнула в досаде:

— Пся крев, не ходи к гадалке: дурное влияние Германа. Пропадет девка.

— Не позволим, — сурово заявил Левандовский, но мою руку выпустил, и я спешно ретировалась.

В квартиру я входила с опаской, везде враги мерещились. Повалилась на диван и глаза прикрыла. Само собой, я даже не надеялась вздремнуть, хотя и не отказалась бы от такого счастья. Мысли, тесня друг друга, изводили мою многострадальную голову, но одна вдруг показалась толковой, и я потянулась к телефону.

— Стася, шляхтич все еще у вас?

— Только что ушел.

— Вы могли бы сообщить номер его мобильного?

— Разумеется, — неизвестно чему обрадовалась Стася и продиктовала номер.

— Слушаю, — после третьего гудка ответил ясновельможный.

— Это Софья.

— Какое счастье, — проворчал он.

— Сватать нас — бабкина идея, так что ко мне без претензий. Можешь сделать доброе дело?

— За деньги?

— Как не стыдно.

— Хочешь, чтобы я разорился? Я тебя уже дважды спас, и все бесплатно. Адвокаты так не работают.

— А я очень сомневаюсь, что ты адвокат.

— Тю... — пропел он. — Загляни в интернет.

— Пан Левандовский, — начала я язвительно. А он перебил:

— Слушаю, прекрасная Зоська...

— Короче, — вздохнула я, сообразив, что в битве полов мне сегодня ничего не светит. — Если ты такой всезнайка, можешь пробить машину по номеру?

— А что за машина?

— Полдня торчала под окнами Арнольда Купченко с двумя придурками внутри, которые показались весьма подозрительными.

— То есть ты тоже там торчала? Но забыла мне об этом рассказать... Валяй номер и марку машины.

Через минуту я уже пялилась в потолок и пыталась решить, что делать дальше. От моего лежания на диване дело с мертвой точки не сдвинется. Наплевав на указания Германа, я включила мобильный и позвонила Горе, а когда он, по обыкновению, не ответил, написала пространное смс, увещевая выйти на связь, так как я располагаю сведениями чрезвычайной важности. Так и подмывало заглянуть в мастерскую, но здравый смысл советовал с бурной деятельностью повременить и для начала попытаться разобраться в происходящем.

Ушло на это полдня, но итог не порадовал из-за обилия версий, причем сомнительных. Зато позвонил Левандовский.

— Машины данной марки с такими номерами не существует, — заявил он.

— Но я ее видела.

— Не спорю.

— Это значит, что парни в переулке ошивались не просто так. И очень может быть, их присутствие напрямую связано с самоубийством Арни.

— Не лишено логики. Я бы, кстати, заглянул в его квартиру, пока менты еще не решили, является она местом преступления или нет.

— Хорошо, попрошу ключи у Германа.

— Вот это ни в коем случае. Я, конечно, понимаю, большая любовь требует доверия, но у нас случай особый, да и с любовью, как я понял, не все ясно.

— А можно подоходчивей?

— Можно. Герману об этом знать ни к чему.

— С какой стати?

— Чем меньше людей осведомлены о твоем расследовании, тем лучше для тебя и для расследования.

— А как мы в квартиру войдем?

— Уж как-нибудь.

— Квартира на втором этаже и... Ладно, где встречаемся?

— Сейчас подъеду. Выходи, только когда увидишь мою машину.

— Слушаюсь, — гаркнула я и перебралась ближе к окну.

Левандовский подъехал минут через десять. Я устроилась на сиденье рядом с ним и назвала адрес.

— Бабка события предвосхитила, или старший Купченко действительно твой любовник?

— Она тебе не рассказывала?

— О чем?

— Если совсем коротко: Арни был влюблен в меня, а я в Германа. Тот, в свою очередь, очень любил брата.

— И ты уехала в Питер.

— Да ты просто ясновидящий.

— Теперь вы встретились вновь, и вашему счастью ничто не мешает?

— Как сказать. Герман хотел женить брата на девушке с приданым. А тут как раз я...

— Младший наложил на себя руки, потому что жениться не хотел?

— Звучит ужасно глупо, но Герман готов в это поверить.

— А ты нет?

— А я — нет. Арни убит, и сделал это тот, кто свистнул деньги Кудрявцева.

Мы как раз въезжали в переулок. Осмотревшись, Левандовский приткнул машину в том месте, где вчера стоял джип носатого блондина.

— Ты видела этих типов? — когда я сообщила об этом, спросил ясновельможный.

— Только одного.

— Узнать сможешь?

— Думаю, смогу. А ты знаешь, где его искать?

— Боюсь, они тебя сами найдут.

— Похоже на запугивание.

— Сиди здесь. Номер квартиры твоего Арни?

— Пятая. Я иду с тобой.

— Там еще не убрали, скорей всего. А девушку должен пугать вид крови.

— Я хочу знать, что ты там найдешь.

— Что за недоверие, дорогая? Польский человек польского человека не обманет.

— Или мы идем вдвоем, или никто никуда не идет, — отрезала я.

— А я, в общем-то, никуда особо не стремлюсь. Это просто жест доброй воли.

— Ты опять начал заговариваться? Кстати, а как ты собираешься войти? Там домофон...

— Пани Зоська, у каждого домофона есть код...

— И ты его знаешь?

— Узнать его, когда на дворе двадцать первый век, проще простого.

— Боюсь, я и в двадцать втором не смогу.

— Зато ты красавица.

Он извлек из-под своего сиденья небольшую сумку.

— Детка, если нас заметут, будет нехорошо. Особенно тебе, потому что я, как истинный джентльмен, все свалю на тебя...

— Не сомневаюсь.

— И правильно. Поэтому я войду в квартиру, и если ничего скверного не произойдет, ты ко мне присоединишься. После того как я позвоню. Все ясно? Я пошел. — Он бросил мне на колени ключи от машины. — Не забудь на сигнализацию поставить. Да, самое главное. Если меня все-таки заметут, быстро сматываешься отсюда и ложишься на дно. Это надо понимать в переносном смысле.

— Интересно, все поляки такие болтуны?

— Откуда ж мне знать? Зато болтливость женщин не зависит от национальности. Поцелуешь меня на прощание? Вдруг не свидимся?

Я скривилась, он сделал ручкой и ушел. А я, провожая его взглядом, задалась вопросом: зачем, собственно, нам лезть в квартиру Арни? Что он там надеется найти? Взглянув на место преступления, сделает вывод: было это убийство или самоубийство? Куда надежней дождаться результата вскрытия. Темнит ясновельможный...

Не прошло и пяти минут, как он позвонил.

— Пше прошу, пани, — заявил весело и отключился.

Я бросилась к подъезду. Но во дворе меня ждал сюрприз. Прямо возле двери стояли две женщины, что-то эмоционально обсуждая. Двор оживленным не назовешь, и нате вам. Застонав от обиды, я вернулась в переулок, пока на меня внимания не обратили. Направилась в сторону машины, гадая, сколько тетки способны проболтать. Наконец одна из них покинула двор, а я заспешила к подъезду. Набрала цифру пять на домофоне, дверь открылась, и я на цыпочках, но весьма быстро поднялась на второй этаж. Дверь пятой квартиры была плотно закрыта, однако не заперта. Я вошла, прикрыла дверь, и тут же услышала тихий, но гневный голос: «Стоять!» — и замерла. Левандовский приблизился, протягивая мне бахилы и резиновые перчатки. Возле двери он предусмотрительно расстелил целлофан, на нем я в настоящий момент и стояла. Само собой, ясновельможный тоже был в бахилах, на руках резиновые перчатки.

— Что-нибудь нашел? — зашипела я.

— Ага.

— Что?

— Идем, покажу.

Мы направились к журнальному столику в гостиной. Левандовский опустился на колени и заглянул под стол. Я смотрела на него с сомнением: опять дурака валяет? А он шикнул:

— Чего ты стоишь?

Я опустилась на колени и сунула голову под стол. Но ничего не увидела, кроме пуговицы белого цвета, должно быть, от рубашки.

— Это улика? — зашептала я, теряясь в догадках.

— Не туда смотришь, — буркнул Левандовский и ткнул пальцем в столешницу. Поначалу я решила, там тоже пуговица, которую зачем-то приляпали то ли клеем, то ли скотчем. Но пуговица оказалась без дырочек, и это смутило.

— Что это? — шепнула я.

— Твоего Арни кто-то слушал. Скорее всего, те самые парни в машине. Расстояние подходящее.

— Зачем слушать Арни? Он же не шпион какой-нибудь?

Тут меня озарило, и я вылезла из-под стола с большой поспешностью.

— А если нас сейчас тоже слушают? Ворвутся сюда и...

— И мы узнаем, кто они такие.

— Перед смертью? Немедленно уходим.

— Я ведь предлагал: жди в машине.

Я переместилась ближе к входной двери, каждое мгновение ожидая злодеев, а Левандовский продолжил болтаться по квартире с приспособлением в руках неясного назначения. Впрочем, не так трудно догадаться, что это. Довольно быстро обнаружились еще два «жучка», так, кажется, это называется на шпионском сленге. Ясновельможный сообщил мне об этом, вроде бы чему-то радуясь. Все вопросы я решила оставить на потом, сейчас меня интересовала лишь дверь и возможные неприятности.

Наконец Левандовский убрал свое приспособление в сумку, но радовалась я рано. Уходить он не спешил. Вместо этого стал обыскивать квартиру. Причем делал это столь профессионально, что вновь возбудил наихудшие подозрения. Не иначе как правда шпион или вор-домушник.

— Нашел что-нибудь? — не выдержала я, сунув голову в кухню, где он в тот момент обретался.

— Счастья много не бывает, но наглеть не стоит, — ответил он.

— Это ты к чему?

— Научись довольствоваться малым.

В ванную он заглянул в последнюю очередь. И я зачем-то опять туда полезла. На самом-то деле я стояла в дверях, да и Левандовский дальше порога не продвинулся. Плиточный пол все еще залит кровью. Кровавые отпечатки ног вели в прихожую, зрелище не из приятных, но мертвый Арни на полу — еще хуже.

— Воды в ванной не было? — спросил меня Левандовский.

— По-моему, нет.

— Обычно люди предпочитают встречать кончину с удобствами. Лечь в ванну с теплой водой... ну, и так далее. Допустим, твой друг оригинал. Резал вены, стоя перед зеркалом. Поскользнулся и ударился головой о край ванны...

— Все было в обратной последовательности, — съязвила я. — Сначала его ударили по голове, а когда он потерял сознание, резали вены. И ждали, когда он кровью истечет.

— Твоя версия мне нравится больше. Если выяснится, что это убийство, надеюсь, тут все тщательно обыщут и поймут: убиенного держали под плотным наблюдением. А кому это нужно?

— Тому, кто Кудрявцева убил, — пожала я плечами. — Узнал о намерении безголовиков ограбить Витю и решил сам денежки прибрать. Вот и поставил прослушку. Возможно, мои друзья встречались здесь или обсуждали дела по телефону.

— Возможно, — кивнул Левандовский. — То есть ты уверена: Арни был в деле с самого начала?

— Ну да...

— И отправился к Кудрявцеву на своей машине?

— А на какой еще? Таксист бы нас запомнил. Наличие еще одной тачки Арни пришлось бы мне объяснять, а я девушка недоверчивая. Слушай, а можно узнать, откуда эти штуки? Надо полагать, достать их нелегко.

— К сожалению, подобные игрушки вовсе не редкость. Их оставили здесь, потому что они никуда не приведут. Но если смерть твоего друга собирались выдать за самоубийство, логично было бы их снять, не вызывая лишних вопросов.

— Они хотели, чтоб вопросы возникли? — насторожилась я.

— Пани Зоська, — расплылся в улыбке Левандовский. — А ты мне нравишься. Голова-то у тебя варит.

— Спасибо, пан Левандовский. Девушке редко кто говорит такое. Все красотка да красавица...

— Лучше быть красивой, чем умной, — хмыкнул он.

— В твоем случае так и есть, — съязвила я.

— Предлагаю еще один вариант, как демонстрацию своего ума и сообразительности... Догадываешься какой?

— Терпеть не могу викторины.

— Напрягись, не посрами предков...

— Каких еще предков?

— Польских, конечно. Стася говорит, мы самые умные.

— В семье не без урода.

— Ты чересчур самокритична...

— Они друг с другом не связаны, — вдруг выпалила я.

— Кто с кем?

— Тот, кто ставил «жучки», и кто убивал.

— Оригинально, — покивал он.

— Если квартира на прослушке, — не обращая на него внимания, продолжила я, — те, кто ставил «жучки», слышали, что здесь происходит. И знают, кто убил.

— Осталось их найти и спросить, — заявил он, а я вздохнула, однако от своей идеи отказаться не спешила.

— Ты говорил, они должны были находиться неподалеку? Получается, что убийцу они не только слышали, но и видели. Но преступление не предотвратили. Значит, смерть Арни им на руку.

— Я бы на их месте в квартиру все же заглянул и прослушку убрал.

— У них не было возможности...

— С чего вдруг? Нам-то ничто не помешало войти.

— Ага. Нас повяжут, когда будем выходить отсюда...

— Где ты нахваталась таких слов? Ладно, уходим. Гадать можно в любом другом месте.

Но покинуть квартиру удалось не сразу. Левандовский, выглянув в окно, обнаружил у подъезда возбужденных соседей, надо полагать, обсуждавших недавнюю трагедию. Среди них была одна из женщин, которую я уже видела, к ней прибавилось двое мужчин пенсионного возраста и девица.

— Похоже, весь подъезд в сборе, — прокомментировал ясновельможный.

— Ну и что? Уходим скорее...

— Если они все там, то откуда мы? — в своей заумной манере поинтересовался он, но смысл я уловила и пригорюнилась.

— А если Герман появится? Или кто-то еще?

— Встретим в дверях, обезвредим и сбежим.

За окном смеркалось, когда граждане наконец разошлись. Выждав еще минут десять, мы покинули квартиру. Я вышла первой, сдав ему бахилы и перчатки. Ждать его на лестничной клетке не было никаких сил, и я припустила на улицу, ожидая от судьбы любой пакости. Она не замедлила явиться, но совсем не та, что ожидалась.

Оказавшись во дворе и никого там не обнаружив, я воспряла духом и направилась к машине, но тут увидела женщину с пекинесом. Она шла во двор дома Арни, в чем не было никаких сомнений, а я припустила к детской площадке в надежде, что там меня в темноте не разглядеть. Женщина прогулялась по двору, поглядывая в сторону подъезда, а я испугалась: сейчас столкнется с Левандовским.

Далее произошло вот что: во двор въехала машина и припарковалась за детской площадкой. Женщина с пекинесом заспешила туда, а Левандовский вышел из подъезда и вроде бы не торопясь, но довольно быстро направился в переулок. Хозяйка уже болтала с приехавшей дамой лет сорока, обе в мою сторону не смотрели. Я решила, что самое время сматываться, и припустила с площадки. Левандовский как раз выходил со двора, и я едва не завопила. Дежавю: осенний сумрак и мужчина в арке... Вчера в этом самом дворе я видела ясновельможного. Никаких сомнений на этот счет не было. Слегка пошатываясь, я подошла к «Гелендвагену».

— Где тебя носит?— спросил Марк Владиславович.

— Тетка с пекинесом, — пробормотала я. — Видела меня вчера. Сматываемся отсюда.

— Ты по-прежнему глуха к мудрым советам? — спросил он по дороге.

— В Питер не поеду.

— А в какое-нибудь другое место?

— Тем более. С Валерой у нас мир, кого мне еще бояться?

— Того, кто считает, что ты в сговоре со своими друзьями и знаешь, где деньги.

— Гора сказал, деньги увели у него из-под носа...

— Кто ж ему поверит...

— Отстань от меня, — перешла я на крик. — У меня нервы... Хватит приключений и разговоров тоже хватит...

Он взглянул удивленно, но замолчал. Высадил меня у подъезда, и я сразу бросилась к Стасе.

— Что опять? — спросила она сурово, открыв мне дверь.

— В наших рядах шпион и мошенник. А может, даже убийца.

— Твой Герман на все способен.

— Да при чем здесь Герман? — заголосила я. — Я имею в виду вашего обожаемого шляхтича... — И торопливо поведала о неожиданном открытии.

— Ты все это выдумала, чтобы замуж не идти, — заявила Стася.

— Чем у вас голова забита? Говорю вам, он втерся в доверие...

— Будешь большой дурой, если его упустишь, — не слушая меня, продолжала Станислава-Августа. — Все расчудесно складывалось, так нет, ей что-то там привиделось.

— Я вас предупреждала! — погрозила я пальцем перед ее носом, но особого эффекта не достигла.

Уже в своей квартире я выпила три чашки чая и постаралась успокоиться. Теперь совершенно ясно: Левандовский втерся в доверие не просто так, а с коварной целью. Может, он не убийца, очень не хотелось думать о нем такое, но склонность к мордобою, оружие и способность легко проникать в чужие квартиры, скорее, говорят «за», чем «против».

Схватив планшет, я забила в поисковую строку его фамилию и получила штук двадцать ссылок. После вздоха облегчения (он действительно оказался адвокатом) сомнения вновь одолели. Общий тон статей свидетельствовал о том, что в правоохранительных органах ясновельможного не особо жаловали. Его подопечные явно не зря тратили на него деньги, что само по себе неплохо. Вопрос, кем были его подопечные? На одной из фотографий Левандовский стоял рядом с очень неприятным дядей, ниже подпись: «Адвокат Серова заявил, достаточных оснований для обвинения нет». Я начала читать статью, но тут позвонил Герман.

— Ты у себя и с включенным мобильным? — недовольно спросил он.

— Как мама? — попыталась я уйти от данной темы.

— Лучше. Новости есть?

— Что ты имеешь в виду?

— Ну... может, Горе объявился. Или Ирка.

— Я вот что подумала. Если Егор не сбежал из города и мастерская до сих пор его убежище, ближе к ночи он там должен появиться.

— Одна к нему соваться не смей, — отрезал Герман в привычной начальственной манере. — Я не могу оставить мать. Горой займемся завтра, обещаю.

Мы простились, а я подумала: если Гора узнает о гибели бывшего друга, поспешит унести отсюда ноги. Я очень сомневалась, что он имеет отношение к убийству Арни. Скорее по инерции, набрала номер Стычкина и немного послушала гудки. А буквально через пару минут пришло сообщение. «Не звони, я не один». От неожиданности я едва вновь не нажала кнопку вызова. А потом попыталась решить, как заставить его со мной встретиться. Пока думала, пришло еще смс. «Что за важные сведения?» «У меня терпения не хватит обо всем писать, — напечатала я. — Давай встретимся и поговорим». — «Когда?» — «Хоть сейчас». Ответа пришлось ждать минут десять, я уже решила, что вовсе его не дождусь, тут раздался сигнал, и я прочитала: «Через час на нашем месте, возле пожарки», я ответила «Ок». А потом задумалась. Стоит рассказывать об этом Герману? Делать этого очень не хотелось. Он наверняка будет против того, чтобы я отправилась на встречу одна. Долг сына в такое время быть рядом с матерью, и я поставлю его в крайне затруднительное положение. Гора, увидев Купченко, точно не обрадуется и, скорее всего, просто сбежит. Даже если нет, доверительного разговора не получится. К Герману Егор всегда относился с опаской, а узнав о гибели Арни... С другой стороны, отправляться одной все-таки не хотелось. Один раз друзья-безголовики меня уже подставили. Первым на ум пришел Левандовский. Но его кандидатура была тут же отвергнута. Возможно, как раз он и есть главный злодей, а я с ним в разведку. Других кандидатов нет. Не Стасю же с собой тащить?

Время шло, идей не наблюдалось. Пора было решать: идти на встречу или нет? Чертыхнувшись, я начала сборы. Надела джинсы, кроссовки и ветровку. Присела на дорожку. И, вздохнув, покинула квартиру.

На улице я почувствовала себя куда спокойнее, может, потому, что решение уже приняла. Старая пожарка всего в двух кварталах от моего дома. Я, признаться, удивилась, что ее до сих пор не снесли. Еще во времена моего детства ее уже закрыли, здание стояло с заколоченными окнами, но тренировочную вышку во дворе использовали. Территория пожарки вплотную примыкала к заводской свалке и была отделена от нее забором. Он не являлся для нас препятствием, а свалку мы обожали. Здесь было столько сокровищ, точно в пещере Али-Бабы. Само собой, сокровищами они являлись только для нас. Мальчишки построили хибарку ближе к забору, и летом мы проводили там большую часть своего времени, надежно скрытые от посторонних глаз. Неужто хибара еще цела? Впрочем, сколотить новую не проблема. Очень может быть, теперь там Гора и прячется, решив, что в мастерской небезопасно.

Я свернула на соседнюю улицу и присвистнула. Пожарка исчезла. Теперь на этом месте строительная площадка. Бетонный забор, слева от ворот вывеска: «Строительство торгового центра», фотография макета и план. Все это меня мало интересовало. Потоптавшись у ворот и убедившись: строительство пока на стадии фундамента и ни одной души на стройке нет, я пошла вдоль забора, прикидывая, как попасть на свалку. Впрочем, теперь и ее существование вызывало сомнения.

Однако очень скоро забор кончился. Один из пролетов попросту убрали, чтобы машинам проще было подъезжать с этой стороны. Пройдя с десяток метров, я увидела деревянный заборчик, оставшийся с прежних времен, а в нем внушительную дыру. Свалкой до сих пор кто-то интересовался, то ли рабочие со стройки, то ли ребятня из соседних домов. Фундамент будущего торгового центра освещал фонарь, а вот свалка за забором тонула во мгле.

Я немного потопталась на месте, подумала, может, стоит позвонить дружку? Но вместо этого подошла вплотную к пролому и позвала:

— Гора, ты здесь?

— Чего ты орешь? — услышала я напряженный шепот и с облегчением полезла в дыру.

В то же мгновение грохнул выстрел, а я завизжала, совершенно не понимая, что происходит.

— Гора! — крикнула я, очень за него беспокоясь, но от мощного толчка в спину повалилась на землю, ткнувшись носом во что-то колючее. Хотела вновь заорать, но не смогла, гневный голос прошипел над ухом:

— Молчи, дура.

И я замерла, крайне озадаченная. Шипел, безусловно, Левандовский, и это он в настоящий момент лежал на мне, придавив к земле и лишая дыхания. Не успела я возмутиться по этому поводу, как он поднялся и тут же вновь грохнул выстрел, а потом еще и еще. Стреляли, разумеется, в нас. Стиснув уши ладонями, чтобы не оглохнуть, я лежала в полном обалдении, уже даже не пытаясь понять, что происходит.

Внезапно все стихло, над свалкой повисла тишина, а Левандовский пробормотал:

— У него патроны кончились.

— Это пожелание или факт? — пискнула я.

Ясновельможный резво поднялся и исчез в темноте, успев сказать:

— Жди здесь.

Вернулся он довольно быстро и скорбно сообщил:

— Ушел, гад. — Присел передо мной на корточки и с серьезной миной добавил: — С днем рождения, Зоська.

— У меня весной, — промычала я, отплевываясь и даже думать не желая о том, во что втоптал мою красоту Левандовский.

— Теперь еще и осенью. Надоело мне тебя спасать, — вздохнул он.

Я наконец-то поднялась, отряхнулась и ядовито спросила:

— Ты тут откуда?

— Шел за тобой от самого дома. Стася считает, ты способна на любую глупость, и она, как оказалось, права.

— Гора прислал смс, — начала я оправдываться, но Левандовский схватил меня за руку, спеша покинуть территорию свалки.

— Сейчас менты явятся, — пояснил он.

— Честному человеку бояться нечего, — ядовито заметила я.

— Вот спасибо. Имей в виду, больше я тебя спасать не стану. Ты хоть понимаешь, тебя хотели убить? Счастье, что он стрелок никудышный.

— Похоже, ты тоже не чемпион по стрельбе.

— Я хотел его догнать. Какой прок от трупа? Одно беспокойство. Его прятать надо...

— Почему прятать? — заволновалась я.

— Потому что нашим доблестным органам не нравится их находить.

— И много ты их спрятал?

— Вполне возможно, к ним сейчас еще один труп прибавится. Догадываешься чей?

Мы подошли к подъезду, я — со слабой надеждой, что здесь мы и простимся, но Левандовский поднялся со мной и позвонил в Стасину дверь. Старушка незамедлительно открыла, а он сказал, втолкнув меня в прихожую и входя сам:

— У нас проблема.

— Полицейские сирены я слышала, — кивнула Стася.

— Это лишь часть проблемы.

— В меня стреляли, — не без гордости сообщила я. Стася ахнула. А Левандовский гневно продолжил:

— Пани Станислава, ваша пани Зоська — безмозглая курица, позор на наши умные польские головы. Ведь только безмозглая курица потащится на свалку в одиннадцать вечера, потому что кто-то ей прислал смс.

— Неужто это Гора? — жалобно пробормотала я и залилась слезами: нервное напряжение дало себя знать.

— Деточка, не плачь, — заключая меня в объятия, сказала Стася. — Страшная угроза нависла над тобой, но мы не позволим... тьфу ты... Не плачь, Зоська, прорвемся.

— Боюсь, следующая угроза ее жизни будет исходить от меня, — сказал Левандовский с ухмылкой.

— Держите себя в руках, — попеняла Стася. А он продолжил:

— Зоська, это точно был Гора? Ты же слышала голос.

Я задумалась, а потом вновь заревела, на сей раз от отчаяния.

— Не знаю... Вроде бы... он не говорил, а шипел...

Ясновельможный чертыхнулся и заявил с ухмылкой:

— Меня чуть не пристрелили, а девчонка даже не моя клиентка.

— Вот именно, — вытирая слезы, сказала я. — Кто тебя просил вмешиваться?

Стася и Левандовский переглянулись, его ухмылка стала еще противнее.

— Если бы я не вмешался, лишился бы вашей небесной красоты...

— Только истинный поляк ради женщины легко рискует жизнью, — завела свою любимую песню старушка.

Левандовский заметно скривился, однако кивнул.

— Всегда рад. Зовите, не стесняйтесь.

— Если это Гора, — без перехода заявила я, — он, возможно, отправится в свое укрытие.

— То есть нам надлежит туда же отправиться? — уточнил Левандовский. — И в меня опять будут стрелять?

— Стреляли все-таки в меня, это во-первых. А во-вторых, подумай, как обойтись без стрельбы. Истинному поляку это раз плюнуть. Гора не знает, что я его выследила, риск минимальный. Идем или нет?

— Марк Владиславович, это ваш шанс завоевать ее бесконечную признательность, — сказала Стася и перекрестила его двумя перстами.

Сомневаюсь, что он очень нуждался в моей признательности. Когда мы покидали квартиру, вид у него был кислый.

— Ты в меня влюбился? — проявила я интерес, садясь в машину.

Левандовский поперхнулся, посмотрел так, точно у меня вторая голова вылезла, и спросил:

— С чего вдруг такой вопрос?

— Что за манера не отвечать прямо?

— Нет.

— Нет?

— Я не влюбился.

— Хорошо, что не врешь. Я все равно не поверю.

— И правильно.

— Почему? Я не в твоем вкусе?

— О логике ты, понятное дело, никогда не слышала?

— Это ты к чему?

— К твоим дурацким вопросам. Сначала ты говоришь, что в мою любовь не поверишь, потом интересуешься, почему я в тебя не влюбился.

— Не умничай, я прекрасно помню, что говорила. Непонятно, чего Стася так разошлась. Я подумала, это ты ей голову морочишь.

— Головы тут морочишь только ты. Завтра выкачу тебе такой счет, что мысли о моей влюбленности махом исчезнут.

— Как-то это не по-польски.

— Тогда молчи. Куда ехать? — опомнился он, а я сладенько улыбнулась.

— Кто тут говорил о логике? Сначала молчи, потом вопрос задаешь...

— Ответь на него и молчи.

Я объяснила, где укрывался Гора. Левандовский завел машину, и мы наконец тронулись с места. По дороге я время от времени ловила на себе его взгляд, ясновельможный казался раздраженным, создавалось впечатление, что ему очень хочется высказаться, однако он хоть и с трудом, но сдерживается. А я подумала: надо как-то расположить его к себе. В надежде, что он выболтает все страшные тайны. Глупость, конечно. И свои не выболтает, и о моих узнает, чего доброго. После стрельбы на свалке я понятия не имела, как относиться к Левандовскому: с одной стороны, он меня спас, рискуя жизнью, между прочим. С другой — тип он мутный, и после моего чудесного спасения яснее для меня не стал. Он точно был во дворе дома Арни тем вечером и запросто мог оказаться убийцей. Ужас как не хотелось думать о нем такое. Но то, что он терпел нас со Стасей и до сих пор не сбежал, скорее, подтверждало его вину, чем освобождало от подозрений. И меня спас, потому что я ему нужна для каких-то целей. А может, Стася в кои-то веки права, и он, как истинный поляк, бросился спасать женщину? «Как последний дурак» в нашем случае прозвучало бы куда естественнее.

В общем, я ему не доверяла, но очень хотела выведать его тайны. Для этого проще всего прикинуться влюбленной. Может, взять его за руку? Я положила свою руку поверх его руки и улыбнулась.

— Что? — спросил он сурово, но руку не убрал.

— Ты меня спас.

— Дурака свалял.

— Я серьезно. До меня только сейчас дошло, как скверно все могло обернуться...

— Ну, все-таки дошло... — пожал он плечами.

— Спасибо тебе, — с чувством заявила я.

— Что ты затеяла? — нахмурился он.

— В каком смысле?

— В смысле странных перемен в поведении? Похоже, на уме у тебя какая-то пакость.

— Вот идиот, — покачала я головой. — Ты меня спас. У меня возник к тебе интерес. Это естественно.

— Как для кого. Не сунулся бы, и одной головной болью стало бы меньше. Это все Стася. Не могу отказать старушке. Воспитание. — Он страдальчески вздохнул и добавил: — Ты бы лучше подумала, с какой стати твоему Горе в тебя стрелять.

— Он решил, я что-то разнюхала, — вздохнула я, тема оказалась весьма болезненной. — Я ему писала, что у меня есть сведения...

— Врала, по обыкновению?

— Я — честная девушка. Почти не вру. Если только для дела. А рассказать я хотела об Арни и еще о дружбе Ирки с Валерой.

— А они дружат?

— Похоже, да.

— И Гора решил с перепуга тебя застрелить.

— Сам бы вряд ли до такого додумался, — снова вздохнула я. — Может, Ирка и смогла бы его убедить, но...

— Он был сильно расстроен и промазал? — Левандовский усмехнулся и добавил: — У меня другая версия.

Но свой рассказ он отложил на потом. Мы подъехали к церкви, оставили здесь машину и начали спуск в овраг, пройдя вдоль забора примерно метров пятьдесят. Из мастерской нас вряд ли увидишь. Левандовский шел впереди, я оступилась и едва не упала. Он успел меня подхватить.

— Я не нарочно, — честно предупредила я, глядя на него снизу вверх, свет фонаря с трудом доходил сюда, образуя на его лице причудливые тени.

Мы стояли слишком близко друг к другу, и я некстати подумала: он мог бы меня поцеловать. Все-таки большое свинство, если он в этой истории персонаж отрицательный.

— Не кокетничай со мной, — буркнул он. — Поляки привязчивые. И что ты будешь с этим делать?

Он отстранился и начал спуск, правда, все еще держа меня за руку. Я не нашла достойного ответа и промолчала. Еще находясь у церкви, мы видели, что ни в одном из окон мастерской, обращенных в нашу сторону, свет не горит. А теперь, подойдя вплотную, убедились: и с другой стороны окна темные. Маловероятно, что Гора спит, возможно, он еще не вернулся.

— Устроим засаду? — предложила я.

Левандовский ничего не ответил, направился к двери, я за ним. Он подергал навесной замок, а я заглянула в окно той самой комнаты, где в прошлый раз видела Гору. Окно было завешено плотной тканью, не шторой, скорее покрывалом или тонким одеялом. Наверное, друг детства не хотел привлекать внимания к тому, что по вечерам в мастерской горит свет.

Левандовский все еще стоял возле двери и возился с замком, а я вспомнила о его навыках взломщика и мысленно чертыхнулась. Нет, законопослушные адвокаты так себя не ведут. Он снял замок и вопросительно взглянул на меня, а я зашептала:

— Устроим засаду в доме. Ты войдешь, я запру замок, чтобы он ничего не заподозрил, а потом влезу в окно.

— Гениально, — в ответ шепнул он. — Но для начала просто осмотримся, — и распахнул дверь.

Я только головой покачала. А если Гора вернется как раз в это самое время? Закон подлости еще никто не отменял. Не успела я выразить свою мысль словами, как Левандовский щелкнул выключателем. Я зажмурилась от яркого света и зашипела:

— Ты с ума сошел? Он же увидит свет...

Не слушая меня, Левандовский направился к ближайшей комнате, заглянул в нее и пошел дальше, от двери к двери.

— Ты уверен, что он сюда не вернется? — спросила я. И тут же подумала: «А если Гора все-таки здесь? Затаился и сейчас начнет стрелять?» Замок на двери мало что значит, мог навесить его, выбравшись в окно, а потом так же вернуться.

Левандовского это, кажется, совсем не заботило. Он вошел в комнату с телевизором и включил свет. На диване валялась толстовка, на полу неподалеку бутылка водки. Марк подошел, понюхал, отставил бутылку в сторону. Рядом с диваном табурет, деревянный, тяжелый, с массивными перекладинами для ног. Ясновельможного он неожиданно заинтересовал. Он присел перед ним на корточки и принялся внимательно разглядывать.

— Чем тебя увлек этот антиквариат? — не выдержала я.

Марк Владиславович не ответил и пошел в соседнюю комнату, где были свалены старые подрамники и прочий хлам, и зачем-то начал разгребать эту кучу. Интересно, что он там надеялся найти? Пропавшие деньги? Только я собралась съязвить по этому поводу, как вдруг увидела кроссовку, и не просто кроссовку, а обутую на чью-то ногу. В этом не осталось сомнений, потому что Левандовский ускорил темп, и теперь стало ясно: под грудой хлама лежит труп, живому человеку здесь, понятное дело, не место.

Я слабо охнула и привалилась к стене, но взгляд кое-что успел выхватить: темная футболка, джинсы, яркие кроссовки, бело-голубые. Я попыталась вспомнить, во что был одет Гора. Левандовский закончил свою работу и теперь с хмурым видом разглядывал труп.

— Это Гора? — пискнула я и неуверенно сделала пару шагов.

— Узнать его будет затруднительно, — ответил Марк. — Вместо лица кровавая каша. Не уверен, что тебе это надо видеть.

Я тут же попятилась.

— Посмотри на его руки, — попросила испуганно. И услышала в ответ:

— На левой нет мизинца.

— Это Гора, — всхлипнула я. — Мизинец в детстве собака откусила.

— Серьезно? — вроде бы не поверил ясновельможный, подхватил меня за локоть и вывел в коридор.

Я залилась слезами, Левандовский со вздохом привлек меня к себе. Наверное, опять не видел логики в моем поведении. Должно быть, ее и в самом деле нет. Гора вместе с подружкой втянул меня в скверную историю. Возможно, пытался убить совсем недавно, а я рыдаю от горя. Все так, но в тот момент я оплакивала невезучего мальчишку, с которым нас когда-то связывала дружба.

— Я, конечно, не судмедэксперт, но, похоже, убили его недавно. Скорее всего, уже ближе к вечеру. Так что стрелять в тебя он не мог. Убийца обнаружил твои смс в мобильном Горы и решил заодно и от тебя избавиться.

— Ты... догадывался? — Толком сформулировать свой вопрос не получилось, но Левандовский понял.

— Из того, что я знаю об этом парне... в общем, он бы сначала поговорил с тобой, хотя бы выяснил, действительно ли у тебя есть какие-то сведения. А этот сразу принялся стрелять. Очень рисковать не хотел. И, разумеется, не хотел, чтобы ты его видела.

— Потому что мы знакомы?

— Не обязательно. Просто был осторожен.

— Но... кто, по-твоему, убил Гору? Те же типы, что убили Арни?

Тут мне стало совсем нехорошо: Левандовский у меня на подозрении, возле дома Арни точно был он...

— Что ты делал сегодня вечером? — выпалила я.

— Тебя спасал. Неутомимо.

— А в перерыве?

— Что за идиотский вопрос? — нахмурился ясновельможный.

— Почему идиотский? Вполне естественный... — не сдавалась я, уже сообразив, какого дурака сваляла.

— Хороша благодарность за спасение! Она меня еще и подозревает. Любопытно, с какой стати? — разозлился он и потащил меня к выходу.

Когда он навесил замок, я наконец-то догадалась спросить:

— Мы что, не будем звонить в полицию?

— Я — не буду. А ты — пожалуйста. Не забудь рассказать и все остальное. Впрочем, если и забудешь, они непременно докопаются до главного. А главное у нас что? Ограбление Кудрявцева.

— Не запугивай меня, — огрызнулась я.

— Очень надо, — фыркнул он.

Я вытерла слезы и продолжила:

— Не могу я его там оставить, — вышло жалобно, хотя я к этому не стремилась. — Это не по-человечески как-то...

Левандовский некоторое время хмуро меня разглядывал.

— Завтра утром позвоню в полицию. Инкогнито. Знаешь такое слово?

— Это по-польски?

Он улыбнулся:

— Идем.

И мы направились к машине. Выглядел ясновельможный задумчивым. То ли появление очередного трупа на него так подействовало, то ли была еще причина. Мое беспокойное сознание тут же выдвинуло идею: он понял, что я его подозреваю, и теперь прикидывает, как от меня избавиться. А что? Он убил Гору, а потом инсценировал покушение на меня, чтобы влезть в доверие. А стрелял его сообщник. Ага. Стася, к примеру. Господи, какая чушь лезет в голову.

Всю обратную дорогу мы молчали, в подъезд Левандовский отправился вместе со мной. На мой вопросительный взгляд буркнул:

— Надеюсь, злодеи на сегодня угомонились. Сил больше нет тебя спасать.

Он первым вошел в квартиру, убедился, что обошлось без гостей, и уже собрался уходить, когда я сказала:

— Ты мог бы остаться?

Кажется, он опять поперхнулся, но быстро взял себя в руки.

— Это предложение провести незабываемую ночь любви? — спросил ехидно.

— Еще чего, — возмутилась я. — Просто... я немного боюсь.

Так и было, вот только я успела забыть, что бояться в первую очередь следовало его.

— Отправляйся к Стасе.

— Это не она в кладовке сидела?

— Н-да... зато вдвоем веселей.

Он огляделся, вроде бы что-то искал.

— Надеюсь, полотенце для меня найдется? Про тапочки не спрашиваю...

— Конечно, найдется, — засуетилась я. — И тапочки есть. От квартирантов остались...

Через полчаса мы пили чай, сидя в моей гостиной. Я принесла от Стаси шарлотку, а также мужской полосатый халат, с рассказом о гибели Горы решив повременить.

— Осталось от моего последнего увлечения, — передавая его мне, заявила старушка. — Бездна восхитительных воспоминаний.

— Непременно мне расскажете, — невероятно заинтересовалась я.

— Потом. Нельзя заставлять мужчину ждать. Они на это просто не способны. У меня есть шампанское и прекрасный крабовый салат.

— Стася, у нас не свидание.

— А что? Зоська, не будь дурой. Долой условности, — рявкнула она. — Жизнь дается только раз.

— Индусы с этим не согласны.

— Что они понимают. Кстати, об индусах. Может, возьмешь «Камасутру»?

— А у вас есть? — обалдела я.

— Конечно. В моем возрасте так мало плотских радостей. Сама подумай, не порнографию же мне смотреть.

— Не вижу разницы.

— Порнография — это не интеллигентно, — отрезала Стася и сунула мне в руки пластмассовую корзинку с шампанским, салатом и коробкой шоколадных конфет.

Нагруженная всем этим, я вернулась в свою квартиру. Левандовский в это время принимал душ. Я постучала и, когда он отозвался, крикнула, что Стася прислала ему халат — драгоценную реликвию, и повесила его на ручку двери. После непродолжительных размышлений я сунула шампанское и салат в холодильник, решив, что обойдемся шарлоткой. Чего доброго, ясновельможный и вправду решит, что я его соблазняю.

Разговор не особо клеился, наверное, из-за усталости, да и убийство Горы не располагало к болтовне. Левандовскому я постелила на диване в гостиной и отправилась в спальню. Дверь оставила приоткрытой, хотела знать, чем будет занят этот тип. Потом подумала, вдруг он расценит это как приглашение, чертыхнулась и собралась дверь закрыть, но тут же засомневалась: тогда он точно решит, что это было приглашение, которым он не воспользовался, и теперь я на это обиделась. В общем, полный кавардак в голове. К счастью, волнения этого дня даром не прошли и уснула я быстро.

Проснулась ближе к утру, вспомнила про Левандовского, в первое мгновение решив, что все мне попросту приснилось, и заглянула в гостиную. Он спал, отвернувшись к стене, я почувствовала что-то вроде умиления, и тут рука его скользнула под подушку и там замерла, а я потрусила к себе, уверенная: под подушкой у него оружие.

Разбудила меня Стася, грохоча в кухне посудой.

— Левандовский ушел? — появляясь там и вместо ясновельможного обнаружив соседку, спросила я с некоторой досадой.

— Меня это не удивляет, — ответила Стася и поджала губы.

— Вы его видели?

— Зашел ко мне. Выглядел глубоко несчастным.

— С чего вдруг?

— Когда разбиваются надежды... Зоська, ты дура.

— Вы повторяетесь.

— Если это из-за твоего Геры... Помяни мое слово, только зря на него время потратишь. Он скверный тип.

— Ваш шляхтич не лучше. Я же вам говорила...

Стася досадливо махнула рукой:

— Глупости. У меня чутье на людей. Еще никому не удавалось заморочить мне голову. Хотя был один парикмахер, из Херсона. Но у него тоже ничего не вышло.

— Оказывается, у вас весьма насыщенная жизнь.

— Я очень старалась, милая. Запомни главное: Геру — вон из головы и из сердца. Пан Левандовский мне про Гору рассказал, — вздохнула она. — Смотри, Зоська, что творится...

Как раз в этот момент в дверь позвонили, я поспешно открыла, почему-то решив, что вернулся Левандовский, и, увидев Германа, слегка растерялась.

— Привет, — сказал он, вошел и потянулся ко мне, но, заметив появившуюся из кухни Стасю, ограничился легким поцелуем в щеку.

— Помяни черта, и он тут как тут, — буркнула старушка и поплыла мимо нас со своей корзиной в руках.

— Шампанское... — улыбнулся Герман, в тщетной надежде наладить контакт.

— Ага, только не для тебя припасли.

Стася скрылась за дверью. А Герман пожал плечами:

— Она нас всегда недолюбливала...

Я вспомнила о разобранном диване и занервничала. Отправила Германа в кухню, а сама кинулась в гостиную. Постельное белье сложено, лежит на подлокотнике, диван в образцовом порядке. Сунув белье в ящик шкафа, я присоединилась к Гере. Странная манера являться, не предупредив. А если бы он застал здесь Левандовского? Ну и что такого? Во-первых, мне нечего скрывать; во-вторых, я свободна от каких-либо обязательств.

Лишь только я вошла в кухню, Герман заключил меня в объятия. Поцелуй был долгим и страстным. Раньше у меня от его поцелуев голова шла кругом и подгибались ноги, надо полагать, от счастья. А теперь... что-то не так. И в этот момент я с удивлением поняла: прошлое вдруг перестало иметь значение. Плевать я хотела на то, что было. Герман не имел никакой власти надо мной, я физически ощущала освобождение, как будто чувствовала, как рвутся путы с громким свистом. И лихорадочно пыталась решить: неужто это из-за Левандовского? Господи, да при чем здесь ясновельможный? Или все-таки при чем? А может, все еще хуже, и никакой любви к старшему Купченко не было, а была лишь обида, которая не давала покоя, и теперь, когда Герман готов все вернуть, он мне стал неинтересен?

Занятая этими мыслями, я позволила ему увлечься, но некоторая заторможенность с моей стороны и Геру навела на кое-какие мысли.

— Что-то не так? — отстраняясь, спросил он.

Ответ на этот вопрос я пока не нашла и, сообразив, что в такой ситуации лучше обойтись слезами, аккуратно заплакала.

— В чем дело, милая? — прошептал он, целуя мою мокрую щеку, и от ласкового голоса, от его рук на моем теле тут же возникло чувство, будто мы фантастическим образом перенеслись на несколько лет назад и не было расставания, горьких ночей без него, но это чувство теперь вызывало раздражение.

«Любовь прошла, завяли помидоры», — мысленно скривилась я. Вот она, судьба-волшебница: я дни напролет мечтала, как все вдруг вернется, все вернулось, но мне теперь это на фиг не надо. Мечты стоит формулировать как-то иначе, не то бог знает что получается.

В общем, плакала я уже по-настоящему, по своим угасшим мечтам. Герман смотрел на меня в легком недоумении, и я поспешно сказала:

— Все эти годы я старательно убеждала себя, что ты мне безразличен, — фраза не из лучших, но произнесла я ее вполне на уровне: с грустью и долей трагизма — намек на мои душевные раны.

— Прости, — с чувством шепнул Герман.

— Конечно, — улыбнулась я, ловко вывернувшись из его рук. — Дай мне время.

Такое развитие сценария Германа явно сбило с толку, он кивнул и тоже поспешил улыбнуться, а потом, точно спохватившись, заговорил:

— Я все понимаю, милая. Ты видела во мне врага все эти годы...

— Глупости. Я просто хотела забыть тебя. Как страшный сон. И боялась сюда возвращаться. Не зря боялась.

— Теперь все это позади, — утешил он.

— Хочешь кофе? — предложила я.

Он хотел в постель, это было так же ясно, как то, что я туда сейчас точно не собираюсь. Однако изменения в сценарии принял стоически.

— С удовольствием. Не возражаешь, если я сам его приготовлю? Помнится, кулинаркой ты была никудышной.

«Вот спасибо», — подумала я, весело хихикнув.

Он занял место у плиты, а я устроилась на подоконнике.

— Новости есть? — спросила, наблюдая за Германом.

— Ты имеешь в виду Арни? Нет, — он нахмурился и едва заметно вздохнул. — Я вчера много размышлял над этой историей. Сомневаюсь, что Горе убил моего брата. Возможно, я просто сентиментальный идиот, но... не тот он парень.

— Согласна, — кивнула я и опять едва не заревела, вспомнив, что Горы больше нет.

— Но ему, безусловно, что-то известно.

— Хочешь поехать к нему?

— Вчера мы его не застали, может, сегодня повезет.

Вот тут я задумалась: стоит рассказать о смерти Горы или нет? Вроде бы ответ очевиден — да. Но если я расскажу о трупе в мастерской, придется объяснить, почему я туда отправилась, и поведать о стрельбе за пожаркой, а значит, рассказать о Левандовском. Вот уж чего я совсем не хотела. Герман жутко ревнив («как всякий собственник», — подумала я с неприязнью), наши доверительные отношения это точно не укрепит. Пока я не понимаю, какую роль во всем происходящем играет Левандовский, лучше Герману вообще о нем не знать.

Гера поставил на стол две чашки кофе и дурашливо поклонился:

— Прошу.

Я спрыгнула с подоконника, и мы устроились за столом напротив друг друга. Я тревожно поглядывала в окно. Вдруг ясновельможный вернется не ко времени? Эта мысль очень быстро вытеснила все остальные.

— Поехали в мастерскую.

Герман, несколько удивленный моей поспешностью, поднялся.

— Буду готова через пять минут, — мурлыкнула я и отправилась переодеваться. За время моего отсутствия он вымыл посуду, ранее вещь неслыханная, и теперь подпирал стену в прихожей. Выглядел грустным, это я отметила с недостойным интеллигентной девушки злорадством. И тут же себя одернула: он мог грустить не из-за меня. У человека брат погиб...

— Идем? — спросил он неуверенно.

— Идем, — кивнула я.

Он ухватил меня за подбородок, заглянул в глаза. А я выдержала его взгляд без всякого смущения. «Нисколечко это на меня не действует», — очень хотелось сказать мне.

— Неужели я тебя потерял? — шепнул он. Я провела рукой по его волосам и ответила:

— Я успела забыть, каким милым ты можешь быть, когда хочешь.

Мы слились в поцелуе, и очень скоро стало ясно: Герман не прочь остаться, но я, выпорхнув из его объятий, поспешила открыть дверь.

— Хочешь меня помучить? — усмехнулся он, переступая через порог. — Ладно, так и быть. Заслужил.

— Как-нибудь на досуге я расскажу тебе о своих страданиях.

— Лучше б ты рассказала, как любишь меня.

— А это не одно и то же?

— Детка, нам не пора ли жить долго и счастливо? — засмеялся он.

Тут распахнулась Стасина дверь, и старушенция сурово спросила:

— Куда ты отправилась с этим проходимцем?

— Вы что-нибудь слышали о неприкосновенности частной жизни? — с серьезной миной поинтересовалась я.

Дверь Стася тут же захлопнула, но, несмотря на вопрос и демонстрацию недовольства, она, скорее, радовалась: в моей квартире Герман задержался недолго, а приди нам охота вспомнить былое, мы бы там на сутки зависли. Стасе ли не знать этого с ее огромным сексуальным опытом.

Подъезжая к церкви, мы обратили внимание на необычное оживление. Возле оврага толпился народ, должно быть, любопытные прохожие. Чуть дальше стояли машины, одна с надписью «полиция» на борту.

— Черт, — выругался Герман, тревожно взглянув на меня. Догадаться о том, что происходит, было не сложно, но ставить Германа в известность о нашей вчерашней находке я по-прежнему не хотела и изобразила недоумение.

Мы присоединились к любопытным гражданам и теперь смогли наблюдать, как внизу снуют люди в форме, дверь в мастерскую распахнута настежь, вокруг здания заградительные ленты.

— Что случилось? — спросила я стоявшего рядом со мной парня.

— Труп нашли.

— Убийство?

— Кто ж знает.

Герман, взяв меня за руку, повел к машине.

— Это Гора? — спросила я, он пожал плечами.

— Необязательно.

— Я уверена, это Гора. Сначала твой брат, теперь он... Ирка на звонки не отвечает. А если ее тоже убили?

— Не глупи. Мы еще даже не знаем, Гора это или нет.

Я-то как раз знала, и мысль о том, что из четверых безголовиков в живых, возможно, осталась лишь я, звучала все настойчивее. Очень может быть, на подругу я злилась напрасно, на мои звонки ответить она просто не в состоянии.

— Кто, по-твоему, мог убить Гору? — вздохнула я, садясь в машину. А Герман поморщился:

— Не хорони его раньше времени.

— И все же? Кто-то ищет похищенные деньги? — Я тут же подумала о Валере. Не удивлюсь, если вскоре он вновь появится в моей жизни. Чего бы очень не хотелось.

— Прости, меня куда больше интересует, кто убил моего брата.

— Но это, безусловно, один и тот же человек. Или люди.

Герман вновь не мог скрыть раздражения.

— Допустим, моего брата связали с ограблением Кудрявцева. Но зачем его убивать?

— Кто-то заметает следы. Арни знал нечто такое...

— Опять одно гадание. Надеюсь, полицейские разберутся.

Тут у него зазвонил мобильный, он ответил, а закончив разговор, сообщил:

— Меня к следователю вызывают.

— Если твоего брата убили, в чем я не сомневаюсь, мы должны обо всем рассказать.

— Я не собираюсь впутывать тебя во все это, — отмахнулся он.

— Как это не собираешься?

— А вот так. Не хватало только, чтобы тебя обвинили в соучастии в ограблении. — Он взглянул на

часы. — Через час я должен быть у следователя. Отвезти тебя домой?

— У нас еще есть время все обсудить, — не отставала я.

— Что обсуждать? Ты от меня ничего не скрыва-
ешь? — хмуро спросил он. — Может, тебе известно
об ограблении куда больше? Оттого ты так уверена...

— Клянусь, я знаю только то, что уже рассказала, — перебила я Германа.

— Может, Гора о чем-то проболтался? Или Ирка?

— Я сто раз вспоминала наши разговоры: ничего
такого...

— Тогда с чего ты взяла, что Арни убили из-за
ограбления?

— Но как же... — растерялась я. — Это ведь оче-
видно.

— Да? Для меня нет. В общем, так: остаешься ты
или уезжаешь, главное — не высовывайся. Может,
зря мы волну поднимаем, — вздохнул он. — И Арни
сам... вот уж не знаю, что для меня хуже.

— Ты не виноват, — начала я, он нетерпеливо
снова отмахнулся.

— Детка, я взрослый мужик, не надо меня пич-
кать прописными истинами. Отвезти тебя домой?

Немного подумав, я головой покачала:

— Зайду в церковь. Позвонишь мне, как освободишься?

— Конечно.

Я потянулась к нему с поцелуем, он, точно опомнившись, быстро меня поцеловал и вскоре уехал.
А я отправилась в церковь. Поставила свечку за
упокой души новопреставленного Егора и немного
постояла в уголке в надежде на озарение. Его не последовало. С моей точки зрения, все еще больше за-

путалось. Выйдя на улицу, я набрала номер Левандовского.

— Что еще? — спросил он недовольно.

— Гору нашли.

— Естественно, я ведь позвонил еще утром.

— Не называя себя?

— Конечно, не называя. Звонил из автомата. У тебя все?

— Чем ты недоволен? — ворчливо осведомилась я.

— Жизнью. Пани Зоська, вы не поверите, но иногда мне приходится работать. Вот как сейчас. И я терпеть не могу, когда мне мешают.

— Левандовский, я вам что, совсем не нравлюсь? — возмутилась я.

— Иисус сладчайший! — пропел он, пародируя Стасю. — Что в тебе хорошего?

— Ну... не знаю. Может, ты приглядишься получше?

— Может. Но сейчас я занят.

— Понятно. А доброе дело ты мог бы сделать?

— Какое?

— Узнать адрес домработницы Кудрявцева.

— И как я должен это сделать? — ехидно спросил он.

— Я думала, ты можешь все.

— Ты не производишь впечатление девушки, которой есть чем думать.

Он отключился, а я чертыхнулась. «На что я трачу свой отпуск?» — в гневе подумала я, и тут же стало стыдно. Двое моих друзей мертвы, очень может быть, Ирки тоже нет, а я беспокоюсь об отпуске. Я бродила по улицам в большой печали до тех пор, пока не пришло сообщение от Левандовского. «Улица

Спортивная, д. 6, кв. 4. Крутикова Татьяна Евгеньевна», — прочитала я. Мог бы еще что-нибудь добавить. «Пока», например. Что мне от этого «пока»? Главное, у меня есть адрес.

Набрав номер квартиры на домофоне, я услышала детский голосок:

— Кто там?

— Извините, Татьяна Евгеньевна дома?

Больше вопросов не последовало, я бегом поднялась на второй этаж, возле приоткрытой двери стояла девчушка лет восьми и внимательно меня разглядывала.

— Бабушка, — не оборачиваясь, позвала она, и в прихожей появилась женщина в цветастом платье и переднике, волосы спрятаны под косынку, руки она держала перед собой, они были в муке. Я сунула ей под нос приготовленное заранее удостоверение.

— Вы из полиции, что ли? — нахмурилась она.

— Я — журналист.

— Я думала, удостоверения только у полицейских. Заходите, если пришли.

Она отправилась в кухню, я за ней. На столе стоял противень с пирогами.

— Мне тут доделать надо, — сказала Татьяна Евгеньевна и принялась смазывать пироги взбитым яйцом.

Девчушка устроилась на табурете. Татьяна добродушно прикрикнула:

— Брысь отсюда... — и девочка неохотно ушла. — Не надоело вам? — спросила хозяйка, отправляя пироги в духовку.

— Журналисты у вас уже были?

— Были. Хоть бы головой своей подумали: ну чего я знаю? Да ничего. У хозяев своя жизнь... Елена мне отпуск дала. На неделю. Вот я и стряпаю. Внучку порадую. А то все некогда.

— Елена — это хозяйка?

— Ага. Елена Владимировна.

— Она сейчас где, не знаете?

— Да вроде уезжать не собиралась. Куда ехать, если завтра похороны?

— Завтра? — переспросила я. — Значит, она в своем загородном доме?

— Я бы там ни в жизнь не осталась после такого... наверное, есть какая-нибудь родня, приютили.

— То есть вы из родственников ни с кем не знакомы?

— К ним вообще редко кто заглядывал, — пожала Татьяна плечами. — Хотя наверняка не скажу. Я ведь в шесть обычно уходила, чем они вечером занимались, да кто к ним ходил...

— Следователи вопросами замучили? — посочувствовала я.

— Не особо. Я ж говорю, какой с меня спрос? Пришла, убралась, сготовила чего надо и ушла...

— Давно вы у них работали?

— В декабре год будет. Уж не знаю, какие у Елены планы, может, придется новое место подыскивать.

— У хозяйки, кажется, со здоровьем неважно?

— Ага. По полдня в постели лежит. Встанет, поклюет чего-нибудь на кухне, и опять в кровать. Летом на качелях спит. Только диву даешься, как бока-то не отлежала. — В голосе Татьяны чувствовалось раздражение, вряд ли она испытывала симпатию к хозяйке.

— А что у нее за болезнь?

— Сердце, давление, вроде инфаркт был... не знаю.

— Вы с ней на эту тему не говорили?

— Нет. Мы вообще не больно разговаривали, так, по хозяйству что спрошу, она ответит.

— То есть дружеских отношений не возникло?

— Какая же дружба, если она мне деньги платит? А мне, значит, надо угождать. Ты не подумай, я ничего плохого про нее сказать не хочу, она баба неплохая. Платили исправно, лишней работой не загружали. Чего мне еще нужно?

— А покойный хозяин как вам?

— Витька-то? — переспросила она. — Потаскун... — тут она едва не подпрыгнула. — Вот ведь дура, распустила язык. Еще места лишусь...

— Не беспокойтесь, — заверила я. — Если хотите, я статью сначала вам покажу. Меня интересует личная жизнь Кудрявцева и его супруги, но я не стану сообщать, от кого сведения. Обойдусь словами: по мнению лиц, хорошо знавших семью...

— До чего вы, журналисты, хитрющие.

— Вам за интервью оплата положена, — ввернула я. — Правда, небольшая. — Покопалась в сумке и протянула Татьяне две банкноты. Она смотрела на них, вроде бы не решаясь взять, но взяла и быстро убрала в карман передника.

— Внучке на подарок. Только я об их жизни мало что знаю...

— Вы сказали, что Виктор Васильевич был...

— Потаскун, — с готовностью кивнула она. — Все так.

— Какие-то слухи до вас доходили?

— Да какие слухи? Он Ленку свою в санаторий отправит, и понеслась душа в рай. Девок в дом таскал.

Приеду с утра, а под кроватью то лифчик, то в пепельнице окурки с губной помадой. Еще презервативы тут же бросит, свинья такая, а мне убирай. Вот что значит деньги: не будь их, кто на него взглянул бы? А с деньгами — король, да и только. Еще и выбирал помоложе.

— Вы кого-то из них видели?

— Одну видела. Задержалась как-то с уборкой, а он с ней притащился.

Очень скоро выяснилось, говорит Татьяна, судя по всему, о моей подружке детства.

— Совершенно наглая девка. Хоть бы смутилась. Куда там. И ему хоть бы что. Сказал только: «побыстрее заканчивай и иди».

— Елена о его увлечениях знала?

— Увлечения, — хмыкнула домработница. — Говорю: потаскун. Знала, наверное. Как не знать. Но, видать, терпела.

— При вас они не ссорились?

— Никогда. Он к ней всегда уважительно относился. Ни в жизнь бы не подумала, что изменяет. «Леночка... Котеночек...» — передразнила она. — Я, знаешь, что думаю: виноватой она себя считала, что детей у них нет. Вот и закрывала глаза на его паскудства.

— Елене сколько лет? — спросила я.

— Она точно вобла сушеная, поди разберись. Лет сорок пять, должно быть. Весной двадцать пять лет совместной жизни отмечали, то есть хотели. Ресторан заказали... А накануне она слегла, и отмечали вдвоем. У камина.

— Может, ей просто хотелось побыть с ним наедине?

— Может. Только почто тогда деньги на ресторан тратить? По мне, баба она взбалмошная. Лежит-лежит, а потом раз — и за границу усвищет. В санаторий. Наши санатории не уважает. Может, там ей легче было, может, даже совсем хорошо.

— Что вы имеете в виду? — насторожилась я.

— Она ведь муженька своего лет на пятнадцать моложе. Я-то знаю их совсем ничего, и что там раньше было...

Я изобразила недоумение, вроде теряясь в догадках. Татьяна вздохнула:

— Вот, смотри. Бабе за сорок, больная-пребольная. Муж пылинки сдувает, но девок таскает прямо в дом.

— Думал, ей недолго осталось? Разводиться не хотел, но радостей себя не лишал?

— То-то, радостей... Я в шкафу разбиралась, в гардеробной, в ящике ее бельишко лежит, нижнее. Я белье когда выглажу, сверху положу, и все. А тут разобраться решила...

— И что нашли? — поторопила я.

— Белье и нашла. Да такое... прости господи... девка молодая не всякая наденет. Как их...

— Стринги, — подсказала я.

— Ага. Все в кружевах. И лифчики вроде этих стрингов... Правда, ей и прикрывать особо нечего. Но сама подумай...

— Может, она мужа порадовать хотела? — предположила я.

— Может. Только сдается мне, муженек это ее бельишко не видел ни разу. Перед ним она все больше умирает. Вот тогда я и подумала... — Татьяна сделала паузу, словно прикидывая, стоит ли продолжать, и вдруг рукой махнула. А я, понижая голос, сказала:

— Елена смотрела на шашни мужа сквозь пальцы, потому что у нее кто-то был?

— Был или нет, не скажу. Ни разу при мне даже не звонил никто. Да и не стала бы она здесь... если только в санаториях своих...

— Так о чем же вы тогда подумали? — не отставала я.

— Терпеть она своего Витю не могла, вот о чем. И к себе не подпускала, болезни придумав. Оттого и шлялся.

«Смелое заявление», — решила я и вновь полезла с вопросами. Но ничего интересного Татьяна более не сказала. Выходило, что подозрения ее ни на чем не основаны. Эротическое белье женщины часто покупают, чтобы просто себя порадовать, не обязательно для любовника.

Покинув квартиру Татьяны, я собралась звонить Левандовскому с еще одной просьбой: узнать, где сейчас живет вдова Кудрявцева. Но тут объявился Герман, и мои планы изменились.

— Что сказал следователь? — торопливо спросила я, ответив на звонок.

— Ничего толкового. Говорил весьма обтекаемо. Вроде все указывает на самоубийство. Но что-то им не нравится.

— Ты сейчас свободен?

— Да. Ты дома? Могу подъехать.

Я объяснила, где нахожусь, Герман явился через несколько минут. Выглядел недовольным.

— Я думала, они всегда могут ответить на вопрос о причине смерти, — сказала я с сомнением. Он пожал плечами.

— Выходит, не всегда.

— Про то, что мы ездили с Арни к Кудрявцеву, ты промолчал?

— Конечно. Я же сказал, не хочу тебя впутывать.

— Так они никогда убийцу не найдут.

— Это и не убийство, — отмахнулся он.

Теперь стало ясно, что его беспокоит. Герман почти не сомневается: Арни вскрыл себе вены, и виноват в этом старший брат. Он вдруг обнял меня и прижал к себе.

— Уезжай, — сказал тихо, целуя мои волосы.

— Я не могу оставить тебя, — шепнула я в ответ.

— Знаешь, о чем я думаю? Лучше бы ты не возвращалась...

Я отстранилась и сказала, покачав головой:

— Что бы ты ни говорил, я уверена: Арни убили.

— Да кому это надо? — рявкнул он.

— Ясно кому, — не отступала я. — Убийца Кудрявцева убирает возможных свидетелей.

— Тогда странно, что ты до сих пор жива. Извини. — Он вновь обнял меня, а я предложила:

— Давай прокатимся в одно место.

— Куда?

— Хочу взглянуть на дом Кудрявцева.

— Не понимаю зачем.

— Я пока тоже. Но тебе ведь не сложно отвезти меня туда?

По дороге к поселку я рассказала Герману о своих подозрениях.

— По-твоему, у этой бабы был любовник, и это он кокнул Кудрявцева?

В этот момент нас лихо обогнал черный «Ленд Крузер». Водителя я увидеть не успела, зато обратила внимание на номера. Вне всякого сомнения, это джип Валеры; логично предположить, направляется он к вдове.

— Сворачивай здесь, — заголосила я, чем слегка напугала Германа. Он притормозил и спросил удивленно:

— В чем дело?

— Это Валера, начальник охраны в фирме Кудрявцева.

— И что?

— Сворачивай в лес, не стоит привлекать внимание.

Он свернул, и вскоре мы тормозили неподалеку от дома. Я бегом припустилась к зарослям туи. Герман шел за мной. О его недовольстве свидетельствовало выражение лица, однако он предпочел помалкивать, чем очень порадовал.

Подойдя вплотную к живой изгороди, я услышала женский голос:

— Я здесь!

Мне невероятно повезло, хозяйка не только находилась в своем загородном доме, она оказалась в трех шагах от меня. Сидела на качелях на лужайке за домом с бокалом вина в руке. Это я увидела, осторожно раздвинув ветви. Я стояла за спиной женщины и не особенно опасалась, что меня заметят. Вскоре появился Валера, подглядывать я уже не рискнула, ограничившись подслушиванием, что, разумеется, тоже не очень хорошо, но я себя мгновенно оправдала насущной необходимостью.

— Рада тебя видеть, дорогой, — пропела Елена.

— Не очень хорошая идея оставаться здесь, — ответил он довольно сдержанно.

— Глупости, я люблю этот дом и не собираюсь переезжать. Идем, я так соскучилась.

Судя по всему, они направились к веранде, и я рискнула раздвинуть ветви. Парочка поднималась по ступеням, и теперь я отлично видела обоих. Длинное темное платье подчеркивало худобу женщины, но изможденной болезнью она отнюдь не выглядела.

Каштановые волосы торчали во все стороны тугими пружинками мелких кудряшек. На лице толстый слой косметики. Если бы не наведенный румянец, Елену можно было принять за актрису немого кино. Она была старше Валеры лет на десять, как минимум, и никакие ухищрения скрыть этого не могли. Смотрела она на него с откровенным желанием, чуть приоткрыв рот, и, опираясь на его руку, прижималась к Рогожину всем телом. Ясно, что они любовники, но меня, понятное дело, куда больше интересовало, какое отношение они имеют к убийству Кудрявцева?

Однако ни одного слова они больше не произнесли. Елена заперла дверь веранды, и они скрылись в доме. Туда не проникнуть, а жаль. Я бы рискнула. Очень хотелось послушать, о чем парочка будет говорить.

— Они любовники, — шепнула я, поворачиваясь к Герману.

— И что? — нахмурился он.

— Как ты не понимаешь? Это недостающее звено. Теперь мне все ясно.

— Вот что, давай сматываться отсюда, не хватает только попасться кому-то на глаза. Еще полицию вызовут.

Уходить мне очень не хотелось, вдруг любовники еще появятся на лужайке за домом? Погода самая подходящая. Но напоминание о полиции впечатление произвело, и мы вернулись к машине.

— Что за звено ты имела в виду? — спросил Герман, а я торопливо начала объяснять.

— Елена хотела избавиться от мужа, и инсценировать ограбление ей надо было для того, чтобы самой не оказаться под подозрением. Предположим, что Кудрявцева хотел ограбить кто-то еще. Причем в тот же самый день и примерно в одно и то же время. Насколько вероятно такое совпадение? Конечно, чего на свете не бывает, но все же... Гору в доме ждали, — выпалила я и улыбнулась счастливо, так меня разбирало.

— Ждали? — переспросил Герман, нахмурившись. — Но...

— Вот это то самое недостающее звено, — только что в ладошки не хлопая, продолжила я. — Откуда Валера с женой Кудрявцева могли узнать об ограблении, которое готовили Ирка с Горой?

— Да, откуда? — спросил Герман.

— Сначала я думала: кто-то из них проболтался — Чума, Гора или твой брат, если, конечно, знал об их намерениях.

— Ничего он не знал. Они в последнее время даже не виделись, — горячился Гера. — В деньгах он точно не нуждался, можешь поверить. Допустим, там были очень большие деньги, но и риск... Он мог все получить, женившись на этой дуре Наташке. Без риска оказаться в тюрьме или даже на кладбище. И еще. Ты же знаешь Арни. Я бы непременно заметил: с ним что-то не так. До твоего появления здесь он был спокоен, как бегемот, и вполне доволен жизнью.

— Я и не спорю. На самом деле все еще проще: что, если Ирка в сговоре с Валерой?

Герман с минуту смотрел на меня с большим сомнением.

— Это как? — буркнул он.

— По мнению ее коллег, с Валерой у них были весьма теплые отношения, — тут я, конечно, слегка лукавила. Из всех коллег Ирки я разговаривала лишь с одной девицей, и особо доверять ее словам не стоило, но уж очень идея была заманчива.

— То есть он был и ее любовником тоже? — начало доходить до Германа.

— Вот именно, — обрадовалась я. — Они с женой Кудрявцева решают убить ее муженька. А заодно Валера хочет получить его денежки. Ирке он о своих планах ничего не рассказывает, но, скорее всего, идею ограбления он ей подкинул. Гора влезает в дом, ждет, когда Кудрявцев откроет сейф. Бьет его по голове и тут же лишается сознания. Валера опустошает сейф, стреляет в Кудрявцева и спокойно уходит. Горе повезло, что он очнулся и вовремя сбежал.

— Гора стал задавать Ирке неудобные вопросы, и Чума от него избавилась? — нахмурился Герман.

— Надеюсь, это все-таки сделала не она. Я думаю, Ирка была уверена, что Стычкин уберется из города. Само собой, убийство они на него хотели свалить, в противном случае не оставили бы парня в живых там, в доме. Но Гора никуда не уехал, к тому же мог догадаться о роли начальника охраны в этом деле.

— Гора — и догадаться? — хмыкнул Герман. — Скорее, Ирка просто не хотела с ним делиться. Ты считаешь, твоя подружка способна вот так подставить парня? Они ведь всегда были неразлейвода.

— Мы с ней когда-то тоже были неразлейвода, но это не помешало ей меня подставить. Сомневаюсь, что она планировала его убить. Однако окажись Гора в тюрьме, вряд ли бы особо сокрушалась. Если б его арестовали в доме Кудрявцева, Чуму он бы ни за что не выдал.

— Согласен, — кивнул Герман.

— Валера мог не сообщать ей о своем решении избавиться от Горы. И еще: он ведь должен был как-то объяснить Елене, куда делись деньги из сейфа?

— Сказал, что их успел стащить Гора. А что? Теоретически это возможно. Валера вбежал в комнату и застал убитого хозяина рядом с открытым сейфом. Женушка лишилась денег, зато вполне довольна своим вдовством.

Я согласно кивнула, но свое предположение все-таки высказала:

— А если он с самого начала не собирался делиться с Чумой?

— И ее уже нет в живых?

— А может, и с хозяйкой тоже не поделился, — хмыкнула я.

— Бабло у Валеры, и никто об этом не знает? — Герман почесал за ухом и согласно кивнул. — Красивая комбинация... Вот только смерть Арни во все это никак не вписывается.

— Валера решил: Гора успел что-то рассказать твоему брату, — неуверенно предположила я. И добавила: — Надо идти в полицию.

— Забудь об этом, — посуровел Герман. — У нас никаких доказательств, одни догадки. Зато у следователей сразу же появится подозреваемый в деле об убийстве Кудрявцева. И это будешь ты. Надеюсь, Валера их все-таки заинтересует, и они за что-то да зацепятся.

— А если нет? Может, стоит позвонить и рассказать о его любовной связи с женой Кудрявцева?

— Кому позвонить?

— Ну, не знаю. Следователю, который ведет это дело.

— А как мы узнаем, кто он?

— У тебя нет знакомых в правоохранительных органах? — загрустила я.

— Нет. И я ничуть об этом не жалею.

— Могло бы пригодиться.

Все это время мы бродили вокруг машины, Герману это надоело, и он предложил вернуться в город. Но меня дом Кудрявцева притягивал точно магнит. Я решила еще немного понаблюдать за ним, и Герман, в конце концов, согласился. Часа два, сменяя друг друга, мы вели наблюдение. Наконец появилась Елена, но одна. С томным видом устроилась на качелях с очередным бокалом вина в руке. Мы выждали еще минут пятнадцать, терпение было вознаграждено: она позвонила Валере, который, как стало ясно, к тому моменту уже успел уехать.

— Где ты? — Голос звучал так томно, так сексуально, что мысль о близкой кончине мадам казалась нелепой. По крайней мере, болезни не мешали ей получать удовольствия от жизни. — А я уже скучаю. Знаю, знаю... Будь осторожен, милый. Я всегда жду тебя.

Кудрявцева прикрыла глазки и вскоре уснула, похрапывая совсем не эротично.

— Мы когда-нибудь уйдем отсюда? — сердито шипел Герман, и я согласно кивнула.

Вернувшись в город, мы почти сразу расстались, Герман отправился к матери, а я домой, решив немного пройтись. Меня так и распирало поделиться новостью с Левандовским, хоть и непонятно с какой стати, учитывая, что он у меня на подозрении.

— Что опять? — простонал он, прозрачно намекая: мои звонки его отнюдь не радуют.

— Валера — любовник Елены Кудрявцевой, — выпалила я. — Я их застукала.

— А мне что с этого?

— Как что? Неужели тебе не интересно?

— Нисколечки. Пани Зоська, вы мне до смерти надоели.

— Свинья... Утром сбежал, даже не попрощавшись...

— Ты недолго оставалась одна.

— Вот оно что... Ревнуешь?

— Разумеется, — ядовито ответил он. — Кто ж устоит перед такой красавицей, — и повесил трубку, оставив меня вдоволь чертыхаться.

Стася открыла дверь и тут же заявила:

— Кот пропал. Чтоб ему...

— Давно?

— С вечера.

— Не переживайте, найдется ваш Казимирыч.

— Во дворе его точно нет.

Я вздохнула, сунула в руки Стасе свою сумку, чтоб не мешала в благородном деле поимки кота, и отправилась на поиски. Во дворе его не нашлось, в соседних дворах тоже. Я звала его, срывая голос, и смогла убедить себя, что ненавижу всякую домашнюю живность, а котов в особенности, когда впереди мелькнул знакомый силуэт. Кот неспешно направлялся в родной двор, что слегка примирило меня с его существованием.

Заметив меня, он ускорился, мне тоже пришлось ускоряться. Главное, не дать ему свернуть к гаражам, там его точно не найдешь. Занятая составлением стратегических планов, я не сразу обратила внимание на машину Левандовского, она замерла неподалеку от подъезда, а сам ясновельможный, привалившись к капоту, наблюдал за моими передвижениями.

— Какая радость видеть вас! — заголосила я и помахала ему рукой. Подлый кот, оценив ситуацию, изменил траекторию и теперь, вне всякого сомнения, прорывался к гаражам. — Вы что стоите? — рявкнула я, Левандовский кинулся наперехват и успел-таки схватить кота в последний момент.

На мои крики появилась Стася, стояла на балконе, величественно взирая на нас сверху.

— Врешь, что я тебе безразлична, — шепнула я с милой улыбкой, поравнявшись с ясновельможным. — Зачем тогда приехал?

— Я здесь из-за пана Юджина, — так же тихо ответил он.

— Коту нужен адвокат? Отдай животное. — Я прижала кота к себе покрепче, чтоб тот не вырвался. В отместку он отчаянно заорал.

— Стася просила, — шипел ясновельможный. — Не могу отказать старушке. Мы с ней одной крови.

— Дурак, — брякнула я в большой обиде. А он ответил:

— Сама дура.

— Стася! — громко позвала я, подняв голову. — Поляк у нас не настоящий, он женщине хамит.

— Значит, заслужила, — не нашла я понимания в соседке. — Поднимайтесь ко мне и прекратите над котом издеваться.

Кот, кстати, к тому моменту затих, смирившись с судьбой, и мирно лежал на моих руках.

— Где ты видела Валеру? — спросил Левандовский, когда мы поднимались по лестнице.

— На лужайке, возле дома Кудрявцевой. Они однозначно любовники.

— Ты что, за ним следила? — посуровел Марк Владиславович.

— Все вышло случайно. Я хотела узнать, где сейчас вдова, а по дороге нас обогнал Валера на своем джипе.

— Нас, это кого?

Я вздохнула:

— Ты что, в самом деле ревнуешь?

Он закатил глаза, демонстрируя свое отношение к этой идее.

— Какого лешего ты к вдове поперлась? То, что девица ты безмозглая, я, конечно, помню. Но не до такой же степени.

— Знаете, Левандовский, ужасно обидно, что вы ко мне так равнодушны.

— Еще бы, — хмыкнул он. — Ты бы вдоволь потешалась над моим разбитым сердцем.

— Вовсе нет, — обиделась я.

— Да? Тогда у меня другой вариант. Хотелось немного проучить своего бывшего?

— Плевать мне на него.

— Да ну?

Мы замерли посреди лестницы, продолжая препираться. Кот, прищурившись, с интересом наблюдал за нами. Появившаяся Стася буркнула: «Идиоты» — и, забрав кота из моих рук, скрылась в квартире, громко хлопнув дверью.

— Стася права, — сказала я. — Только идиоты выясняют отношения в подъезде.

— Нет у нас никаких отношений, — съязвил он.

— Жаль. Так, может, будут? Идем ко мне, там можно орать в свое удовольствие и даже бить тарелки.

Левандовский скроил презрительную мину, но пошел за мной. Тут я вспомнила, что ключ в сумке, а сумка у Стаси. Но Левандовский продемонстрировал связку ключей, подозрительно похожих на мои.

— Стася дала, — пояснил он. — На случай внезапных военных действий, вдруг к тебе опять злодеи явятся.

— Осмотрительно, — кивнула я.

Он распахнул передо мной дверь, а войдя в квартиру, протянул ключи мне:

— Возвращаю.

— А ты не мог бы их оставить у себя?

— Теряюсь в догадках, что у тебя на уме, — усмехнулся он, но ключи в карман сунул.

— Честно?

— На это я не особо рассчитываю.

— Почему?

— По кочану. У тебя пожрать есть что-нибудь?

— Нет. Но сейчас возьму у Стаси.

— Не стыдно старушку эксплуатировать? Закажу что-нибудь в ресторане с доставкой на дом. Ладно, рассказывай, что там у тебя.

Я дождалась, когда он сделает заказ по телефону. А потом подробно все рассказала, не забыв изложить свои версии. Заказ принесли раньше, чем я успела закончить. Левандовский немедленно приступил к трапезе, оттого, наверное, заметно подобрел. Слушал вполне доброжелательно.

— Если все затеял Валера, — сказал Марк Владиславович, вытирая рот салфеткой, — и деньги у него, зачем ему искать твою подругу и тебя запугивать?

— Это просто хитрый ход. А ты как думаешь? — теряя недавнюю уверенность, спросила я.

— Ничего я не думаю. У меня своих дел по горло.

— Без тебя я ничего не сумею, — перешла я на легкий скулеж.

— И слава богу.

— Ты, случайно, ничего не слышал об Арни?—решила я зайти с другого бока.

— В каком смысле?

— Кажется, в полиции еще до сих пор не решили, что это: самоубийство или убийство.

— Дорогая, я не в полиции работаю.

— Помню. Но все равно у тебя есть возможности. Левандовский, хочешь выпить? У бабки наверняка есть коньяк.

— Напоишь и станешь соблазнять?

— Как ты мог подумать такое?

— А я, между прочим, совсем не против. Пошел за коньяком.

Он поднялся и скрылся в прихожей, вернулся в рекордно короткий срок с бутылкой французского коньяка.

— Обещал вернуть две. Сказал: вопрос жизни и смерти.

— Она бы и так дала.

— Ты меня соблазняешь или я тебя? — спросил он, разливая коньяк в бокалы.

— У меня другие цели и задачи.

— Начинается, — презрительно фыркнул он.

— Я готовлюсь к очень важному для меня разговору. И тут без выпивки никак.

— Серьезно? — нахмурился он. — Ну, ладно. Накатим за слепую Фемиду.

Мы выпили, неспешно закусили. И Левандовский продолжил:

— Валяй.

— Предлагаю игру. С этого момента полчаса говорим только правду.

Он присвистнул, поманил меня пальцем и шепнул:

— Это трудно.

— Сама знаю. Но по-другому не получится.

— Ладно, я в игре. Начинай.

Я собралась задать один вопрос, а задала совсем другой:

— Я тебе правда совсем не нравлюсь?

Левандовский мученически улыбнулся:

— Неправда.

— То есть нравлюсь?

— То есть да.

— Очень или так себе?

Он сделал рукой неопределенный жест и скривился.

— Я не просто так спрашиваю

— Это я понял. Теперь моя очередь?

— Можно еще один вопрос, а потом спрашивай, сколько хочешь.

— Против правил, но так и быть. Я ведь джентльмен.

— Арни ты убил?

Он отчетливо икнул и на меня уставился в изумлении:

— Да что ж такое! Я адвокат, а не киллер.

— Это не ответ, — заволновалась я.

— Конечно, нет.

— Слава богу, — я торопливо перекрестилась на пустой угол.

— Видела меня возле его дома? — вздохнул Левандовский.

— Видела.

— А чего ж сразу в убийцы записала?

— А что ты хочешь? Вокруг людей убивают, в меня стреляют, поневоле начнешь всех подозревать. Ты знал об Арни до того, как я о нем рассказала?

— Знал.

— Что за интерес у тебя к нему?

— Вопросы только ты задавать будешь?

— Это что, страшная тайна?

— Уже нет, — он вздохнул. — Дело, которое я сейчас веду. Мой клиент жил в доме напротив. Обратила внимание на особняк?

— Да.

— Ну вот, там он и жил.

— Почему жил?

— Потому что сейчас он живет в тюрьме. Его обвиняют в убийстве жены. В его отсутствие в дом проник неизвестный и убил его супругу. Они не ладили, она собиралась подать на развод и оттяпать у него половину немалых денег. То есть повод убить у него был. И алиби дохлое. Он возвращался из соседнего областного центра. Подтвердить, что он выехал оттуда в указанное им время, никто не может, и в дороге он был один. Однако господин Серов твердо стоит на своем. И я ему поверил.

Тут я вспомнила статью в интернете, которую так и не удосужилась дочитать.

— Я бы наверняка развалил наскоро состряпанное на него дело, не доводя до суда, — продолжил Левандовский. — Но тут появился свидетель. Он видел, как незадолго до убийства на крыльцо дома поднимался человек.

— Арни — тот самый свидетель? — нахмурилась я.

— Точно. В первоначальных показаниях он говорил просто о некоем мужчине, но впоследствии уверенно заявил, что это был Серов. Если ты обратила внимание, рядом с домом Купченко фонарь, но, чтобы разглядеть человека на крыльцо особняка напротив, света все же маловато. Однако твой Арни не сомневался. Соседа видел неоднократно, хоть и не был с ним знаком, а узнать человека можно по фигуре, походке и так далее. Мужчина спокойно поднялся на крыльцо и открыл дверь своим ключом, то есть не прятался и вел себя по-хозяйски. Этих показаний оказалось достаточно, чтобы Серова арестовали. Версия следователя: он вернулся домой двумя часами раньше, чем утверждал, убил жену, уничтожил все улики и пошел спать. Убитую утром обнаружила домработница, хозяин в это время был уже в своем офисе. В общем, действовал Серов с особым цинизмом. Меня его объяснения вполне устраивают: приехал усталый, выпил в кухне коньяка и пошел спать. К жене не заходил, ни поздно вечером, когда вернулся, ни утром. Отношения у них в самом деле скверные. Дети с тещей в Испании, и в последние две недели они не только с благоверной не разговаривали, но старались не видеться. Когда, находясь на работе, он узнал о ее смерти, перепугался и сразу принялся врать. Вместо того чтобы для начала позвонить мне. Все это не прибавило доверия к его последующим словам.

— Но ты ему веришь, — кивнула я. — Интуиция?

— И интуиция тоже. А еще этот самый свидетель. В первый раз он ни словом не обмолвился, что узнал в мужчине Серова.

— Может, не хотел влезать в это дело...

— Тогда бы уж совсем промолчал. Никто из опрошенных соседей постороннего мужчину тем вечером не видел. К сожалению, никто не видел и не слышал, как позднее приехал Серов.

— У него были враги?

— У кого их нет? Особенно если ты богат и занимаешься бизнесом.

— Конкуренты?

— По крайней мере двоим из них нынешняя ситуация значительно облегчила жизнь, а не просто радовала.

— Значит, убийца кто-то из них?

— Возможно. Но не обязательно. Наливай, — буркнул он, и я торопливо налила коньяк в бокалы.

— За что пьем? За правду и ничего кроме правды?

Я выпила коньяк одним глотком, так не терпелось продолжить разговор.

— Пани Зоська, вы пьете как сапожник, — попенял ясновельможный.

— Отвянь. Что дальше?

— А что дальше? — удивился он.

— Убийца кто-то из этих двоих... — напомнила я.

— Я адвокат, а не следователь. У меня другие цели и задачи. Куда больше убийцы меня интересовал свидетель обвинения. Внезапное прозрение твоего дружка настораживало, и я отправился к нему.

— В тот вечер?

— Нет. Двумя днями раньше. К чести твоего Арни, могу сказать: врал он не очень убедительно. Мне не составило особого труда докопаться до правды. А правда была такова: он действительно видел неизвестного, и тот совсем не показался ему похожим на соседа. Он его вообще не разглядел. Высокий мужчина, вот и все, что он мог сказать, выполняя свой гражданский долг. И вскоре пожалел, что не промолчал.

— Ему начали угрожать?

— Посоветовали признать в неизвестном соседа. Тут и следователь весьма кстати решил уточнить показания. Арни робко обмолвился, что человек на крыльце показался ему знакомым, следователь вцепился в него, как клещ, и в результате... В общем, остальное ты уже знаешь. Я решил сведения попридержать, чтобы парень не перепугался и не пошел в отказ, когда на него начнут давить. Но письменные показания взял. Только они теперь мало чего стоят... В тот вечер мы должны были встретиться, договориться о стратегии, к тому моменту я уже решил, как буду действовать. Но встреча не состоялась. Я отправился к нему, на звонки Арни не отвечал, хотя его машина стояла во дворе.

— И ты решил понаблюдать?

— Как и ты. Вообще-то я решил, что он от меня прячется. Волевым парнем его не назовешь...

— Это точно. Ты считаешь, Арни убили из-за этих показаний? — поразмышляв, задала я вопрос.

— Были сомнения. Как они могли узнать о нашем соглашении? Допустим, за ним приглядывали. Но то, что я к нему явился, не могло насторожить их до такой степени, что его решили убрать.

— Прослушка, — кивнула я.

— Она самая. Ребята оказались куда предусмотрительнее.

— Значит, в моей жизни ты появился не случайно. А еще поляк.

— Дорогуша, сначала я появился, а потом узнал, что ты имеешь отношение к моему свидетелю. И я не припомню, чтобы от тебя была хоть какая-нибудь польза.

Я вновь задумалась на некоторое время, решив не реагировать на данное замечание.

— Что собираешься делать? — задала я вопрос.

— Искать подтверждение алиби моего клиента.

— Может, проще убийцу найти?

— Кому проще? Тебе?

— Ты поможешь мне, а я помогу тебе, — сказала я. — Я была уверена, что убийство Арни связано с ограблением Кудрявцева. Но теперь выходит, что нет. Или все-таки да, но как-то по-другому. Я должна знать, кто убил моих друзей. Ты слышишь?

— Не глухой. Я тебе сказал: я адвокат, а не...

— Видела я, какой ты адвокат, — скроила я презрительную мину. — Взломщик и костолом.

— Ну, это явное преувеличение. Сейчас хотелось бы услышать, чем ты можешь мне помочь.

— Тут не обошлось без старшего брата, — вздохнула я. — Арни без него шагу не сделает.

— Думаешь, он рассказал обо мне твоему Герману?

— Начнем с того, что он не мой. Люди с угрозами к Арни в дом явились?

— Утверждал, что звонили по телефону. Я не особо поверил, однако настаивать не стал, чтобы его не спугнуть, — пожал Левандовский плечами.

— Ну, так вот. Первым делом Арни позвонил бы брату. А Германа напугать не просто...

— Иными словами... Герман знал, от кого исходят угрозы?

— Знал или нет — легко проверить.

— Хочешь с ним поиграть в правдивые ответы?

— Не хочу. Но свою версию изложу. Давай посмотрим, что он будет делать.

— А давай, — кивнул Левандовский и расплылся в улыбке.

— Что касается твоего вопроса: рассказал Арни о тебе брату или нет. Если это Герман посоветовал ему узнать в мужчине Серова, то не рассказал. Уверена. Потому что брата боялся или сильно уважал, кому как больше нравится. К тому же непохоже, что старший кого-то подозревает в убийстве.

— Может, просто не желает откровенничать? Что ж... — Тут Левандовский взглянул на часы и вздохнул: — А теперь последний вопрос.

Я с готовностью согласилась, а он спросил:

— Хочешь заняться со мной сексом?

— Свинья.

— Это не ответ. Ну, так что?

Отвечать правду очень не хотелось, но идея была моя, к тому же приди мне охота сыграть в ту же игру еще раз... в общем, я молча кивнула.

— Не слышу, — продолжил улыбаться Левандовский.

— Хочу, — рявкнула я. — Но не буду.

— Почему?

— Потому что одно вовсе не проистекает из другого.

— Ты так умна для красавицы, что я даже не все слова понимаю.

— Хорошо, скажу проще: хотеть не вредно, а заниматься сексом я предпочитаю с любимым мужчиной.

Левандовский собрался что-то спросить, но я протестующе подняла руку:

— Это был последний вопрос.

Мы выпили еще коньяка, и Левандовский начал собираться восвояси. Если б не его дурацкий вопрос, я попросила бы его остаться. Трупы множатся, а я девушка практически беззащитная. Но теперь об этом не могло быть и речи.

— Вызвать тебе такси? — спросила я.

— Зачем?

— Приличные люди за руль не садятся...

— После трех рюмок? — удивился он. И хмыкнул: — К Стасе пойду, она приютит.

— Тогда коньяк прихвати, допьете.

Последнее замечание он проигнорировал и, насвистывая, направился в прихожую. Обулся и, уже взявшись за ручку двери, подмигнул с самой пакостной улыбкой на свете.

— Лучше бы я соврала.

— Ни-ни... Господь накажет.

Он вышел, аккуратно прикрыв дверь, а я прислушалась. Непохоже, что к Стасе пошел. Я перебралась к кухонному окну. Левандовский направлялся к своей машине. Поднял голову на мои окна, достал мобильный и позвонил. Очень скоро во двор въехало такси. Ясновельможный помахал мне рукой и отбыл. А я отправилась к Стасе. Дверь она открыла сразу.

— Коньяка не хватило? — спросила заботливо. — У меня еще бутылка припрятана.

— Стася, я уверена, вы видели, как отбыл пан Левандовский.

— Что опять не так? — уперев руки в бока, сурово поинтересовалась соседка.

— Все отлично. Мы практически достигли взаимопонимания. А вдруг у него кто-то есть? — невпопад спросила я. Она тут же втянула меня за локоть в свою квартиру.

— Никого. Сам сказал: мое сердце занято только вами, пани Стася.

— Довольно странно. Он ведь... неплохо выглядит.

— Настоящий красавец. Уж можешь поверить, я была настойчива. Не хотелось лопухнуться. Может, с кем и встречается от случая к случаю, но ничего серьезного. Не стал бы он врать.

— Ага. Мы, польские люди, никогда не обманываем друг друга...

Но Стася уловить иронию не пожелала.

— Вы хоть целовались?

— Нет.

— Кошмар. На что я перевожу свой коньяк?

Утром я позвонила Левандовскому. Выглянув во двор, увидела, что машина Марка Владиславовича все еще там, и тут же схватила мобильный.

— Доброе утро! — пропел он.

— Сегодня хоронят Кудрявцева, — сказала я.

— Уже не доброе. Есть масса тем для разговоров, не обязательно о покойниках. Кстати, ты мне сегодня снилась.

— Понятно. Ты вчера где-то набрался и до сих пор не протрезвел.

— Ничего подобного. В своей одинокой постели я мечтал о тебе.

— Я вчера соврала, чтобы сделать тебе приятное, — съязвила я.

— Значит, на самом деле ты меня не хочешь?

— Не хочу.

— Ну, так и иди к лешему в таком случае...

И отключился, гад. Пришлось вторично набирать его номер.

— А как же наше соглашение?

— Не поверишь, но я тоже врал. Ищи сама убийцу, кого хочешь ищи.

— Сейчас же нажалуюсь Стасе, ты не поляк, ты подлый шантажист.

— Только не это. Ладно, сейчас приеду, тем более что машину все равно нужно забрать.

Через полчаса он звонил в мою дверь. Итальянский костюм, белоснежная рубашка, галстук и легкая небритость. Выглядел он так, что сразу хотелось броситься ему на шею. Но и я эти полчаса даром не теряла. Тщательно уложенные волосы выглядели слегка небрежно, легкий макияж, ярко-синее платье, талию и грудь выгодно подчеркнули ремень и глубокий вырез, туфли на шпильке средней высоты.

— Это ты на похороны собралась? — присвистнул Левандовский. — Если б моя невеста так в день свадьбы выглядела, я бы прыгал до потолка.

Он оперся руками в стену на уровне моих плеч и в глаза уставился, противно ухмыляясь.

— Левандовский! — рявкнула я и кулак ему показала.

— А что не так? — удивился он.

— Ты ведешь себя... черт знает, как ты себя ведешь! Это навеки отобьет у меня охоту говорить правду. Я стану лгуньей, а виноват в этом будешь ты.

— Знаешь, Зоська, ты неправильная женщина, — вздохнул он. — Когда женщине что-то надо от мужчины, она становится покладистой.

— Вот до чего вы нас довели!

— Предлагаю сделку. Я тебя сейчас поцелую, а потом ты можешь тащить меня хоть на кладбище, хоть прямо в загс.

Я сделала вид, что выбор мне дается мучительным усилием воли...

— Ладно, валяй.

— Ладно, не буду, — махнул он рукой. — Не то правда в загс потащишь.

— Слово не воробей, — мстительно заявила я и повисла на его шее, чтоб он наклонился, он обнял меня и стал целовать, а я едва не лишилась сознания от счастья. Неизвестно, чем бы все это кончилось, но тут моя рука, оказавшись под его пиджаком, натолкнулась на весьма неожиданный предмет, в смысле, совершенно неожиданный в данной ситуации и даже весьма пугающий.

— Левандовский, это что?

— Пани Зоська, неужто вы не смогли обнаружить ничего более интересного?

— Что за пошлые мысли?

— У кого? — вытаращил он глаза, а я попятилась, желая оказаться от него на расстоянии.

— Если ты хотел, чтоб я не знала об этой железке, нечего было ко мне прижиматься. Мой двоюродный брат служит в полиции, но я его с пистолетом ни разу не видела. Что ты за адвокат такой?

— Осмотрительный. Твоего Арни убили, так? Вдруг им придет в голову ужасная мысль и меня укокошить?

— Эта страсть к оружию меня пугает.

— Если б не эта страсть, нас бы на свалке пристрелили. «Езус сладчайший!» — воздел он руки. — Моя душа рвалась навстречу ее душе, а она раз — и все испортила.

— На самом деле... — начала мямлить я, он покровительственно махнул рукой:

— Ладно. Прощаю. В следующий раз начнем с этого места. Идем. Неприлично заставлять покойника ждать.

— Но мы даже не знаем, где его хоронят, — хватая сумку, сказала я.

— Я знаю, милая. Тебе страшно повезло со мной.

Кривляться он наконец-то прекратил и сказал, что гражданская панихида начнется в десять в Доме прощания на Кутузовской. Только я порадовалась, что наш разговор перешел в нормальное русло, как Левандовский, усмехнувшись, спросил:

— Чего тебе вдруг вздумалось проводить покойного?

— Там наверняка будет много людей...

— А-а-а, ты надеешься обнаружить среди них убийцу.

— Я почти уверена, убийца — Валера. Все сходится. Допустим, Арни он не убивал, но Кудрявцев и Гора — точно его работа. И возле пожарки он в нас стрелял, после того как завладел Гориным мобильным.

— И что дальше?

— Да не знаю я... Приглядимся — может, что и придет в голову.

На гражданскую панихиду прибыло человек сорок, не так уж и много, учитывая, какое положение занимал в городе Кудрявцев. Мы вошли в большой зал и встали в сторонке, отсюда можно было наблюдать за происходящим, не привлекая к себе внимания. Вдова, в черном платье в пол и шляпе с вуалью, больше походила на голливудскую диву, неизвестно каким ветром сюда занесенную. В руках она держала букетик из мелких красных роз. Валера держался от нее на расстоянии. Выглядел скорее деловитым, чем расстроенным. Похоже, демонстрировать печаль по случаю похорон работодателя он считает излишним. Остальные тоже не особо печалились. Две женщины — видимо, родственницы, — стоявшие рядом с Еленой, всплакнули, но даже на них всеобщее вежливое равнодушие подействовало расхолаживающе.

— Ты с кем-нибудь знаком? — шепнула я Левандовскому.

— Нет. Но есть знакомые лица. Толстый дядя с седой гривой из администрации области, крашеная блондинка в коричневом костюме — тоже. Вон тот тип — бизнесмен. Мы их всех подозреваем?

— Вместо того чтобы помочь, ты действуешь мне на нервы, — шикнула я.

— Мы только зря теряем время. Покойника и без нас есть кому проводить.

Возразить было нечего, и мы покинули зал. Только вышли на улицу, как услышали голос за своей спиной.

— Как приятно снова вас видеть. — Дружно оглянувшись, обнаружили Валеру, он не спеша к нам приближался. — Я и не знал, что вы дружили с покойным, — продолжил он с усмешкой.

— Софья Сергеевна книжек начиталась и теперь уверена: убийца непременно явится проводить свою жертву.

— И как успехи? Не нашли среди гостей свою подругу?

— Уверена, вам прекрасно известно, где она находится, — не осталась я в долгу.

— Да? — он вроде бы о чем-то раздумывал. — Не возражаете, если мы немного побеседуем? — и кивнул на свой джип. Оттуда незамедлительно появились двое уже знакомых нам типов. Я испуганно посмотрела на Левандовского. Он равнодушно пожал плечами и направился к машине. Я подумала, если закричать погромче, может, от нас отстанут, но не закричала, решив: Левандовский лучше знает, что делать в таких случаях. Мне предложили сесть впереди. Это вызвало удивление, но и порадовало, еще больше порадовало, что головорезы Рогожина остались возле машины, захлопнули двери и замерли с постными лицами, после того как Валера с Левандовским устроился на заднем сиденье.

— Вам приятно видеть нас, что дальше? — спросил ясновельможный, стряхивая невидимую пылинку со своего пиджака.

— Вообще-то я пошутил, — усмехнулся Валера. — Надо полагать, меня подозревают в убийстве Кудрявцева?

— Кто подозревает? — поднял брови Левандовский.

— Да бросьте... вчера, навещая вдову, я видел в зарослях туи прекрасное личико нашей Софьи, а сегодня вы притащились сюда...

— Вы меня видели? — растерялась я.

— Конечно, видел. Пытаешься выгородить своего дружка и свалить убийство на меня? — заговорил он совсем другим тоном. — Ничего не выйдет. У меня алиби. Я в тот вечер проводил время в компании друзей, один из которых прокурор, а другой — федеральный судья.

— Предусмотрительно, — с серьезным видом кивнул Левандовский. А Валера зло фыркнул:

— Я никого не нанимал, если вы об этом.

— Тогда чего ж беспокоиться? — влезла я.

— Мне ни к чему болтовня, что я сплю с хозяйкой.

— А ты с ней спишь?

— Конечно. Мы нуждались друг в друге. Сотрудничество начали с постели, так проще.

— Она теперь богатая вдова, — напомнила я.

— Ага. Но чтобы получить ее деньги, я должен на ней жениться, а я еще не спятил.

— Да?

— Да. Я на тебе жениться хочу. Или на другой, но похожей: молодой и красивой. На хрен мне эта сушеная вобла?

— Что за сотрудничество ты имеешь в виду? — осведомился Левандовский.

— Вас это не касается.

— Тырили бабки у Кудрявцева, — сообразила я.

— Умница, — издевательски пропел Валера. — Конечно, тырили. У него столько ворованных денег, что он сам в них путался. Надо было лишь направить их поток в нужное русло. Я не мог обойтись без нее, она без меня. В результате мы оба неплохо заработали.

— А если киллера наняла Елена? — спросила я.

— Исключено. Во-первых, приди ей в голову такая фантазия, она бы обратилась ко мне, а она не обращалась, во-вторых, ее вполне устраивал их брак. Она предусмотрительная женщина и хотела собственных денег на тот случай, если какая-нибудь шустрая девица мужа уведет. Но сама разводиться не собиралась. Как мужчина, Кудрявцев ей был неинтересен уже давно, его шашни на стороне — тоже. А он искренне верил, что она больна, и сдувал с нее пылинки, не досаждая всем остальным. Леночку нельзя волновать, нельзя ей перечить... Второго такого дурака поискать, она это знала прекрасно.

— Из сейфа пропала крупная сумма денег, — напомнил Левандовский. — Ты их ищешь?

— Я бы от них не отказался. Но в сейфе было еще кое-что. И это кое-что очень интересует определенных людей. Мне уже дали понять вполне доходчиво, что стоит делать, а чего нет. По этой причине я сейчас и разговариваю с вами. Поднимете волну по глупости, и умники могут решить: раз мы с Еленой любовники, значит, Кудрявцева и шлепнули, и то, что они ищут, у меня. Не лезь в это дерьмо, Левандовский. Парень с твоей репутацией должен понимать...

— Какая у него репутация? — насторожилась я. Мужчины переглянулись.

— Хорошая, — сказал Валера. — Я бы даже сказал: очень хорошая. И сам он парень неплохой. Пока не трогают. Короче, хороший парень, — повернулся он к Левандовскому. — Не лезь на рожон, без башки останешься.

— Ага, — кивнул тот, — напоминай мне об этом время от времени, чтобы я не забывал трястись от страха. Кто, по-твоему, мог избавиться от Кудрявцева?

— Не знаю и знать не хочу. У меня тридцать процентов акций фирмы «Орион», отличный бизнес. Я в шоколаде, парень, без всяких заморочек. Они мне даром не нужны.

— Ты знаешь, где Ирка? — спросила я.

— Нет, — ответил он с неохотой. — Я искал ее, потому что не прочь был вернуть деньжата. Но после того, как мне намекнули... вы и сами должны были заметить: мой интерес пропал.

— О том, кто убил Гору, ты тоже ничего не знаешь? — задала я еще вопрос. Он уставился на Левандовского:

— Этого придурка убили?

— Да. Нашли его труп неподалеку от Вознесенской церкви.

— Ну, тогда царство ему небесное. Логично предположить, Чуму тоже шлепнули? Девка она недалекая, хотя бойкая. Вот и попользовались. А теперь, мои дорогие, выметайтесь. Пора отдать последние почести хозяину.

В тот же миг его парни распахнули двери, Валера вышел, вслед за ним и Левандовский, а я замешкалась. Валера открыл мою дверь и спросил серьезно:

— Ты здесь навсегда?

— Чтоб тебя, — буркнула я и понеслась к ясновельможному. Он, не торопясь, направлялся к своему джипу.

Из зала прощаний начали выходить люди и рассаживаться по машинам, а мы поспешили уехать.

— Как думаешь, он нам головы морочил? — тут же полезла я с вопросом.

— Что касается предполагаемого компромата — нет. Мало его получить, надо еще умело им воспользоваться. Валера хочет жить спокойно на те деньги, что успел свистнуть, плюс доля в бизнесе. Он выглядит разумным парнем.

— То есть ты ему веришь?

— У него есть все основания для вышеизложенной позиции.

— Ненавижу, когда ты так говоришь. В старину адвокатов называли крапивное семя.

— Не адвокатов, а чиновников-крючкотворов, двоечница.

— А на что он намекал, говоря про Иркину глупость?

— На то, что она не сама до всего додумалась, кто-то подсказал.

— Ага, — потерла я нос. — В городе конкурирующие группировки, желающие получить компромат, который был у Кудрявцева... Кто-то из них Витю и убил, подставив Гору и, возможно, Ирку. Знаешь что, на роль этого гада очень подходит сам Валера. По-моему, он просто пудрил нам мозги.

— Поживем — увидим, — равнодушно пожал плечами Левандовский.

Когда я позвонила Герману, он был в офисе, а не у матери, как я поначалу предположила. Попивал кофе и торопливо закончил разговор, прежде чем сказать мне:

— Здравствуй, малыш.

Левандовский, слушавший наш разговор по громкой связи, презрительно усмехнулся, а я в отместку показала ему язык.

— Ты у мамы? — ласково спросила я.

— На работе. Дел по горло. С мамой сейчас ее сестра. А ты куда собралась? — Он уже понял, что я нахожусь в машине, по шуму, который, безусловно, доходил до его слуха.

— В торговый центр. Хочу купить Стасе платье. Вчера жаловалась, что ее гардероб последний раз обновлялся при Хрущеве.

— Господи, сколько же лет старушке? Купи ей два платья, я заплачу. Что-нибудь в стиле диско, сантиметров двадцать выше колен.

— Не поверишь, но именно такое она и заказывала. Когда ты освободишься? Надо кое-что обсудить.

— Стасино платье? — хмыкнул он.

— Нет. Это касается твоего брата, — очень серьезно произнесла я в надежде, что шутить ему уже не захочется. — Кажется, я знаю, кто его убил.

— Даже так? — помедлив мгновение, ответил Герман. — Освобожусь примерно через час. Мой офис на Садовой, напротив кафе «Черный кот», встретимся там.

— Я была достаточно убедительна? — убирая мобильный, спросила я Левандовского.

— Ты прирожденная лгунья.

— Какой-то сомнительный комплимент. Я бы, кстати, чего-нибудь съела, а ты?

— Поешь в «Черном коте». Доберешься на такси. Я туда подъеду часа через полтора. Полчаса вы с Герой точно проговорите.

— С чего вдруг такая немилость? — растерялась я.

— Я не могу целыми днями носиться с тобой по городу, детка, — съязвил ясновельможный. — У меня есть и другие дела.

Он высадил меня на ближайшей стоянке такси и даже не поцеловал на прощание. Да, не тот поляк мне достался! Времени до встречи с Германом было еще слишком много, и я побрела на Садовую пешком.

Бывший возлюбленный опоздал на встречу на двадцать минут, что позволило мне помянуть недобрым словом всех мужиков, а уж как досталось Герману... Наконец он появился и сразу полез с поцелуями. От кого надо, не дождешься, а этот... Тут я внезапно подумала, как стремительно он перестал быть мне интересен. Стоило лишь появиться Левандовскому. Может, правда зов крови? Теперь было даже странно: чего хорошего я находила в старшем Купченко? Допустим, он симпатичный. Мало, что ли, симпатичных мужчин? Надо было столько лет сохнуть по этому надутому индюку с паршивым характером?

— Извини, дорогая, — улыбнулся он, устраиваясь за столом. — Дела.

«Любимая отмазка мужчин», — решила я со злостью.

— Ты что-нибудь заказала?

— Даже успела пообедать.

— Ну, извини, извини, — засмеялся он и потрепал меня по щеке. Очень захотелось врезать ему в ухо. Вместо этого я сжала его ладонь и легко поцеловала в губы, как делала это раньше. — Все еще не могу поверить, что ты вернулась, — тихо сказал он.

«Наверное, поэтому на свидание и не торопишься», — чуть не съязвила я.

— Как Стасино платье?

— Потом покажу.

Он немного повозился на своем стуле, приглядываясь ко мне.

— Ты хотела поговорить о брате?

— Ты знал, что он был свидетелем в деле об убийстве?

С минуту Герман смотрел на меня в полнейшем недоумении, затем очень медленно откинулся на спинку стула.

— Знал.

— Расскажи мне об этом.

— Да нечего особо рассказывать, — пожал он плечами.

Голос звучал напряженно, может, кто-то не обратил бы на это внимания — кто-то, но не я. Я-то хорошо знала мельчайшие нюансы его голоса, движений, выражение глаз и всегда пыталась отгадать, о чем он думает. Сейчас, скорее всего, он пребывал в растерянности.

— В доме напротив убили женщину. После убийства менты пошли по квартирам с расспросами, и Арни сказал, что видел в тот вечер мужика. Я узнал об этом, когда было уже поздно, не то посоветовал бы ему молчать. Зачем влезать во все это?

— Он несколько изменил свои показания. Ты этого не знал?

— Изменил? — нахмурился Герман. — В каком смысле?

Я вполне доходчиво объяснила, что сначала Арни вроде бы видел просто мужика, а потом признал в нем своего соседа Серова.

— Для меня это новость, — покачал головой Герман, но взгляд отвел, теперь в голосе было едва заметное беспокойство.

— Менты нашли прослушку в его квартире, — тихо добавила я, кстати, так и есть, мне об этом по дороге сообщил Левандовский.

— Прослушку? — Вот теперь он был потрясен по-настоящему.

— К Арни наведался адвокат Серова, и кого-то это очень обеспокоило. Вдруг Арни вновь изменит показания? Ведь на самом деле он был вовсе не уверен, что вечером видел соседа.

— Откуда ты все это знаешь? — раздраженно спросил Герман.

— Адвокат — друг Стаси. Она и проболталась.

— Какой, к черту, друг?

— Его фамилия Левандовский. Ты же знаешь, у нее весь мир делится на наших и всех остальных. Левандовский — польская фамилия.

— Где-то я ее уже слышал, — буркнул Герман. — Ты хочешь сказать, что Арни убили из-за этих дурацких показаний?

— И убили те, — добавила я, — кто требовал, чтобы он узнал в мужчине соседа.

— Почему они, а не тот же Серов, к примеру?

— Потому что, во-первых, Серов арестован, а, во-вторых, ему это не выгодно. У ментов есть показания Арни, но теперь нет самого Арни, чтобы под давлением защиты их изменить.

— Да это чушь! — рявкнул Герман, привлекая к нам внимание немногочисленных посетителей кафе. — Я, скорее, поверю, что он сам на себя руки наложил. Ты явилась сюда, у него снесло крышу, когда ты, по обыкновению, начала его дразнить. Он всегда был на тебе помешан... Господи, — стиснув зубы, пробормотал он. — Этого не может быть.

Герман поднялся, схватил сумку с документами и, не сказав больше ни слова, пошел к выходу. Расплатиться я успела еще до его прихода, оттого, выждав минуту, покинула кафе. Гера переходил дорогу, направляясь к офису своей фирмы, который был напротив, а я поискала глазами машину Левандовского. Он сумел приткнуть ее неподалеку от кафе.

— Судя по сияющим глазам, тебя можно поздравить, — проворчал ясновельможный, когда я села рядом.

— Он знает, кто заставил Арни изменить показания, — заметила я, очень рассчитывая на поощрение в виде поцелуя.

— Он что, признался?

— Нет, конечно. Но я-то его хорошо знаю.

— Еще бы. Любовь всей твоей жизни.

— Жаль, я твою не видела. Пухлая тетечка лет тридцати пяти с оплывшим личиком и бюстом четвертого размера?

— Явное преувеличение. Я что, выгляжу дядей под сорок?

— Ты выглядишь роскошно, только перестань попрекать меня ошибками юности. Они есть у всех, но не все способны их исправить.

— Тебе-то, без сомнений, это блестяще удалось. Кажется, твоя былая любовь в офис не спешит, — кивнул он в сторону парковки.

Так и есть. Машина Германа как раз выезжала на проезжую часть. Мы тут же пристроились за ним.

— Откинь сиденье, — скомандовал Левандовский. — Он может тебя заметить.

Сиденье я откинула и теперь сгорала от нетерпения.

— Ты хоть расскажи, что происходит?

— Ничего. Едет человек куда-то, а мы едем за ним. Правда, едет торопливо, я бы сказал, несется как угорелый.

Минут через пять я вновь спросила:

— А сейчас?

— И сейчас ничего. Отстань, Зоська, боюсь его упустить.

Мы его не упустили. Вскоре Левандовский остановил машину, а я, приподнявшись, с интересом огляделась:

— Где мы?

— В моей машине. А твой Герман вон в том здании. Принадлежит оно некоему господину Сергеенко.

— И он конкурент твоего Серова? — расплылась я в довольной улыбке.

— Он был третьим в списке претендентов на большую пакость, но оказался самым шустрым.

— Теперь мы знаем, кто убил Арни, и жену твоего Серова, скорее всего, тоже.

— Знать и доказать — не одно и то же, детка. Но скажу честно, жизнь ты мне значительно облегчила. Если я покажу тебе фотографию блондина, которого ты видела возле дома Арни, сможешь его узнать?

— Смогу.

— Отлично. Поехали отсюда.

— Куда? — заволновалась я. — Разве ты не хочешь поговорить с Герой? Мы его сейчас так прижмем, он нам все выложит.

— Давай его лучше сразу пристрелим. Чтоб не думалось.

— О чем не думалось? — растерялась я.

— О том, что твое девичье сердце вновь к нему потянется.

— Левандовский, ты дурак, — сказала я.

— Да? А я бы все-таки пристрелил.

Он развернул машину, и мы поехали, как выяснилось, к Стасе.

— Значит так, прекрасная паненка, сидишь у старушенции и ничего не делаешь. То есть никаких гениальных идей. Я сейчас буду очень занят, в общем, постарайтесь обойтись без приключений. Дверь никому не открывать, самой никуда не выходить. Если что-то вдруг покажется подозрительным: машина во дворе и прочее в том же духе — немедленно звонить мне.

— А ты?

— А я занят. Можешь, кстати, меня поцеловать, вдруг не свидимся больше?

— Ты шутишь? — заволновалась я.

— Насчет поцелуя не шучу.

— Тогда расцелую, когда вернешься.

Он поднялся вместе со мной на третий этаж и сам позвонил в Стасину дверь. Стася предстала перед нами с зажатым в зубах мундштуком. Курить она бросила еще до моего отъезда, но иногда, нервничая, грызла мундштук.

— Что случилось? — испуганно спросила я.

— Ничего. Где вас носило, бесовы дети?

— Вам все расскажет пани Зоська, — приложившись к ее ручке, торопливо заверил Левандовский и сбежал.

— До чего ж хорош, — покачала головой Стася. — Скинуть бы мне годков пятнадцать...

— Пятнадцать? — уточнила я. — Возьмите себя в руки.

— И куда понесся наш шляхтич? — хмыкнула Стася.

Я подробно рассказала о достижениях этого дня и пригорюнилась.

— Ясновельможный настаивал, чтоб мы ничего не делали.

— Ну, в этом я большая мастерица. Обедать будешь?

— Нет, спасибо. Успела поесть, пока ждала Германа.

— Так и знала: не обошлось без этого проходимца, — сказала Стася. — Ясно как белый день, он брата надоумил в мужике соседа признать. А теперь забегал. Как бы и его не пришибли, вот бы послал господь такое счастье.

— Стася, — возмутилась я.

— Да ладно, пусть живет, лишь бы от тебя подальше держался.

— А вы чем занимались? — спросила я.

— Музицировала, — кивнула она на допотопное пианино с канделябрами.

— Сыграйте что-нибудь наше, исконно польское.

Стася села за пианино и загрохотала полонез из «Лебединого озера».

— Ну, как? — развернулась она ко мне, закончив свое выступление. — В каждой ноте польская стать.

— Стася, я живу в культурной столице, что вы мне голову морочите, это Чайковский.

— А я что, спорю?

— Только не говорите, что он поляк.

— Но ведь как, шельмец, уважил. Мазурку хочешь?

— Валяйте.

Пока гремела мазурка, я думала о Левандовском. Куда он отправился и насколько это может быть опасно? Ничего не делать оказалось занятием не из простых. Мы и пирог испекли, и новости посмотрели, и дважды обсудили, кто кого убил и за что... Время тянулось медленно. Никаких вестей от Левандовского. Наконец раздался звонок мобильного. Но звонил вовсе не ясновельможный, а Герман.

— Привет, — голос звучал с легким намеком на подхалимство. — Извини, если я тебя обидел...

— Что ты, я понимаю, — торопливо ответила я и подумала: приди нам охота сыграть в «говорящих правду» с Германом, мы б наверняка друг друга очень удивили.

— Я весь день сегодня голову ломал над твоими словами... глупости все это, Соня. Если бы на Арни кто-то давил, я был бы в курсе. Ты моего брата знаешь не хуже меня. Да он рубашки покупал, и то со мной советуясь. Хочешь, я к тебе приеду? — без перехода предложил он. — Можем сходить куда-нибудь.

— Я в гости забрела, к однокласснице. Девчонки собрались... сто лет не виделись.

— Да? Жаль. Позвони мне, когда закончите, я тебя встречу...

— Нашелся умник, — фыркнула Стася, когда я отложила телефон. — Ночевать у меня оставайся, мало ли что.

В тот вечер Левандовский позвонил поздно, сообщил, что особых новостей нет, и советовал продолжить нам ничего не делать. Намерение ночевать у Стаси приветствовал.

Утром он тоже не появился. Мы приготовили обед и всерьез затосковали. Ко всему прочему, коварный кот перелез на соседний балкон, откуда изводил нас мяуканьем. Чтобы вернуть его домой, пришлось бы идти в соседний подъезд, а об этом ничего в инструкциях сказано не было. Стася инструкции ясновельможного очень уважала и в дверях стояла насмерть, не выпуская меня. Наши нервы оказались на пределе, когда во дворе появилась машина Левандовского, а затем он сам помахал нам рукой и вошел в подъезд.

— Накрывай на стол, — зашипела Стася и бросилась отпирать дверь. Пока они обменивались любезностями в прихожей, стол я успела накрыть.

— Это Казимирович? — прислушиваясь, просил Левандовский, входя в кухню.

— Орет на соседнем балконе, — вздохнула старушка.

— Вам надо было назвать его Паваротти.

— Не у всех соседей нервы железные, боюсь, кота мы лишимся.

Левандовский вышел на балкон, я подумала, что он сам за котярой полезет, уж очень решительной была его физиономия, но он, вперив взгляд в кота, сказал хмуро:

— Пошли.

Только я собралась произнести громкое «ха», как кот, мягко ступая по узкому карнизу, легко преодолел пространство, разделяющее два балкона, спрыгнул на пол, ускорился и в результате вошел в кухню раньше ясновельможного.

— Пан Левандовский, — ахнула Стася. — Да вы просто волшебник.

— Моя дружба с котами зародилась еще в раннем отрочестве, — заявил он, устраиваясь за столом, сервированным в лучших польских традициях.

— Может быть, коньячку? — предложила Стася, метнувшись к шкафу, где держала заначку.

— Простите, не могу, за рулем.

— А я, с вашего позволения, выпью. Зоська, будешь?

— Коньяк — не подходящий напиток для юной девушки, — с достоинством ответила я.

— И правильно, — кивнула Стася, — мне больше достанется.

Кот устроился на подоконнике, откуда на нас поглядывал, хитро щурясь. Левандовский со старушенцией вели бесконечную светскую беседу, а мне очень хотелось знать, что он делал все это время. Я терпеливо ждала, уверенная, что чем больше я буду проявлять нетерпение, тем дольше их болтовня продлится. Я подала кофе, Стася не замедлила плеснуть в свою чашку коньячка, и тут Левандовский заявил:

— Твоего бывшего арестовали.

— Кого?— растерялась я.

— Германа Купченко. Я по наивности предполагал, он у тебя один,

— Наконец-то, — заголосила Стася, воздев руки, это, видно, коньяк так действовал. — Услышал наш Господь мои молитвы. А за что его? — закончила она с некоторым удивлением.

— По подозрению в совершении убийства.

— Вот, — ткнула пальцем Стася в дорогого гостя. — Я всегда говорила: этим все и кончится. У него на роже написано: душегуб и разбойник. Еще когда под стол пешком ходил. У меня интуиция получше, чем у дипломированных экстрасенсов.

— Кого он убил? — нетерпеливо перебила я соседку.

— Брата, — ответил Левандовский. — После некоторых колебаний было решено, что Арни не сам на себя руки наложил. А так как Герман рассказал о ссоре с братом с элементами мордобоя, то и оказался подозреваемым, боюсь, единственным. Через трое суток его, скорее всего, выпустят, если еще что-нибудь на него не нароют.

— Но это глупости, — возмутилась я. — Герман не убивал брата, с какой стати?

— Придумают чего-нибудь, — философски пожал он плечами.

— А прослушка в квартире Арни? Как они это объясняют?

— А никак.

— Ну и ничего, посидит немного, — влезла Стася. — Много-то не дадут. Деньги есть, откупится. Ему только на пользу.

— Идиотизм какой-то, — буркнула я, отодвигая чашку в досаде.

— Нашла о ком горевать. Сколько раз повторять: он тебе не пара.

— Нельзя сажать человека за то, чего он не совершал. Марк Владиславович, вам эта идея должна быть близка, как никому другому.

— Желаете нанять меня в адвокаты сердечному другу, пани Зоська? — ехидно поинтересовался он.

— Надеюсь, адвокат у него уже есть. Вы-то сами что думаете делать? Убийство Арни напрямую касается вашего клиента...

Тут он достал из кармана пиджака фотографию и положил на стол.

— Похож на блондина, которого ты видела?

Я взяла в руки фотографию. Сомнений не было: этот тип сидел в машине возле дома Арни. Фото сделано на улице, изображение слегка смазано, здесь он казался симпатичнее, наверное, из-за выражения лица, задумчивого, почти мечтательного.

— Это он, — сказала я, возвращая фотографию.

— Отлично, — кивнул Левандовский. — Пани Станислава, примите мою бесконечную благодарность, ваши кулинарные таланты затмевает только ваше обаяние...

Он уже намылился к двери, но я ухватила его за рукав. Кстати, сегодня Левандовский был в джинсах, джемпере горчичного цвета и в льняном пиджаке. Не так роскошно, как вчера, но французскую туалетную воду для мужчин запросто мог бы рекламировать.

— А мне что делать?

— Ты вышивать умеешь? — серьезно спросил он. Стыдно, но на мгновение я купилась.

— Нет.

— Надо научиться. Девушка заранее должна думать о приданом.

— Пани Станислава тоже не вышивает, только на клавикордах дребезжит. Левандовский, или я иду с тобой...

— Идем, — кивнул он, чем слегка удивил. — Возможно, пригодятся твои актерские способности.

Он раскланялся со Стасей, за это время я успела собраться и последовала за ним к машине.

— Было бы неплохо послушать о твоих планах, — с легким подхалимством сказала я.

— Надо встретиться с блондином. Зовут его Сергей Хомяков, живет неподалеку, числится в охране уже известного нам господина Сергеенко. Но в офисе его сроду не видели.

— Мужчина для особых поручений?

— Похоже. Таких, как он, у Сергеенко еще двое. Думаю, эта троица Арни и пасла.

— Ты уверен, что это хорошая идея? — засомневалась я. — Вряд ли он захочет с тобой говорить.

— У меня есть убедительный довод.

— Пушка, что ли? — фыркнула я.

— Спорим, он сочтет ее веским аргументом?

— Настоящие адвокаты так себя не ведут, — огрызнулась я.

— Потом расскажешь, — расплылся он в лучезарной улыбке.

Хомяков обретался в доме на Гончарной. Дом самый обыкновенный, квартира однокомнатная, а жил он один. Пару раз в неделю его навещала мать, девушки появлялись от случая к случаю и иногда задерживались надолго. Последняя — месяца на три. Но сейчас как раз был промежуток холостяцкой жизни. Обо всем этом мне коротко сообщил по дороге Левандовский.

— Соседей опрашивал? — спросила я, желая поддержать разговор.

— Только одну старушку. Тут важно сделать правильный выбор. Зачем, к примеру, носиться по всему дому, когда можно зайти к нашей Стасе.

— О, да! — возвела я глаза и руки. — Стася знает все. И как ты их вычисляешь?

— Очень просто. Сажусь где-нибудь во дворе и наблюдаю. — В этот момент он остановил машину и ко мне повернулся: — Значит, так. Глаз не спускаешь вон с того подъезда. Если вдруг появится наш блондин, звонишь мне.

— А ты куда?

— А я туда.

Он подхватил сумку с заднего сиденья и направился к подъезду.

— А если блондин в квартире? — пробормотала я, провожая его взглядом.

Ждать пришлось довольно долго. Левандовский не появлялся, и блондин тоже. Солнце светило по-летнему, навевая сладкую дрему. Каждый раз, когда из подъезда кто-то выходил, я нервно ерзала, еще больше боялась пропустить входящего блондина. Вдруг усну? А если он все-таки дома? Неизвестно, чем они там заняты... Вдруг блондин оказался хитрее, и ясновельможный сейчас в плачевном положении. Господи, как же я раньше об этом не подумала? Я схватила телефон с намерением звонить, и тут Левандовский наконец предстал передо мной, а через полминуты уже садился в машину.

— В квартире никого? — спросила я.

— Никого, но много всего интересного.

— А поконкретней нельзя?

— Поконкретней? Например, граммов двести героина.

Я присвистнула:

— И что теперь?

— Дождемся Серегу и поговорим.

Не успел Левандовский это произнести, как во двор въехала машина.

— Это он, — убирая с лица ухмылку, сказал ясновельможный. — Значит, так. Идешь к подъезду и просишь тебя впустить. Надеюсь, ты не против немного пококетничать? Желательно, чтобы клиент максимально расслабился.

Блондин на своей машине плутал по двору, искал, где можно припарковаться, а я припустила к подъезду. Когда он тоже там оказался, я с растерянным видом копалась в своей сумке, извлекая на свет божий различные предметы: кошелек, косметичку, чехол от солнцезащитных очков, и пыталась все это удержать.

— Я и не знал, что у меня такая красивая соседка, — с усмешкой заявил блондин, держа ключи в руке и не торопясь открывать дверь, а я испуганно подумала: вдруг он видел меня возле дома Арни и теперь узнал?

— Вы не могли бы мне помочь, — смущенно начала я, сунув ему в руки косметичку.

— Давайте я лучше дверь открою, — засмеялся он.

— Да, конечно. Вы тоже здесь живете?

— Тоже, а вот вас раньше не видел.

— Я почти никого тут не знаю, — лепетала я, он придержал для меня дверь, пропуская вперед, и вдруг за его спиной возник Левандовский. В результате в подъезд мы вошли вместе, в руках у ясновельможного был пистолет. Сергей, занятый болтовней со мной, не обратил на мужчину внимания, мы подошли к лифту, нажали кнопку вызова, и тут дуло пистолета уперлось блондину в бок. Он посмотрел на Левандовского с томлением в очах, а тот сказал:

— Веди себя прилично.

— Ты кто? — нахмурился Сергей.

— Какая тебе разница? — удивился ясновельможный.

Створки лифта разошлись в стороны, мужчины вошли в кабину, Левандовский нажал кнопку этажа, сказав мне:

— А ты пешком.

— Черт! — выругалась я и припустила по лестнице в большой торопливости, боясь, что меня и в квартиру могут не пустить. Учитывая, что жил Серега на седьмом этаже, я изрядно выдохлась. К тому моменту мужчины уже вошли внутрь, но дверь не была заперта, что очень порадовало.

— Дверь закрой на задвижку, — услышала я голос Левандовского и в точности выполнила приказ, после чего прошла в кухню, откуда доносился голос.

Блондин сидел на полу, прикованный к батарее наручниками. На смену изумлению пришла злость, сейчас он ее и демонстрировал, угрожая Левандовскому всевозможными карами. Тот устроился за столом и слушал все это со скучающим выражением на физиономии.

— По твоему виду похоже, что ты — хренов белоручка, который даже не знает, во что ввязался... — выговаривал блондин весьма эмоционально.

— А по твоему виду похоже, что ты сидишь прикованным к батарее, — вздохнул ясновельможный.

— Чего тебе надо? — возвысил голос Сергей. — Ты знаешь, на каких людей я работаю? Тебе фамилия Сергеенко о чем-нибудь говорит?

— И что? Я должен встать на колени? — Левандовский зевнул.

— Ну, ты придурок, — ярился блондин, попусту дрыгая ногами, за неимением возможности дотянуться до Левандовского.

— Включи телевизор, — попросил Марк Владиславович, обращаясь ко мне.

Телевизор висел здесь же, в кухне, прямо над столом. Только я собралась спросить, зачем ему телевизор, как он пояснил:

— Наш клиент сейчас начнет орать и всех соседей взбаламутит... — после чего взял пистолет, который до той поры лежал на столе у него под рукой.

Телевизор я включила, очень надеясь, что Левандовский просто запугивает блондина и дальше угроз дело не пойдет. Но неприятная мысль о том, что это вовсе не пустые угрозы, уже зародилась. К моему величайшему сожалению, Марк Владиславович оставался для меня темной лошадкой.

— Чего это мне орать? — с подозрением спросил Сергей.

— С того, что сначала я прострелю тебе одну ногу, потом вторую, затем снова вернусь к первой, пока не услышу правдивый и всеобъемлющий рассказ.

Говоря все это, Левандовский достал из кармана пиджака глушитель и стал приспосабливать его к зловещей железяке, что держал в руках. Руки его были в резиновых перчатках, в целом картина выглядела жутковатой до легкой тошноты, это я себя имею в виду. Что испытывал при этом блондин, оставалось лишь догадываться.

— Да ты чего, умом тронулся? — заголосил он, но телевизор не переорал. — Я знаю, кто ты... Адвокат, да? Черт, забыл фамилию.

— И не вспоминай, — махнул рукой ясновельможный. — Зачем тратить на ерунду последние минуты жизни.

— Не убьешь ты меня... ты же не псих...

Тут, как видно, блондина посетили сомнения в правильности собственного утверждения, его заметно перекосило, он начал дергать руками, в тщетной надежде оторвать батарею. Интересно, что бы было, оторви он ее в самом деле.

— Вот что за народ, — покачал головой Левандовский. — Отправить человека на тот свет — это запросто, а приходит их очередь — не хотят вести себя прилично: интеллигентно скончаться, не создавая лишних проблем.

— Зачем тебе меня убивать? — дрожащим голосом спросил Сергей. — Хочешь вопросы задать — пожалуйста.

— Да мне, собственно, и так все известно. Поэтому знаешь что? Не стану я тебе ноги простреливать, один раз соврешь — и уложу на месте. Итак, первый вопрос: кто убил жену Серова?

Блондин еще раз подергал наручники, думаю, исключительно для того, чтобы потянуть время.

— Леха убил, — буркнул он.

— Пивоваров? — взглянул на него исподлобья ясновельможный. Такая прозорливость произвела впечатление на парня, но и успокоила: выходило, вроде и не он дружка сдал, вроде Левандовский сам догадался.

— Никто ее убивать не хотел, — торопливо продолжил блондин. — Надо было пугнуть как следует, палец сломать, к примеру, чтоб до этого кретина дошло: нужно быть уступчивее. А она услышала шум, заподозрила чего-то... У нее баллончик был, вот она с ним на Леху... он разозлился и... короче, никто не хотел.

— Приказ пугнуть Серова отдал сам Сергеенко?

— Ну... то есть я при этом не присутствовал. Сергеенко вызвал Леху, а он уж нас собрал, сказал: дело есть. В дом один пошел, мол, и для одного работы на пять минут. Мы в машине ждали, в переулке.

— Мы, это...

— Я и Толик Данилов. Леха вернулся, глаза трет и весь прямо трясется от злости. Сказал, бабу кончил. Он поехал к хозяину, а мы по домам. Зря переживали, менты Серова замели, и все складывалось тип-топ, пока этот Арнольд не объявился.

— Свидетель?

— Ага. Хозяин о нем от знакомого мента узнал. У него во всех нужных местах свои люди. Леху этот придурок не разглядел, но в переулке еще баба болталась, и машину мог кто-то увидеть. Короче, нехорошо выходило. Надо было, чтоб Арнольд этот дал показания, будто Серова видел... Леха сказал, мордой об стол, и будет делать, что велят. Но оказалось все еще проще: его брат нашему хозяину друг и товарищ. Они мигом договорились.

— Брат знал, что ваш Сергеенко женщину убил? — влезла я, наплевав на укоризненный взгляд Левандовского.

— Сергеенко ведь не дурак в таком признаваться. Небось просто сказал, отличная возможность конкурента слить. И слили. Все бы хорошо, но тут ты объявился. Хозяин, когда узнал, что Серов тебя нанял, очень огорчился и заявил: ухо востро держать.

— И вы поставили прослушку?

— Поставили. Сидели в машине и слушали. По большей части всякую ерунду. Лишь бы хозяину в радость. Ну, а потом ты к этому Арни нарисовался и стало ясно: с парнем надо решать. Хозяин велел сработать так, чтобы казалось: этот тип сам на себя руки наложил. Леха здорово злился: с чего, говорит, руки на себя накладывать, когда на такой тачке ездишь и баба у тебя с баблом. Но Толик его успокоил: богатые они все нервные. В их доме на прошлой неделе чувак удавился на собственном галстуке. Тоже на крутой тачке ездил.

— Чего ж так с самоубийством напрягались? — спросил Левандовский.

— Ну... из-за брата, думаю. Ему бы вряд ли понравилось, что родственника того...

— Понятно, — пропел Левандовский. — Можешь продолжить повествование.

— Чего?

— Валяй, что дальше было.

— Короче, Толик сказал, удавить его нельзя. Докопаются. И застрелить не получится. Там, видишь ли, свои тонкости. Толян год в медицинском обучался, и еще пять лет в морге работал, по этой части спец. Сидели в машине и гадали, как этого Арни половчей ухлопать.

— И надумали вскрыть вены?

— Толян сказал: точняк. Самоубийцы это очень уважают. Главное, не помять его сильно, чтоб следов не оставить.

— Втроем пошли?

— Вдвоем, — весьма неохотно признался блондин. — Леха в машине остался. Должно быть, решил, хватит с него, пора и нам замараться. У Арнольда этого весь день проходной двор, то один бежит, то вторая. Мы на нервах. С братом они здорово поцапались из-за какой-то девки. Этот псих, видите ли, на богатой жениться не хотел. Зазноба его былая здесь нарисовалась, и он к ней, а брат, само собой: ты в своем уме и все такое... Подрались они. Толян говорит, повезло.

— Почему ты отправился во двор следом за Натальей? — спросила я.

Блондин нахмурился:

— За кем?

— За невестой Арни.

— Так я это... не за ней. Я по нужде. Не на улице же. А с дворами там туго...

Мы с Левадовским переглянулись, он пожал плечами, мол, идиот, что поделать, а Сергей продолжил:

— Леха нас торопил, надо бы все пораньше провернуть, пока народ с работы не подтянулся. Дом маленький, всего шесть квартир. Возвращаются обычно поздно, хорошо бы до этого времени успеть, чтоб не нарваться. Последнее время тут менты всех вопросами донимали, вот мы на всякий случай запаслись липовыми удостоверениями, мол, тоже из ментовки. Толик бороду нацепил, а я очки, типа замаскировались. И пошли. — Он тяжело вздохнул.

— Не тяни, — посоветовал Левандовский. Блондин вновь вздохнул:

— Чего тянуть? Дверь он сам открыл, мы документ в глазок показали. Он нервный был, отвечал кое-как, о своем думал. И на нас внимания почти не обращал. Толик мне моргнул, мы его под руки — и в ванную, для начала об угол приложили, он обмяк, ну, дальше Толик... Подождали, пока отойдет... он даже не очнулся. Башку-то пробили. Как выяснилось, могли бы и не резать, все равно не жилец. Управились быстро, прям на удивление. И все так гладко прошло... Но, видать, Толик что-то напортачил. Говорят, менты все решить не могут: то ли сам, то ли помогли.

— А чего ж прослушку не сняли?

— Забыли, — недовольно отмахнулся Сергей. — Говорю, все на нервах. Ну, а возвращаться не рискнули.

— Вы знаете, что его брата сегодня арестовали? — вновь влезла я.

— Знаю, он вчера к хозяину прибегал. Мол, следаки уверены, это убийство, и кто, спрашивается, убил? Хозяин, само собой, в отказ: зачем мне труп, мне надежный свидетель нужен. Я так думаю, он надавил где надо, вот братан сейчас в кутузке и сидит. Очухается, станет куда сговорчивее. Все, — кивнул он и с беспокойством перевел взгляд на пистолет.

— Молодец, — серьезно сказал Левандовский, поднимаясь из-за стола. — Я положу ключ от наручников вот сюда. — Он продемонстрировал ключ и положил его на подоконник. — При старании, ты до него дотянешься, хотя, может, и не сразу. В твоих интересах забыть меня навеки, не то придется твоим дружкам рассказать, что ты их сдал. Боюсь, после этого мы уже не свидимся.

— Все понял, — кивнул Сергей, почувствовав облегчение. И вдруг спросил: — А девка твоя кто?

— Это сейчас самый насущный вопрос? — развел руками Левандовский, успев разложить предметы устрашения по карманам: пистолет в один, глушитель — в другой.

— А чо такого-то? — вновь забеспокоился блондин.

— Она — мой ассистент. Тебе повезло, что наедине вас не оставил. Мужиков люто ненавидит, детородные органы вырывает голыми руками...

— Да ладно... — неуверенно хмыкнул блондин.

— Хочешь попробовать?

Я сладенько улыбнулась, и мы покинули квартиру, дверь запирать не стали. А я тут же зашипела:

— Ну, ты и свинья.

— Не разумею, — покачал головой Левандовский. После чего добавил: — Сцене не хватало драматизма. Сама со мной напросилась, терпи.

— Надо было взять письменные показания.

— Он от всего откажется. Заявит, что оговорил себя под пистолетом. Хотя наш разговор я, конечно, записал. — Он продемонстрировал мне крошечный диктофон. — Не стал ему показывать, чтоб не смущать.

Мы выехали со двора, Левандовский набрал номер на мобильном и сказал:

— Привет, Иван Сергеевич. Проверил бы одну квартирку, шумно там очень. — Он продиктовал адрес блондина. — Буду благодарен, если обо мне ты упоминать не станешь. Спасибо... да, и еще... ты там пошарь как следует, уверен, найдешь много интересного. А когда будешь допрашивать клиента, поинтересуйся, что ему известно об убийстве в Никольском переулке... О каком конкретно? Он и о том, и о другом охотно расскажет, по крайней мере, десять минут назад пел соловьем.

Разговор Левандовский закончил и мне подмигнул.

— Не могу сказать, что твой стиль работы мне по душе, — сказала я сурово. А он дурашливо вздохнул:

— Да и мне не очень. Но что поделать?

Всю дорогу до моего дома мы неутомимо пререкались по этому поводу, а дома нас ждал сюрприз, то есть, если быть точной, ждал он нас в квартире Стаси, куда мы завернули, предварительно заскочив в супермаркет и обогатив себя двумя бутылками отменного коньяка.

— Ты спаиваешь старушку, — съязвила я.

— Еще вопрос, кто кого спаивает.

Стася распахнула дверь после первого звонка, выглядела, мягко говоря, недовольной. Пока я гадала, что ее могло разгневать, она ткнула пальцем куда-то в глубь квартиры и рявкнула:

— Полюбуйся. — И тут же, расцветя улыбкой, защебетала с Левандовским.

Теряясь в догадках, я прошла в кухню, по некоему движению в этой части жилища сообразив, что любоваться предположительно надо там. За столом с чашкой чая в одной руке и куском шарлотки в другой сидела Ирка и весело мне улыбалась:

— Привет, Зоська.

Я плюхнулась на ближайший стул, таращась на нее во все глаза.

— А обнимашечки? — скуксилась она.

Меня же переполняли противоречивые чувства. С одной стороны, при виде подруги я испытала огромное облегчение, потому что всерьез боялась: в живых ее уже нет. С другой, очень хотелось влепить ей хорошую затрещину за все мои мытарства и беспокойство за нее в том числе. Порыв я все-таки сдержала и сказала:

— Рада, что тебе еще шею не свернули.

В этот момент в кухне появилась Стася с Левандовским, думаю, старушка спешно ввела его в курс дела, выглядел он чрезвычайно серьезным, если не сказать суровым.

— Брось... — протянула подруга. А увидев Левандовского, слегка смешалась и тут же спросила: — А это кто?

— Знакомься. Мой адвокат, Марк Владиславович Левандовский.

— Зачем тебе адвокат? — удивилась Ирка.

— На спрос, а кто спросит, тому — сама знаешь... Может, и тебе адвокат понадобится.

— С какой стати?

— С такой, что тебе запросто припаяют организацию ограбления, это как минимум. А как максимум: безвременную кончину бывшего босса.

— Ты ему все разболтала, да? — потерла нос Ирка. Обиды в голосе не чувствовалось, впрочем, это было ее отличительной чертой еще в детстве: все воспринимать как данность и ни на кого не обижаться.

— Полиция не в курсе, но только потому, что благодаря тебе и я в дерьме по самые уши.

— Кто ж знал, что так получится. План-то гениальный. Будь под рукой кто-то вместо Горя, все бы склеилось в лучшем виде. Ну, а Горе, ты знаешь... Самой надо было идти, — добавила она со вздохом.

— Будьте так добры, просветите нас: в чем заключался ваш гениальный замысел? — спросил Левандовский, разглядывая Ирку с таким видом, точно обнаружил в своей тарелке таракана. Само собой, подружке это не понравилось, она нахмурилась, поежилась и уставилась на меня.

— Валяй, валяй, — сказала я. — Думаю, ты не просто так явилась. Хочешь, чтобы помогли, отвечай на вопросы и не вздумай врать.

— Вот именно, — влезла Стася.

— Чего уж теперь врать-то, — вновь вздохнула Ирка. — Я тебе и раньше не врала, просто недоговаривала.

— Вы решили обчистить сейф Кудрявцева? — поторопила я.

— Ага. Там всегда бабло было. А если повезет, то много бабла. Знаешь, какая у него кликуха была? Мытарь. Главный по поборам. Все в этом городе ему отстегивали, а он дружкам в администрацию нес, и в областную, и в городскую... У воров украсть не грех.

— И как ты, дубина стоеросовая, рассчитывала после этого здесь жить? Неужто думала, Кудрявцев не докопается?

— Мы с Горем планировали сразу отчалить на полгодика. Да и доказать надо, что без меня не обошлось. Я ж нарочно сама к нему не поехала, чтоб в стороне остаться. С тебя взятки гладки, у Горы есть причина смыться: набил морду менту. Вот и скрывается. Все было бы в лучшем виде, если б Витю не кокнули. Мы б опять подружились, я бы его пожалела, а он бы на моей груди нашел успокоение. А деньги — тьфу, придумал бы кого ободрать как липку.

— Кроме денег там было кое-что еще, — произнес Левандовский, продолжая разглядывать Ирку. Она повернулась так, чтобы смотреть исключительно на меня, оставаясь к Левандовскому в профиль, должно быть, его взгляд ее нервировал.

— Нас только бабки интересовали, — отмахнулась она. — Дальше рассказывать?

— Конечно.

— У меня были ключи от его дома. Горе немного посидел в засаде, а потом спокойно прошел в спальню, там, где сейф. Спрятался под кроватью. А что? Вполне надежное место. В доме был только Кудрявцев, да и тот на лужайку убрел. Горе в окно прекрасно видел, как ты подъехала, как с Витей встретилась. Под кровать уже не полез, спрятался за портьерой. Дождался, когда Кудрявцев сейф откроет, и стукнул его по башке.

— Чем? — спросил Левандовский.

— А я знаю?

— Уверен, вы и это продумали, не доверив своему другу детства выбор оружия.

— Кастетом, — вздохнула она. — Просто оглушил, и все. А потом Гору самого оглушили. Очнулся, рядом мертвый Витя, у самого башка в крови. Похоже, его тем же кастетом и отоварили. Он, когда деньги из сейфа выгребал, оружие на кровати оставил. Слава богу, успел смыться до приезда жены. Жесть. Витю жалко, а бабло и того жальче. Я дружку говорю: надо сматываться. Вот только куда, если этот гад и мои деньги упер. А Горе, как на грех, завелся: нужно гада искать. Найдешь его, как же. В общем, я к подруге в соседнюю область сдернула, а он здесь остался. Сначала я про Арни узнала, а теперь вот про Гору. В морге наш Егор лежит, мать его опознала. Пришлось возвращаться.

— Зачем? — спросила я.

— Как зачем? Он мне всю жизнь друг, брат и любовник. А я его смерть просто так спущу? Нет уж...

— И что ты намерена делать?

— Убийцу искать. Только не знаю как.

— Вы с Егором связь поддерживали? — задал вопрос Левандовский.

— Нет. Боялась, он на меня выведет нечаянно. Это ж просто ходячая невезуха. Чем он тут занят был, я не знаю.

— Арни о ваших планах знал? — спросила я.

— Конечно, нет. В таком деле чем меньше народу, тем надежней. Да и зачем нам кто-то еще? План был гениален и прост. Жаль, что не сработал.

— Но ведь о нем как-то узнали? — напомнила я.

— Я уже думала и так, и эдак. Может, Горе кому проговорился? Форменный допрос ему учинила, но он в отказ: никому ни слова.

— Ты ему веришь?

— Он мне никогда не врал.

— С враньем у него не очень, — согласилась я. — На это просто сообразительности не хватало.

— Ага. Пик умственных способностей у парня пришелся на начальную школу. Но я все равно его любила. Теперь выходит, что только его и любила. Ну, и тебя, конечно.

— А если вас кто-то выследил? — не унималась я.

— Да брось ты. Чего нас выслеживать? Мы к Витиному дому близко не подходили. Зачем? Ключ есть, основная задача, чтоб он в доме один был. Я пообещала сама деньги привезти и намекнула: надо примирение отметить. Чтоб свою кикимору сбагрил ненадолго. Допустим, ты хвост привела, но не мог этот гад все так быстро провернуть. Наудачу шел? Откуда ему было знать, что ты деньги везешь и Витя сейф откроет? — Тут ее вроде как озарило, она обвела взглядом присутствующих и задала вопрос: — Ты никому ничего не рассказывала?

— И не надейся все на меня спихнуть, — отмахнулась я. — Стася и пан Левандовский узнали все не до, а после.

— Тогда не знаю, — вздохнула Ирка, нахохлившись, на мгновение став похожей на девчонку моего детства, словно и не было всех этих лет. Тут она потерла нос и спросила, обращаясь ко мне: — Говорят, Геру посадили. Неужто это он брата кокнул? Из-за тебя?

— С ума сошла? — всплеснула я руками. — С какой стати?

— Ну, я подумала, ты вернулась, у вас опять закрутилось, а тут братик снова влез. Все-таки Герман любил тебя, это же ясно. Путную бабу так и не завел, что говорит о многом. Стриптизерши его, тьфу, только для постели. И вдруг ты на его голову свалилась, просто картинка для журнала.

— Ничего у нас не закручивалось, — косясь на Левандовского, отрезала я. — И Герман брата не убивал, это совершенно другая история.

— Да? Расскажешь?

— Я сама толком ничего не знаю. Кстати, ты прячешься или как?

— Вроде особо никто не ищет. Но и нарываться не хочется. Я бы лучше у тебя пожила.

— Тогда пошли, — поднялась я из-за стола.

— Зоська, гони ее в шею, — активизировалась Стася. — Чума — это страшная зараза, в Средневековье целые города опустошала, после нее одни покойники.

— Вот уж спасибо, — хмыкнула Ирка.

— Пожалуйста. Зоська, в квартиру ее не пускай.

— Стася, успокойтесь, ничего моей квартире не сделается. И больше, чем я уже впуталась, меня никто не впутает. Зато, глядишь, появятся догадки, кто всех вокруг пальца обвел.

— Лишняя головная боль у тебя появится, а не догадки...

Дослушивать я не стала, кивком простилась, и мы с Иркой отбыли ко мне.

— Где ты адвоката надыбала? — спросила Ирка, входя в мою квартиру.

— Не я, Стася. Говорит: зов крови. Он, по ее мнению, поляк.

— Да? Я думала, они в наших краях не водятся.

— Я тоже.

Ирка повалилась на диван, задрала ноги повыше и весело предложила:

— Ты мне лучше про Германа расскажи. Неужто он не уложил тебя в постель?

— Странная фантазия, учитывая, что я уехала отсюда, потому что он хотел уложить меня в постель другого.

— Расскажи, интересно же. Вы встречались? Как все было?

Я довольно подробно рассказала, дивясь обилию вопросов и уточнений.

— И что теперь? — в очередной раз спросила Ирка. — Геру закрыли, ты думаешь его выручать или тебе по фигу?

— Мне не по фигу, что человек безвинно арестован. Надеюсь, Левандовский ему поможет. Он-то знает, что Герман брата не убивал.

— Да ну? Он-то здесь с какого бока?

Пришлось и об этом рассказать.

— Левандовский считает, если бы Герман сейчас рассказал всю правду о показаниях Арни, очень бы помог и себе, и клиенту Марка Владиславовича. Прослушка, которую менты обнаружили, его слова косвенно подтверждают.

— Вряд ли Гера пойдет на это. Придется дружков сдать, а они рассерчают. В тюрьме, при желании, его достать даже проще, чем тут.

— Вот-вот. А без его свидетельских показаний все под большим вопросом, доказательств у Левандовского никаких.

О нашем визите к блондину я решила промолчать, чтобы у Ирки не сложилось впечатления, что ясновельможный форменный разбойник. Хотя подружке с ее шаткими представлениями о морали, скорее всего, до этого вовсе нет никакого дела.

Первые полчаса, болтая с Иркой, я ожидала, что вот-вот появится Левандовский, причину, зачем ему это делать, я не придумала, но ждала. Так как он не явился, я начала мысленно язвить: небось пьет коньяк со Стасей (не пропадать же добру) и переполняется гордостью, что было ему такое счастье — родиться поляком. Время от времени я поглядывала в окно, но ясновельможного проворонила. В какой-то момент его машина со двора исчезла. Это вызвало легкую грусть. Но ближе к ночи Марк Владиславович вдруг объявился.

В дверь позвонили, открывать пошла Ирка, я в этот момент принимала душ, а выйдя из ванной, обнаружила подругу в гостиной в компании ясновельможного. Тот выглядел вроде бы недовольным. Я поинтересовалась, как дела? И получив стандартный ответ «нормально», я в глубине души затаила надежду: явился он вовсе не по делам, и то, что я все еще не одна, его сильно расстроило. Я предложила выпить чаю, а он сказал:

— Я у тебя ночую.

— Зачем? — брякнула я. Ирка приподняла брови, мол, что бы это значило?

— Враги активизировались, — отрезал Левандовский. — Лучше, если ты будешь под присмотром.

— Враги? Ты Валеру имеешь в виду?

— Валера, как выяснилось, нам не враг, и даже метит в друзья. — И замолчал.

— А можно тему развить? — съязвила я, подождав немного и ничего не дождавшись.

— Это терпит. Я Валеру имею в виду. Если к тебе вдруг менты явятся, мое присутствие лишним совсем не будет, — и выразительно посмотрел на Ирку.

Подружка нахмурилась, а потом вздохнула.

— Ладно, — кивнула я в некотором замешательстве.

— Если честно, я сегодня лег бы пораньше, — продолжил он, и я кинулась стелить ему постель.

Спальных мест в моей квартире оказалось совсем немного, в результате распределились так: Левандовский на диване в гостиной, мы с Иркой на моей кровати. Подруга пыталась продолжить разговор о Германе, но в тот момент меня куда больше занимал ясновельможный. На вопросы я отвечала вяло, пребывая в своих девичьих мечтах, и вскоре уснула.

А проснувшись среди ночи, Ирку рядом не обнаружила. Подняла голову, прислушиваясь, из гостиной донесся тихий Иркин смех, затем тишина, потом голос Левандовского. Меня обдало жаром, вслед за этим я рухнула на подушку, хотя, по идее, надлежало бы хлопнуться в обморок. Воображение услужливо рисовало самые чудовищные картины, впрочем, чудовищными они были лишь для меня. И ведь даже возмутиться не получится! Левадовский имеет право заводить шашни с кем угодно. И если он выбрал мою подругу, возразить мне нечего. Ирка не в курсе, что он с некоторых пор является объектом моих эротических фантазий, так что и с нее не спросишь. Пока я изображала из себя недотрогу, подружка у меня его из-под носа увела. Так мне и надо! Нечего оставлять в квартире кого попало!

Кого из двоих я имела в виду, осталось для меня загадкой, скорее всего, обоих. Я собралась реветь, но вместо этого поднялась и направилась к двери. Проснулась я не просто так, а потому что в туалет хотела. И терпеть до утра точно не намерена, и если кому-то создам неудобства, так это их проблемы.

В общем, я пошлепала в туалет. К моему удивлению, дверь в гостиную оказалась распахнута настежь, очам предстало неожиданное зрелище. Ирка сидела в кресле, забравшись в него с ногами. В моей футболке, которую получила вместо ночнушки. А вот Левандовский восседал на диване в джинсах и футболке. Они пили мартини, причем не особо в питие продвинулись, и говорили, судя по обрывкам услышанного разговора, о Германе. По крайней мере, его имя точно прозвучало.

— Я же предупреждал, хозяйку разбудим, — взглянув на меня, произнес Левандовский.

— Ничего-ничего, — пробормотала я, проходя мимо. — Будьте как дома.

В туалете я вознесла благодарственную молитву господу. Несмотря на весьма неподходящее место, вышло трогательно и эмоционально. Хотя, может, я зря радуюсь, и все непременно скатывалось к грехопадению.

По возвращении я смогла убедиться: Левандовский моет рюмки в кухне, а Ирка заняла свое место в кровати.

— Так ты Геру в самом деле бортанула? — хихикнула подружка, когда я легла рядом. — Не ожидала, если честно. А поляк ничего. Похоже, втюрился.

— Ты себя имеешь в виду?— насторожилась я.

— Если бы. А он точно адвокат? — огорошила она.

— Точно, я в интернете статьи про него читала. Там и фотографии есть.

— Ага. Значит, и тебя сомнения одолели?

— Какие еще сомнения?

Ирка вновь хихикнула:

— Ему бы больше подошло прокурором быть. Взгляд подходящий. Вот так смотришь на него, вроде душка, а как зыркнет, оторопь берет. Ты с ним поаккуратней. Такой прихлопнет, точно муху.

— Кого? — вконец перепугалась я.

— Это я так, образно, — хмыкнула Ирка и замолчала. А я до утра подвергала свой мозг серьезной перегрузке: размышляла о словах подруги и самом Левандовском.

«Вот уж чушь, — думала сердито. — Никого он прихлопывать не собирается». Но против воли всплывали кое-какие неутешительные детали. Один пистолет чего стоит. Есть еще милая привычка: проникать без приглашения в чужие квартиры. А мордобой?

Утром я проснулась в скверном расположении духа. Оно лишь усилилось, когда я застала обоих гостей в кухне. Ирка успела приготовить завтрак и кормила Левандовского. Тот принимал ее заботу так естественно, точно обеспечить его кофе по утрам входит в ее обязанности.

— Привет, — буркнула я, устраиваясь за столом. Когда Ирка ненадолго скрылась в ванной, Левандовский заявил:

— Твоя подруга меня соблазняла.

— И на что жалуемся? — разулыбалась я.

— На ночь, которая прошла впустую.

— Ты оказался крепким орешком? А с виду не скажешь.

— Милая, у меня нет желания вызвать у тебя чувство ревности. — Его улыбка была сродни моей. — Будучи стопроцентным поляком, я ценю в отношениях доверие.

— Да, Стася говорила, это ваша национальная черта.

— Наша, милая, наша. Но доверие и доверчивость — не одно и то же. Твоя подруга выходит ночью попить воды, разыгрывает целую комедию...

— И в результате вы пьете мартини, — подсказала я.

— Точно. Вопрос, зачем ей это надо?

— Вариантов много. Например, ты ей нравишься. Или ей нравится мартини, но пить в одиночестве она считает неприличным. Кстати, она утверждает, что ты — «мутный тип», и я не могу с этим не согласиться.

— То есть она настраивала тебя против меня?

— Так же точно, как ты сейчас настраиваешь меня против Ирки. Любопытно, зачем вам это нужно?

— Отлично, продолжай размышлять над этим.

Он поднялся и направился к входной двери.

— Гад ты, ясновельможный, — не удержалась я.

— Временами — да, — согласно кивнул он с самодовольным видом. — По городу не болтайся, затаись у Стаси. Приеду, как только освобожусь. Кстати, кто такая Орлова Зоя Федоровна? — вдруг спросил он.

— Понятия не имею, — ответила я, ненадолго задумавшись.

— То есть от Германа ты это имя никогда не слышала?

— Так речь о тете Зое, что ли? — озарило меня. — Сестра его матери. Живет где-то в области, сейчас приехала, чтобы родню поддержать... А почему ты спрашиваешь?

— Месяц назад Герман купил квартиру на ее имя.

Я пожала плечами:

— Наверное, она решила перебраться ближе к сестре. Герман ее, кстати, не очень жаловал, однако мать, должно быть, настояла. Не знаю, что это за квартира, но вряд ли у тети Зои были на нее деньги.

— Заботливый сын, — усмехнулся Левандовский и ушел, оставив меня гадать, что все это значит.

— О чем шептались с поляком? — спросила Ирка, присоединившись ко мне.

— Так, ерунда...

— Не хочешь говорить?

— Вот уж глупости. Герман тетке квартиру купил месяц назад. Помнишь тетю Зою?

— Конечно, помню. Мы ее прозвали «широка страна моя родная», весила два центнера, не меньше, а уж сплетница... А это точно Гера раскошелился?

— Наверное, если Левандовский говорит.

— Откуда он про квартиру узнал?

— Понятия не имею. Вернется, спроси, если очень интересно.

Ирка ничего не ответила, но задумалась. Разговор у нас не клеился, новости мы уже обсудили, а воспоминания были не ко времени: двое из друзей детства сейчас в морге, один в тюрьме, выходило как-то безрадостно.

Я завалилась с книжкой на диван, испытывая чувство неловкости перед подругой. Но Ирке, похоже, было все равно, она взяла журнал, который я купила, чтобы в поезде скоротать время, но вряд ли читала, страницы не переворачивала. Должно быть, размышляет о своей дальнейшей жизни. Оно и понятно.

Наконец появился Левандовский. Я от радости едва не бросилась ему на шею. Узнав, что мы уезжаем, Ирка вызвалась отправиться с нами, но ясновельможный довольно сурово заявил:

— На твоем месте я бы без особой нужды по улицам не болтался. — И, подхватив меня под руку, покинул квартиру.

— Надо было ее с собой взять, — заметила я. — Сидеть в четырех стенах не очень-то весело.

— Мало мне тебя, еще возись и с ней? Заявляю сразу: только за деньги, причем немалые.

— Стася утверждает, что поляки щедры и великодушны.

— В моем случае произошел генетический сбой. Поторапливайся, нам еще кота искать.

— Казимирович опять смылся?

— Я бы на месте бабки его кастрировал.

— Она говорит, никак нельзя. Может, она и в нем польскую кровь обнаружила?

— Он вроде британец.

— Зато красавец. Следовательно, поляк. Опять же, родителя Казимиром звали... А куда мы едем? — сообразила спросить я, когда «Гелендваген», управляемый Левандовским, удалился на весьма значительное расстояние от моего дома.

— Посмотрим, что за квартиру купил твой Герман.

— Будь добр, не называй его «моим», — скривилась я. — Не стоит тыкать девушке в нос ошибки юности.

— А он точно ошибка?

— Конечно.

— Езус Мария! А еще говорят, старая любовь не забывается!

— Если ты настаиваешь, попробую влюбиться в него еще раз, — съязвила я.

Ясновельможный тут же нахмурился:

— Лучше в меня влюбиться попробуй.

— Вот еще. На ответное чувство рассчитывать не приходится, а тратить время впустую мне уже надоело.

— Мое сердце переполняется любовью к тебе, — расплылся он в улыбке.

— Да? Тогда подумаю.

Нужный нам дом находился в промзоне, совсем рядом химкомбинат. Жилье здесь строили лет шестьдесят назад, правда, выглядело оно совсем неплохо: крышу поменяли, фасады покрасили. Почти наверняка живут тут преимущественно пенсионеры, молодежь в такое место вряд ли поедет добровольно, если только запросят совсем копейки. По соседству ни школы, ни детского сада, ни парка, где можно было бы погулять с ребенком. До остановки тоже далековато.

— На тете Зое решили сэкономить, — сделала я заключение, когда мы въезжали во двор.

Он выглядел довольно захламленным, возле покосившихся деревянных сараев доски вперемежку с какими-то железяками и старыми ящиками.

— Жди здесь, — заглушив двигатель, сказал ясновельможный.

— Ты собираешься проникнуть в квартиру? — перешла я на шепот.

— Собираюсь, — кивнул он.

— А вдруг там хозяйка?

— Разве она сейчас не должна быть с сестрой?

— Тогда я с тобой.

— А если соседи проявят бдительность? Кто мне будет передачки носить?

— Стася, естественно.

— Сиди здесь, — посуровел он. — Если все пройдет гладко, позвоню, и ты сможешь удовлетворить свое любопытство.

— Идиот. Я хотела быть с тобой в горе и радости.

Он засмеялся и, захлопнув дверь, направился к единственному подъезду, дверь которого была гостеприимно открыта. Минут пять я гадала, что Левандовский надеется найти в квартире, и удивлялась, почему раньше не задала ему этот вопрос.

Тут он позвонил и сказал насмешливо:

— Пани Зоська, жду вас во второй квартире. Только ничего не перепутайте, на двери номер отсутствует.

Дверь явно сохранилась с момента постройки дома: деревянная, с допотопной ручкой и таким же допотопным звонком.

Квартира оказалась однокомнатной, но довольно просторной. Большая кухня и комната метров двадцать. Из прихожей вела дверь в кладовку, где сейчас стоял Левандовский и рассматривал пустые полки с таким вниманием, точно надеялся обнаружить все сокровища мира. Не желая ему мешать, я прошлась по квартире, само собой, надев бахилы и перчатки, которые лежали на расстеленном возле порога полиэтиленовом пакете. Квартира не жилая, в этом нет никаких сомнений. В кухне царил полумрак, рулонная штора наполовину опущена. К тому же окно находилось в торце здания, и под ним были настоящие заросли: раскидистая яблоня, которую подпирали кусты сирени и штокрозы, достигавшие никак не меньше полутора метров. Воздух в кухне стоял тяжелый. Я обратила внимание на плесень в углу, возле батареи отвалился плинтус, в полу виднелась дыра выдающихся размеров, оттуда несло гнилью, и я подумала: грызуны здесь наверняка чувствуют себя вольготно. Прежде чем сюда заселяться, тете Зое предстоит сделать дорогущий ремонт.

— Ты знал, что она здесь не живет? — задала я вопрос Левандовскому, когда он появился в кухне.

— По-твоему, я вломился в квартиру, чтобы довести старушку до инфаркта?

— А зачем мы вообще сюда вломились?

— Я вчера звонил Зое Федоровне, представился администратором городской поликлиники. И знаешь, что выяснил?

— Переезжать сюда она не собирается?

— Похоже, она даже не в курсе, что стала счастливой обладательницей сорока шести квадратных метров в областном центре.

— Может, Герман собирался сделать ей подарок? И решил сначала все здесь отремонтировать?

— Или ему нужна была квартира, о которой никто не знал.

— Но ты-то узнал.

— Будем считать, что мне повезло. Как-то неудобно хвастать своим умом и суперсообразительностью. К тому же избыток гениальности часто отпугивает девушек.

— Марк Владиславович, ты мне наконец объяснишь, зачем мы сюда притащились? — усмехнулась я. — Кстати, можно я форточку открою? Чего доброго, задохнемся.

— Потом закрыть не забудь, — кивнул он, удаляясь в комнату.

Рамы здесь были под стать входной двери, деревянные, десятки раз крашенные, я потянулась к форточке, но до шпингалета не достала, пришлось лезть на подоконник. Спрыгнув на пол, я отряхнулась, продолжая оглядываться. Ветхий кухонный гарнитур, вот, собственно, и вся мебель. Плита в таком состоянии, что никакое супермоющее средство ее не отчистит.

— Может, ему эту квартиру за долги отдали? — внесла я предположение, присоединяясь к Левандовскому.

— Ага. Или он ее в карты выиграл, — в тон мне ответил ясновельможный. В комнате оставалась кое-какая мебель: шифоньер с перекошенной дверкой, диван и круглый стол. Шторы отсутствовали, и мы не рискнули здесь расхаживать.

— Далась тебе эта квартира, — буркнула я. — С какой стати тебя вообще стал интересовать Герман? Прикидываешь, как его прижать, чтобы дал нужные тебе показания?

— До чего ты умна, пани Зоська, — заявил он, улыбнувшись. — Хотя в твоем случае и красоты за глаза. Природа зря расщедрилась.

— И чем тебе эта квартира поможет?

— Ладно, пойдем, — не пожелав ответить на вопрос, сказал Левандовский и вспомнил о форточке. — Закрыть не забудь.

Я вернулась в кухню, лезть вторично на подоконник мне не хотелось, и я просто захлопнула обе створки, решив: Герман точно не обратит внимания, что окно не заперто, а если сюда проникнут воры, их постигнет глубочайшее разочарование.

Стася стояла на балконе, завидев нас, торжественно возвестила:

— Он явился!

— Наш спаситель? — с серьезной миной проорал в ответ Левандовский. — Не ожидал, что так скоро...

— Нет, наш кот.

— Ну вот, кот у нас уже общий, — перешел он на шепот. — Милая, не пора ли нам приступать к совместному ведению хозяйства?

— Конечно, дорогой. Я буду вкручивать лампочки, если они перегорят, а ты убирать, стирать и готовить. А на день рождения я подарю тебе пылесос.

— Спасибо, что предупредила. Ты не готова к семейной жизни, милая. Как жаль, а я уже кольцо купил.

— Покажи, — замерев на месте, потребовала я.

Левандовский сбился с шага, похлопал глазами и сказал с пакостной улыбкой:

— Это была шутка.

— Приличные люди такими вещами не шутят, — отрезала я, входя в подъезд.

Могу поклясться, он на мгновение растерялся, я уже хотела ткнуть в него пальцем с воплем: «купился!», но он вдруг заявил:

— Никуда не уходи, — и развернулся, с намерением покинуть подъезд.

— Ты куда? — растерялась я.

— За кольцом, конечно.

Тут он не выдержал и захохотал, хорошо хоть пальцем в меня не тыкал. Я почти бегом припустила по лестнице, где-то на середине пути он меня догнал.

— Милая, у тебя вдруг выросли крылья?

— Нет, внезапно вылез хвост. Меня восхищает ваше чувство юмора, но не могли бы вы вместе с ним отправиться к чертям собачьим.

— Не могу. Я прикован к тебе незримыми цепями.

Стася поджидала нас возле дверей.

— Вы что, ссоритесь? — спросила сердито.

— С вашим Левандовским с ума сойдешь. Вы мне что обещали: женится как миленький, а у него семь пятниц на неделе.

— Терпи, Зоська, это национальное. Где два поляка, там три партии. Ничего, дожмем.

— Пани Зоська сама мне голову морочит. Я весь на нервах, второй день хочу ей кольцо вручить, да боюсь, она в меня им запустит, что явится оскорблением моим многочисленным предкам, среди которых был даже один гетман. Или два. Кольцо передается в нашей семье из поколения в поколение и дорого мне чрезвычайно.

— А ты попробуй, — сложив руки на груди, съязвила я. — Вдруг повезет.

Он с серьезным видом принялся шарить по карманам, бормоча: «Неужто потерял?»

— Жуть, — сказала я. — Чего доброго сейчас все ваши предки заявятся. Стася, у вас есть что-нибудь от привидений?

— Касторка очень помогает.

— Налейте пану Левандовскому целый стакан.

— Нашел! — заорал он, от чего мы обе подпрыгнули. И сунул мне в руки бархатный футляр в форме сердца.

— Это что? — насторожилась я.

— Реликвия, из глубины веков... — внезапно начал заикаться он.

Я с некоторой опаской открыла футляр, ожидая любой пакости. Но внутри оказалось кольцо. Вряд ли антиквариат. Я бы решила, что его приобрели на днях.

— Свинство какое, — простонала я, хотела зашвырнуть кольцо подальше, но, сообразив, что цена у него немалая, запихнула его Левандовскому в карман пиджака.

— А я что говорил? — со слезой в голосе обратился ясновельможный к Стасе.

— Это она от стеснительности. Деточка, возьми колечко, надень на пальчик... Зоська, не будь дурой, бери кольцо.

— Вы что, не понимаете? Он же издевается! — рявкнула я.

— Хороши издевки: там бриллиант в два карата, — зашипела старушка. — Пан Левандовский, если вы решите надо мной так поиздеваться, я с большим удовольствием...

— Пани Станислава, я бы на вас охотно женился, если бы не роковая страсть вот к этой бездушной особе. Бери кольцо, Зоська, второй раз предлагать не буду.

— Лучше утоплюсь, — ответила я.

— Если так пойдет дальше, я тебя сам утоплю, — вздохнул он. — Видели, что вытворяет?

— Что ждать от девчонки, которая росла на улице? — поджала губы Стася. — Первая попытка не засчитывается. Предлагаю за это выпить.

— Я с вами алкоголиком стану, — буркнула я, но покорно пошла к столу. — Значит, Казимирович вернулся? — решила я сменить тему.

— Ага. Кот вернулся, а вот подруга твоя сбежала. — Признаться, только в этот момент я вспомнила, что в моей квартире оставалась Ирка. — Вы уехали, и она за вами следом. Спрашиваю: ты куда, леший тебя забери, а она мне: прогуляюсь немного, тетя Стася. Вот до сих пор и прогуливается.

Я достала мобильный и позвонила Ирке: абонент в зоне недосягаемости.

— Она обиделась, — вздохнула я. — Полдня провели вместе, но почти не разговаривали. Из-за этих убийств все пошло наперекосяк.

— А я думаю, не просто так она сюда притащилась и сбежала не просто так. Чего-то этой вертихвостке надо.

— Ну почему непременно сбежала? — возразила я.

Ясновельможный, разливая коньяк, заявил:

— Согласен с пани Стасей. Простите, дамы, не могу составить вам компанию, я за рулем.

— Что ты хочешь сказать? — насторожилась я. — В чем согласен?

— Подружка надеялась кое-что узнать от тебя.

— Но... что? — развела я руками, теряясь в догадках.

— Мы это непременно выясним. Ибо нет ничего тайного в мире, что не стало бы явным. — И заорал дурным голосом: — Аллилуйя!

Ирка так и не вернулась, на звонки не отвечала. Ночевать я осталась у Стаси, Левандовский, кстати, тоже остался, хотя не ясно было, кого теперь следует опасаться, раз Валера вроде бы потерял к нам интерес. Правда, был еще неведомый мне Сергеенко.

Уже засыпая, я вдруг вспомнила слова Левандовского: Валера ему звонил, но ясновельможный так и не сказал зачем. Спросить? Я приподнялась с постели, но все-таки решила дождаться утра, неизвестно, что вообразит этот гнусный тип, если я сейчас к нему явлюсь.

Проснувшись довольно поздно (вчера мы засиделись: играли в подкидного дурака — исконно польскую игру, надо полагать), я не обнаружила ни Левандовского, ни Стаси. Только кот лежал на кухонном столе, щуря оранжевые глаза и выразительно постукивая хвостом.

— Могу тебя выпустить, — предложила я. — Если обещаешь к обеду вернуться.

При слове «обед» кот потер лапой морду и спрыгнул к мискам. Пока я искала его консервы, вернулась Стася.

— Проворонил ты свое счастье, — шепнула я коту. Он в ответ опрокинул миску с молоком. — Это мелко, — съязвила я, отправляясь за тряпкой.

— Пан Левандовский приглашает нас в выходные за город, — сообщила Стася, ставя на стол пакет с продуктами.

— Будем жарить шашлыки?

— Отравлять воздух едким дымом? На улице едят только оборванцы.

— А как же пикник? Даже государи не гнушались...

— Будем на лодке кататься, — отрезала Стася. — Проветрю свою шляпу цвета пыльной розы, мы с ней давно никуда не выходили. А потом в ресторан. Ужин при свечах на открытой веранде. Очень романтично. Зоська, будет кольцо совать — бери.

— Вы что, издеваетесь? — разозлилась я. — Это просто глупые шутки и ничего более.

— Был у меня один шутник, — вздохнула Стася. — А потом бац — и женился на толстой бабе старше его лет на десять. Оказалось, что эта дрянь шуток не понимала.

— Мораль вашей истории я не уловила. Мне на Левандовском жениться? Боюсь, он из-под венца сбежит. Такие всегда сбегают.

— У тебя сложилось о нем превратное представление: он благороден, честен, мил...

— А еще он космонавт, — подсказала я.

— Начнешь привередничать — и останешься в девках. Придется квартиру завещать кому попало. Мне-то еще повезло, ты подвернулась, все ж таки родная кровь...

— У меня есть двоюродный брат, завещаю все племянникам.

— Только не говори, что ты в него не влюбилась, — прижимая руку к груди, пролепетала Стася. — Смерти моей хочешь? Преждевременной...

— Дело совершенно не во мне...

— Влюбилась или нет?! — рявкнула она. — Не смей врать, я тебе почти что бабушка.

— Да! — рявкнула я в ответ.

— Вот и славно, — перешла старушка на ласковый шепот. — Остальное я беру на себя.

— Вот только попробуйте! — погрозила я пальцем. — Никакого сватовства. Или он сам... или добро племянникам отпишу.

Мне было очень интересно, чем все это время занят ясновельможный. Очень хотелось позвонить, если уж нельзя быть с ним рядом, но я решила: это ниже моего достоинства. Звонить первым должен мужчина. Это правило Стася вбила мне в голову еще лет двадцать назад, хотя сейчас категорически открещивалась от этого и намекала на «особый случай», когда можно и пренебречь. Я в ответ на это лишь ухмылялась. Но звонка от Левандовского все-таки дождалась. Марк Владиславович был деловит и немногословен.

— Германа отпускают. Последние формальности, и он будет на свободе.

— Я не поняла, это хорошо или плохо? — растерялась я.

— Для меня, безусловно, плохо, раз он опять начнет тебе глаза мозолить, а для тебя — не знаю.

— Безвинному человеку в тюрьме не место, — в ответ съязвила я. — А еще адвокат... А почему его отпускают? Они знают, кто убил Арни?

— Не похоже.

— Но... тогда я вовсе ничего не понимаю... Блондин намекал, Германа в тюрьму высокопоставленные дружки отправили, чтобы избавить себя от объяснений по поводу убийства брата...

— Правильно, одни высокопоставленные дружки посадили, а другие высокопоставленные теперь отпускают.

— Ты-то что намерен делать?

— Работать, милая, работать.

Заподозрив, что разговор на этом и закончится, я поспешила удовлетворить свое любопытство.

— Ты не рассказал, зачем тебе звонил Валера?

— Сообщил прелюбопытнейшую новость. Отец невесты Арни, с которым Германа по-прежнему связывают крепкие деловые узы, несмотря на обстоятельства... так вот, он с твоим Германом очень рассчитывал заполучить один весьма выгодный контракт, но этому сильно препятствовал другой известный в городе бизнесмен и, по совместительству, приятель нашего губернатора. То есть на самом деле Герману с несостоявшимся родственником мало что светило, но со вчерашнего дня партнер Купченко ведет себя так, точно договор уже подписан, и даже отдал команду начать работу над проектом.

— И что это значит? — нахмурилась я.

— Это значит: ребята уверены, что обойдут губернаторского дружка. Ты, кстати, была на Мальдивах?

— Да, в прошлом году.

— Жаль. Прикидываю варианты свадебного путешествия.

— Ты женишься?

— Я думал, ты в курсе.

Он повесил трубку, а я прошипела:

— Мерзавец. — И заголосила, чтобы Стася, находившаяся в соседней комнате, меня слышала: — Ваш Левандовский собрался жениться.

— Езус Мария! Наконец-то, — вплывая в комнату, заявила она. — А ты расстраивалась...

— С чего вы взяли, что он женится на мне?

— А на ком еще, дурища?

— Не знаю, — вздохнула я. — Вдруг у него кто-то есть...

Минут пятнадцать я могла думать только об этом. Вариантов было три: Левандовский и вправду собирается на мне жениться; собирается, но не на мне; вообще не собирается, и все это не более чем пустая болтовня. Душа томилась, сердце заметно превышало скоростной режим.

— Стася, да с какой стати ему на мне жениться? — воздевая руки, бормотала я. — Мы же знакомы без году неделя...

— По-твоему, я безмозглая старая кляча? Как бы не так. Я два года потратила, чтоб найти достойную кандидатуру.

— Какие два года? — растерялась я.

— Два года своей жизни, а мне и так осталось с гулькин нос. Зоська, мы с котом хотим умереть в окружении дорогих нам людей, успев твоим деткам

Судьба-волшебница **301**

порадоваться, а может, и внукам, — мечтательно добавила Стася. — Я в интернете читала: один кот прожил до тридцати пяти лет. Так, может, и наш, при таком-то уходе?

— Стася, при чем тут кот? — закатила я глаза.

— Кот всегда при чем. Я отмела полтора десятка кандидатур, пан Левандовский — беспроигрышный вариант. Вы женитесь, ты остаешься здесь, ваши детки будут под моим неусыпным контролем, и прости-прощай, богадельня.

— Гениально, — фыркнула я, но на душе полегчало.

Наверное, по этой причине мысли плавно вернулись к нашему разговору с Левандовским, точнее, к той его части, которая касалась Германа. И тут... в общем, возникло чувство, что я заплуталась в четырех соснах, не видя очевидного.

— Стася, мне надо ненадолго отлучиться, — сказала я и бросилась переодеваться.

— Куда ты? — ахнула старушка и что-то еще добавила, но я осталась глуха к ее словам, всецело занятая своими догадками.

Через десять минут я уже неслась в старых Стасиных тряпках к стоянке такси, а еще через двадцать тормозила возле дома, где Герман купил квартиру для своей тетки, и очень порадовалась, что вчера поленилась запереть форточку, ее величина позволяла проникнуть в чужое жилище, что я, собственно, и намеревалась сделать.

Расплатившись с водителем, я по узкой асфальтированной дорожке, идущей вдоль торца здания, прошмыгнула к нужному окну. Убедилась, что заросли надежно скрывают меня от любопытных глаз, надела перчатки и бахилы, подпрыгнула и толкнула створку форточки. Она легко открылась, правда, с излишним шумом. Оглядевшись еще раз, я подтянулась, держась руками за раму и упираясь ногами в стену, радуясь, что окно расположено невысоко, и вскоре уже стояла на металлическом отливе, который находился под окном. А дальше совсем просто: я быстро протиснулась внутрь и через рекордные двадцать секунд уже спрыгивала с подоконника с той стороны. «А если меня здесь застукают?» — мелькнула мысль, но она была мгновенно изгнана. Застукают, тогда и будем думать. Внезапно явилась другая мысль: а что, если не одну меня осенило, и тут вовсе не полиция появится, а кто-то вроде того же Валеры? Рассчитывать на их доброе отношение у меня причин нет.

Я быстрым шагом отправилась к кладовке, где в прошлый раз видела бейсбольную биту. Не бог весть какое оружие, но все же. Бита была на месте, а я проверила кладовку на предмет возможных тайников, теперь прекрасно понимая, чем был занят здесь Левандовский. Простучала стены и даже плитки пола. Приделаны намертво. Прихватив биту, я вернулась в кухню и занялась самым тщательным осмотром, а когда и он не дал результатов, перешла в комнату. Грабителям поживиться нечем, но тайник все равно должен быть надежным: шкафы, антресоли не годятся. Квартира на первом этаже... «Подпол, — озарило меня. — Тут должен быть подпол, но люк я не видела, значит, он скрыт мебелью».

Я направилась к дивану с намерением проверить свою догадку, и вдруг со стороны прихожей послышался какой-то шорох. Я испуганно замерла, а потом и вовсе покрылась испариной, кто-то вставил ключ в замок. Герман вернулся? Или кто-то еще?

Я бросилась к ветхому шифоньеру, единственному месту, где могла укрыться, биту пришлось прихватить с собой: Шифоньер был пуст, это я знала, потому что еще вчера в него заглядывала, а вот дверца меня очень беспокоила: закроется ли она плотно, если не будет заперта? Мне повезло, она закрылась, и я, прижавшись к задней стенке, сумела перевести дух и сразу же услышала голос Геры, он говорил по мобильному:

— Да, мама, все в порядке... Говорю же, все в порядке... я скоро приеду...

Насвистывая, он прошел совсем рядом со мной и стал двигать диван. Звуки, доносившиеся до меня, не оставляли в этом сомнения. Может, выскочить с громким воплем: «Сюрприз!» Долго я здесь не продержусь. И тут в дверь позвонили. Герман замер, потому что в комнате стало очень тихо, а вот звонок продолжал дребезжать, возлюбленный чертыхнулся и пошел открывать. А я смогла перевести дух, но облегчение длилось недолго.

— Привет, дорогой, — услышала я Иркин голос. — Не ожидал?

— Не ожидал, — ответил он. Потом хлопнула входная дверь, и раздались шаги. — Выследила меня?

— Выследила, выследила. Встретила возле места заключения и проводила. Интересно было: ты сразу сюда отправишься?

— Откуда про квартиру знаешь?

— Твоя Зоська сказала.

— А она откуда знает?

— Я думала, может, ты проболтался? — засмеялась Ирка.

— Откуда она знает? — повторил Герман, и Ирка сразу присмирела.

— От своего адвоката. Левандовский вроде Стасина родня.

— Левандовский, — Герман зло выругался. — Это плохо.

— Для кого?

— Для нас, дура. Какого хрена ты притащилась? Я тебе что велел делать?

— Герочка, а если тебя упекут лет на десять? Короче, гони мою долю.

— Не глупи. Надо выждать время. Начнешь швыряться деньгами...

— Гера, я хочу свои бабосы, — по слогам повторила Ирка. — Половина моя, как договаривались.

— Хорошо, привезу их завтра.

— Ты меня совсем дурой считаешь? Сейчас, Гера, сейчас.

— Я их что, по-твоему, с собой таскаю?

— По-моему, они здесь. На кой хрен тебе сдалась эта квартира? У себя деньги не оставишь, в банк не положишь, даже в ячейку. Непременно докопаются. А в квартире тетки искать не станут, особенно если про квартиру эту никто не знает. Скажи мне, дорогой, а ты еще месяц назад собирался меня кинуть?

— Дура, — сквозь зубы бросил он. — Ты все получишь, как договаривались.

— А Гору убить мы тоже договаривались?

— А ты хотела, чтобы он тебя сдал?

— Гора? Да ни за что на свете, — засмеялась Ирка.

— С его-то мозгами? Он все Соньке бы выболтал. Глазом не успела бы моргнуть, как оказалась в ментовке.

— Только не говори, что за меня боялся. За себя, Гера, за себя. И правильно. Я тебя за собой потяну, так и знай. Давай деньги, Герман.

Тут раздался какой-то подозрительный щелчок, а вслед за этим голос бывшего возлюбленного, в котором теперь отчетливо звучало беспокойство.

— Ты что, спятила? Откуда у тебя пистолет?

— Горе раздобыл. Давно. Видишь, пригодился. Не зли меня, я хочу видеть свои деньги.

— А пистолет заряжен? — засмеялся Герман, но веселья в нем не чувствовалось.

— Хочешь проверить? Гони мою долю, и я свалю из города.

— Я просто хотел выждать время, идиотка. Никуда твои деньги не денутся.

Тут Ирка зло хохотнула:

— А знаешь, что я думаю? Ты и меня хотел убить. Скажи, хотел? Придушил бы втихаря, и концы в воду, никто бы никогда не узнал, что ты Кудрявцева хлопнул.

— У тебя паранойя, и не забывай, что идея с Кудрявцевым принадлежала тебе. Я просто пошел у тебя на поводу.

— А убила его тоже я?

— Ты прекрасно знаешь, оставлять его в живых было нельзя. Он бы, в конце концов, докопался... Убери пистолет, поедем ко мне и все спокойно обсудим.

— Деньги, Гера. Считаю до трех, а потом пристрелю тебя к чертям. Ты меня знаешь.

Несколько секунд было тихо, затем Герман вновь стал двигать диван, а Ирка комментировала его действия:

— Что там, подпол?

— Конечно, подпол. Дом старый, здесь когда-то хранили картошку. Из-за этого подпола я и купил квартиру. Зарыл сумку возле вон той стены, никто никогда ее не найдет. Это куда надежнее, чем банк.

— Эй, не вздумай дурить. Я должна тебя видеть.

— Может, тогда сама сумку поищешь?

Я стояла, вцепившись в бейсбольную биту, прекрасно понимая: если подруга детства и бывший возлюбленный меня обнаружат, мне отсюда уже не выбраться. Скорее всего, я займу место сумки возле стены. Идиотка. Никто даже не знает, что я здесь. Написать смс Левандовскому? Опасно, эти могут услышать. Я отключила мобильный, как только влезла в шифоньер, боясь внезапного звонка.

Меня трясло от страха, надежда лишь на то, что Герману не придет охота заглядывать в пустой шифоньер, а если Чума сунется просто из любопытства? Похоже, сейчас ей не до этого. При мысли о подруге я сцепила челюсти покрепче. Теперь все встало на свои места, удивило лишь то, как я раньше ни о чем не догадалась? Валера намекал на некие документы, которые хранились у Кудрявцева. Скорее всего, они интересовали Германа не меньше, а может, даже больше, чем деньги. Именно благодаря им он вместе со своим партнером и рассчитывает устраивать здесь свои дела, поплевывая на конкурентов.

Гениальный план созрел у Ирки, но ее-то, судя по всему, интересовали только деньги. Она стянула у Кудрявцева со счета три миллиона с целью подобраться к его сейфу и отправила в дом Гору, который, конечно, не знал, что туда же отправится и Герман. Ирка, убежденная в невезучести дружка, решила сделать ставку на Купченко-старшего. Герман дождался, когда деньги окажутся у Стычкина, оглушил его, пристрелил Кудрявцева и с деньгами покинул дом. В случае необходимости, свалить убийство на

Гору было бы проще простого, для того он им и понадобился. Ирку он никогда бы не выдал и, скорее всего, оказался бы в тюрьме, против чего оба не возражали. Но вместо того, чтобы прятаться вместе с подружкой, дожидаясь, когда первая буря утихнет, Егор остался в городе, пытаясь понять, кто его обвел вокруг пальца. К тому же моя судьба его беспокоила. Незадолго до ограбления Гора наверняка видел Ирку с Германом (он ведь тенью ходил за ней), но вряд ли придал этому значение. Однако после моего вопроса о роли Арни в их затее, он решил встретиться с дружком, чтобы возникшие догадки проверить. Герман быстро понял, что от Горы придется избавиться: расскажи он обо всем мне, и подозрения не замедлят появиться...

Я вновь стиснула зубы, потому что теперь стало ясно: это я невольно помогла Герману, сообщив, где прячется Стычкин. Вслед за Горой пришла и моя очередь. Рисковать Герман не хотел, подозревая, что я могла узнать нечто такое, чего знать мне не положено. Мое смс это подтверждало, оттого он и назначил встречу у пожарки. Он хотел меня убить! Вот тебе и старая любовь, которая не забывается. Впрочем, былые чувства он демонстрировал теперь из вполне понятных побуждений: поначалу беспокоился о предстоящей свадьбе, которую я могла расстроить назло ему (других по себе не судят!), а потом желая быть в курсе происходящего, ведь после двух-трех поцелуев я привычно стану делать то, что он скажет... самовлюбленный болван. О моем житье-бытье в Питере он, конечно, знал от Ирки. Но впечатление сумел произвести.

Какое-то время ему удавалось держать подружку на расстоянии, бог знает, где она пряталась все это время. Но убийство Арни спутало им все карты: Германа арестовали. Ирка испугалась, что денежек она не увидит, и явилась ко мне, в надежде разжиться полезными сведениями. Моя болтливость пошла ей на пользу: Чума узнала об этой квартире. И сообразила, зачем она Герману понадобилась, быстрее, чем я. И сегодня ждала его освобождения в надежде, что он непременно заглянет в свое убежище, дабы проверить, все ли здесь в порядке. Хотя он-то мог явиться за компроматом, чтобы заполучить вожделенный контракт...

Я так увлеклась размышлениями, что даже забыла о своем бедственном положении. К действительности меня вернул Иркин голос:

— Ставь сумку сюда... расстегни молнию...

Тут она вдруг взвизгнула, а потом что-то с силой врезалось в боковую стенку шифоньера, я от неожиданности едва не заорала. Один удар, потом другой, дверь шифоньера приоткрылась, а я чуть не лишилась сознания от ужаса. Судя по звукам, в комнате идет настоящая борьба, пока эти двое так заняты друг другом, может, попытаться сбежать? В форточке я впопыхах чего доброго застряну, а если входная дверь закрыта, потеряю драгоценные секунды, если вообще смогу ее открыть. Закричать? Позвать на помощь? Спешно писать смс?

Я испуганно ждала выстрелов, но их не последовало. Иркин визг стих, и в этом не было ничего хорошего. Ясно, что в рукопашной Чума с Герой не справится. И тут я услышала голос Геры, он вполне внятно произнес:

— Тварь.

А дверь шифоньера с легким скрипом открылась, и я увидела обоих всего в двух шагах от себя. Ирка лежала на полу, раскинув руки, безжизненный взгляд устремлен в потолок, руки Германа все еще были на ее шее, он тяжело дышал и скрип вряд ли слышал, но в любой момент мог обернуться и... Я шагнула вперед и с силой ударила его по голове бейсбольной битой. Он рухнул на Ирку, а я сказала:

— Это тебе за Гору. — И пошла к двери.

Взгляд мой упал на спортивную сумку, стоявшую возле открытого люка в подпол. Изменив траекторию движения, я подхватила ее, охнув от неожиданности: сумка большая, и вес у нее оказался немалый. Уже возле входной двери я обернулась: подружка с Германом лежали, будто обнявшись, точно в детстве, когда мы дурачились, затевая возню на полу. Удивляясь своему спокойствию, я вышла из квартиры, сняв бахилы, закинула сумку на плечо. На ходу достала мобильный и набрала номер:

— Здесь какой-то странный шум... похоже на выстрел...

Я назвала адрес, пересекая двор, и тут увидела машину Левандовского. Он гостеприимно распахнул дверь, я взгромоздила сумку на переднее сиденье, а сама села сзади, перегнулась, расстегнула молнию, и мы дружно присвистнули.

— Вот и на кофе наскребли, — сказал Марк Владиславович при виде аккуратно сложенных пачек банкнот приятно зеленого цвета. И тут же сурово нахмурился. — Тебе что делать велели?

— Ничего, — огрызнулась я.

— Правильно. Кой черт тебя сюда понесло?

— Предлагаю дискутировать в другом месте, я полицию вызвала.

Он завел машину, а я рассказала о том, что произошло.

— Господи, — простонал он, когда я дошла до шифоньера. — Ты хоть понимаешь... — тут он махнул рукой. — Ты его, случаем, не убила? — через полминуты вновь забеспокоился ясновельможный.

— Очухается. Надеюсь, не сразу, и полицейские появятся раньше.

— Скажи, милая, это была женская месть?

— За то, что он меня когда-то уступил другому? — хмыкнула я. — Вообще-то не стоило этого делать.

— Само собой. Деньги заныкать решила?

— Они ворованные, — буркнула я.

— Сути это не меняет. Ты там, кстати, не очень наследила?

— Бахилы, перчатки... А ты здесь какими судьбами? Решил проводить Германа после его освобождения?

— Конечно.

— Дай отгадаю зачем... Хотел прижать его, чтобы он дал нужные тебе показания и ты смог вытащить из тюрьмы своего клиента...

— Я его и так вытащу.

Одной рукой он немного пошарил в сумке и извлек из-под банкнот черную кожаную папку, застегнутую на молнию.

— Не возражаешь? — спросил, повернувшись ко мне. — Тебе бабло, мне вот это.

— Не возражаю. Уверена, теперь тебя ждет блестящая карьера.

— Да я и без того не жаловался.

— А чего деньги не берешь?

— Я еще молодой, заработаю. Ты-то с ними что собираешься делать? — спросил он весело.

— Не знаю, — пожала я плечами. — Но если я теперь отнесу их в полицию...

— Наживешь кучу неприятностей, — кивнул Левандовский.

— Меня оправдывает то, что времени подумать не было, — проворчала я. — Какого лешего я взяла эту сумку?

— Да уж, головная боль тебе обеспечена.

— Есть идея, — хмыкнула я. — Поехали к Стасе.

По дороге я успела задать еще пару вопросов, так сказать, для полноты картины. Левандовский наблюдал за Германом с того момента, как того освободили, и очень скоро понял, куда он направляется. Намерения Купченко-старшего были ему на руку, самое подходящее место для разговора по душам. Однако Германа возле юдоли скорби выслеживал не только он, но и Ирка, она явилась на такси и тоже поспешила за Купченко, ясновельможному пришлось уступить пальму первенства даме. Он занял позицию возле дома, ожидая своей очереди. От безделья звонил мне раза три, а потом и Стасе, и уже начал беспокоиться. Мое появление произвело сильное впечатление, — собственно, он до сих пор под ним.

— Пани Зоська, вы опасная женщина, — хмыкнул он, останавливаясь возле моего подъезда.

— А ты меня не зли, и будешь жить долго и счастливо.

— Добавьте еще: беспокойно. Никогда не знаешь, что придет тебе в голову.

— Сумку бери, — буркнула я.

Стася, должно быть, увидела нас в окно и теперь стояла в дверях и улыбалась.

— Пан Левандовский, вы решили к нам перебраться? — кивнув на сумку, спросила она.

— Стася, хотите на историческую родину? — задала я свой вопрос. — Можете купить шикарный особняк в самом центре Варшавы, — с этими словами я открыла сумку, которую Левандовский бросил на пол.

Стася с интересом заглянула в нее и хмыкнула:

— Зоська, ты дура. Это ж мечта, а настоящая мечта всегда неосуществима. А что, других идей, куда деть деньги, у вас не нашлось? — Я пожала плечами, старушенция вновь усмехнулась. — Ладно, оставляйте. Буду держать их в ячейках банков и отпишу вам в завещании. Помру, все вам достанется. Пусть, кому надо, гадают, откуда они у меня взялись. — Тут она лихо подмигнула и добавила: — Кажется, это называется отмывать бабло.

Левандовский уехал почти сразу, сославшись на дела, Стася отправилась вместе с ним в банк, с первой партией денег, а я затосковала. Я приехала в этот город по просьбе старых друзей, теперь всех троих уже нет в живых, а бывший возлюбленный, скорее всего, окажется в тюрьме на долгие годы. Безрадостный итог. Но, если честно, еще большую боль вызывали мысли о Левандовском. Ясно, что с самого начала он преследовал свои цели, оттого и был рядом. И все его слова лишь упражнения в остроумии, за которыми ничего нет. Впрочем, он ничего и не обещал. Выходило неутешительно: я опять выбрала не того мужчину.

Тоска погнала меня на улицу, где я бродила до самого вечера, не обращая внимания на Стасины звонки, а направляясь к дому, твердо решила: завтра утром я уеду, звонить Левандовскому не стану, он, скорее всего, тоже не позвонит. Оно и лучше. Самое скверное, когда нечего сказать друг другу...

Стася выглядела недовольной.

— Где тебя носит? — спросила ворчливо.

— Прощалась с городом. Завтра уезжаю. Стася, дайте денег взаймы, слетаю в Австралию, взгляну на кенгуру, у меня отпуск, в конце концов.

— Начинается, — закатила она глаза. — Кстати, неужто твой родитель такой жмот, что дочери путевку купить не может?

— Я у папы принципиально денег не занимаю.

— А я взаймы принципиально не даю. Почто тебе Австралия? Ладно, ступай домой. Прятаться теперь вроде не от кого.

Слегка удивленная таким поворотом, я отправилась к себе. Вошла в квартиру и удивленно замерла: от порога шла дорожка из лепестков роз. Сердце скакнуло в поднебесье, а я ускорилась. Свет в гостиной не горел, зато полыхали два десятка свечей: на полу, на столе, на комоде. В кресле, посередине комнаты, сидел Левандовский, закинув ногу на ногу и держа в руке бархатную коробочку. С кольцом. В своем лучшем костюме и белоснежной рубашке.

— Что за страсть к дешевым эффектам? — презрительно спросила я.

— Ты самая красивая девушка на свете, — ответил он.

— А ты похож на торт ко дню рождения, только свечек чересчур много.

— Ты моя звезда, — сказал Левандовский.

— Какая пошлость...

— Ты мое солнце. Кольцо возьмешь? Последний раз спрашиваю.

— Возьму, — сказала я, забирая футляр из его рук. — Стася сказала — два карата, обеднею — продам по дешевке.

— Ты восхитительна, — расплылся он в улыбке. И добавил: — Я тебя люблю.

— Я тебя люблю, — эхом отозвалась я, рухнув в его объятия.

Очень скоро мы оказались на полу и едва не устроили пожар, опрокинув свечи. Хохоча во все горло, перебрались в спальню, и я очень быстро забыла и про друзей, которые на поверку друзьями не были, и про врагов, да и обо всем на свете тоже. Судьба-волшебница сделала мне царский подарок, и я собиралась насладиться им сполна.

Под утро пошел дождь, и я уснула в объятиях ясновельможного, счастливая до неприличия, а проснулась часов в десять, Левандовский сладко сопел рядом, я выскользнула из постели с похвальным желанием принести ему кофе в постель. Натянула футболку и на цыпочках вышла из комнаты, осторожно прикрыла дверь, боясь его разбудить. И едва не взвизгнула, обнаружив в гостиной Стасю.

— У меня есть ключ, — напомнила она, стоя в дверях. — Мы с котом беспокоились, как у вас все сложится.

С некоторым изумлением я увидела, что и кот здесь, сидит возле ее ног и таращит глазищи.

— Пан Юджин тоже беспокоился? — спросила я.

— Надо думать, если от этого зависит наша дальнейшая судьба: живем да радуемся или сразу в богадельню.

Я подошла и обняла ее, а она погладила меня по спине.

— Стася, я так счастлива...

— А уж мы-то как... Натурально всю ночь на нервах... капли пила. Пан Левандовский себя не посрамил?

— Родина может им гордиться.

— Вот и ладно, — усмехнулась она. — Пошли, Казимирыч, тут без нас управятся.

Кот потянулся, зевнул, направился к входной двери, и хозяйка за ним.

— Стася, — позвала я.

— Да?

— На фиг капли. Да здравствует коньяк!

— Аминь, милая, — кивнула она.

Литературно-художественное издание

АВАНТЮРНЫЙ ДЕТЕКТИВ Т.ПОЛЯКОВОЙ

Полякова Татьяна Викторовна

СУДЬБА-ВОЛШЕБНИЦА

Ответственный редактор *О. Рубис*
Художественный редактор *С. Груздев*
Технический редактор *Г. Романова*
Компьютерная верстка *Е. Коптевой*
Корректор *Г. Москаленко*

ООО «Издательство «Э»
123308, Москва, ул. Зорге, д. 1. Тел. 8 (495) 411-68-86.

Өндіруші: «Э» АҚБ Баспасы, 123308, Мәскеу, Ресей, Зорге көшесі, 1 үй.
Тел. 8 (495) 411-68-86.
Тауар белгісі: «Э»
Қазақстан Республикасында дистрибьютор және өнім бойынша арыз-талаптарды қабылдаушының
өкілі «РДЦ-Алматы» ЖШС, Алматы қ., Домбровский көш., 3«а», литер Б, офис 1.
Тел.: 8 (727) 251-59-89/90/91/92, факс: 8 (727) 251 58 12 вн. 107.
Өнімнің жарамдылық мерзімі шектелмеген.
Сертификация туралы ақпарат сайтта Өндіруші «Э»

Сведения о подтверждении соответствия издания согласно законодательству РФ
о техническом регулировании можно получить на сайте Издательства «Э»

Өндірген мемлекет: Ресей
Сертификация қарастырылмаған

Подписано в печать 28.01.2016. Формат 84х108 $^1/_{32}$.
Гарнитура «Ньютон». Печать офсетная. Усл. печ. л. 16,8.
Тираж 35 000 экз. Заказ № 2121.

Отпечатано в ОАО «Можайский полиграфический комбинат».
143200, г. Можайск, ул. Мира, 93.
www.oaompk.ru, www.оаомпк.рф тел.: (495) 745-84-28, (49638) 20-685

Оптовая торговля книгами Издательства «Э»:
142700, Московская обл., Ленинский р-н, г. Видное,
Белокаменное ш., д. 1, многоканальный тел.: 411-50-74.

**По вопросам приобретения книг Издательства «Э» зарубежными
оптовыми покупателями обращаться в отдел зарубежных продаж**
*International Sales: International wholesale customers should contact
Foreign Sales Department for their orders.*

**По вопросам заказа книг корпоративным клиентам,
в том числе в специальном оформлении,** *обращаться по тел.:*
+7 (495) 411-68-59, доб. 2115/2117/2118; 411-68-99, доб. 2762/1234.

**Оптовая торговля бумажно-беловыми
и канцелярскими товарами для школы и офиса:**
142702, Московская обл., Ленинский р-н, г. Видное-2,
Белокаменное ш., д. 1, а/я 5. Тел./факс: +7 (495) 745-28-87 (многоканальный).

Полный ассортимент книг издательства для оптовых покупателей:
В Санкт-Петербурге: ООО СЗКО, пр-т Обуховской Обороны, д. 84Е.
Тел.: (812) 365-46-03/04.
В Нижнем Новгороде: 603094, г. Нижний Новгород, ул. Карпинского, д. 29,
бизнес-парк «Грин Плаза». Тел.: (831) 216-15-91 (92/93/94).
В Ростове-на-Дону: ООО «РДЦ-Ростов», пр. Стачки, 243А.
Тел.: (863) 220-19-34.
В Самаре: ООО «РДЦ-Самара», пр-т Кирова, д. 75/1, литера «Е».
Тел.: (846) 269-66-70.
В Екатеринбурге: ООО«РДЦ-Екатеринбург», ул. Прибалтийская, д. 24а.
Тел.: +7 (343) 272-72-01/02/03/04/05/06/07/08.
В Новосибирске: ООО «РДЦ-Новосибирск», Комбинатский пер., д. 3.
Тел.: +7 (383) 289-91-42.
В Киеве: ООО «Форс Украина», г. Киев,пр. Московский, 9 БЦ «Форум».
Тел.: +38-044-2909944.

**Полный ассортимент продукции Издательства «Э»
можно приобрести в магазинах «Новый книжный» и «Читай-город».**
Телефон единой справочной: 8 (800) 444-8-444.
Звонок по России бесплатный.

В Санкт-Петербурге: в магазине «Парк Культуры и Чтения БУКВОЕД»,
Невский пр-т, д.46. Тел.: +7(812)601-0-601, www.bookvoed.ru/

Розничная продажа книг с доставкой по всему миру.
Тел.: +7 (495) 745-89-14.

ISBN 978-5-699-87385-2

ИНТЕРНЕТ-МАГАЗИН
ИНТЕРНЕТ-МАГАЗИН
ИНТЕРНЕТ-МАГАЗИН
ИНТЕРНЕТ-МАГАЗИН

16+

ВЫСОКОЕ
ИСКУССТВО ДЕТЕКТИВА

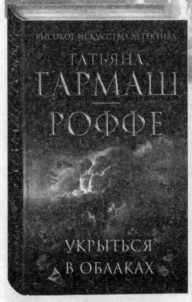

ТАТЬЯНА ГАРМАШ-РОФФЕ отлично знает, каким должен быть настоящий детектив, и следует в своих романах законам жанра. Театральный критик, она умеет выстраивать диалоги и драматургию чувств. Неординарная личность, она дарит часть своей харизмы персонажам. Непредсказуемость сюжетных поворотов, точность в логике и деталях, психологическая достоверность в описании чувств, — таково ВЫСОКОЕ ИСКУССТВО ДЕТЕКТИВА Татьяны Гармаш-Роффе.

Вы можете обсудить роман и пообщаться с автором на его сайте.

Адрес сайта: www.garmash-roffe.ru

0000-042

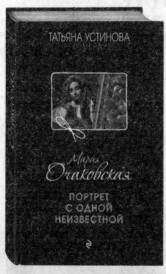